Les Folles Années

DU MÊME AUTEUR

Un viol sans importance, roman, Sillery, Septentrion, 1998.

La Souris et le Rat, roman, Gatineau, Vents d'Ouest, 2004.

Un pays pour un autre, roman, Sillery, Septentrion, 2005.

L'été de 1939, avant l'orage, roman, Montréal, Hurtubise HMH, 2006.

La Rose et l'Irlande, roman, Montréal, Hurtubise HMH, 2007.

Les Portes de Québec, t. 1, *Faubourg Saint-Roch,* roman, Montréal, Hurtubise HMH, 2007.

Les Portes de Québec, t. 2, *La Belle Époque,* roman, Montréal, Hurtubise HMH, 2008.

Les Portes de Québec, t. 3, *Le prix du sang,* roman, Montréal, Hurtubise HMH, 2008.

Les Portes de Québec, t. 4, *La mort bleue,* roman, Montréal, Hurtubise, 2009.

Haute-Ville, Basse-Ville, roman, Montréal, Hurtubise, 2009 (réédition de *Un viol sans importance*).

Les Folles Années, t. 1, *Les héritiers,* roman, Montréal, Hurtubise, 2010.

Les Folles Années, t. 2, *Mathieu et l'affaire Aurore,* roman, Montréal, Hurtubise, 2010.

Jean-Pierre Charland

Les Folles Années

tome 3

Thalie et les âmes d'élite

Roman historique

Hurtubise

Catalogage avant publication de Bibliothèque et Archives nationales du Québec et Bibliothèque et Archives Canada

Charland, Jean-Pierre, 1954-

Les folles années

Sommaire : t. 3. Thalie et les âmes d'élite.

ISBN 978-2-89647-452-3 (v. 3)

I. Titre. II. Titre : Thalie et les âmes d'élite.

PS8555.H415F64 2010   C843'.54   C2010-940027-5
PS9555.H415F64 2010

Les Éditions Hurtubise bénéficient du soutien financier des institutions suivantes pour leurs activités d'édition :

• Conseil des Arts du Canada ;
• Gouvernement du Canada par l'entremise du Programme d'aide au développement de l'industrie de l'édition (PADIÉ) ;
• Société de développement des entreprises culturelles du Québec (SODEC) ;
• Gouvernement du Québec par l'entremise du programme de crédit d'impôt pour l'édition de livres.

Graphisme de la couverture : René St-Amand
Illustration de la couverture : Polygone Studio
Maquette intérieure et mise en pages : Folio infographie

Copyright © 2011 Éditions Hurtubise inc.

ISBN 978-2-89647-452-3

Dépôt légal : 1er trimestre 2011
Bibliothèque et Archives nationales du Québec
Bibliothèque et Archives Canada

Diffusion-distribution au Canada :
Distribution HMH
1815, avenue De Lorimier
Montréal (Québec) H2K 3W6
Téléphone : 514 523-1523
Télécopieur : 514 523-9969
www.distributionhmh.com

Diffusion-distribution en France :
Librairie du Québec / DNM
30, rue Gay-Lussac
75005 Paris
www.librairieduquebec.fr

Imprimé au Canada
www.editionshurtubise.com

Liste des personnages principaux

Buteau, Émile: Curé de la paroisse Saint-Roch, nommé prélat domestique au tournant des années 1920. Il s'agit du frère de Marie.

Buteau, Marie: Jeune fille née dans le quartier Saint-Roch, veuve d'Alfred Picard, mère de Mathieu et de Thalie, elle dirige le commerce fondé par ce dernier. Elle épouse Paul Dubuc en 1919.

Caron, docteur: Médecin des familles Picard et de la famille Dupire, père d'Élise.

Caron, Élise: Fille du docteur Caron. Elle revient vivre chez lui avec ses enfants, Estelle et Pierre, au moment du décès de son époux, le docteur Charles Hamelin.

Dubuc, Paul: Député libéral de Rivière-du-Loup, père de deux filles, Amélie et Françoise. Il épouse Marie Picard, née Buteau, en secondes noces, en 1919.

Dugas, Gertrude: Servante dans la maisonnée de Marie Buteau.

Dupire, Fernand: Notaire, époux d'Eugénie Picard, il a trois enfants: Antoine, Béatrice et Charles.

Girard, Jeanne: Domestique chez Fernand Dupire, elle abandonne cet emploi pour reprendre du service chez Élisabeth Trudel.

Lavallée, Raymond: Élève de Belles-Lettres au Petit Séminaire de Québec. Il rêve de sainteté.

Létourneau, Jacques: Fils naturel d'Éugénie Picard, il a été adopté par Fulgence Létourneau et sa femme, Thérèse.

Picard, Eugénie: Fille de Thomas Picard, épouse de Fernand Dupire, dont elle a trois enfants: Antoine, Béatrice et Charles.

Picard, Mathieu: Fils de Marie Buteau et de Thomas Picard, mais dont Alfred Picard assume toutefois la paternité. Il pratique le droit à Québec. Il épouse Flavie Poitras.

Picard, Thalie: Fille de Marie Buteau et d'Alfred Picard, elle pratique la médecine à Québec.

Poitras, Flavie: Secrétaire au magasin PICARD, épouse de Mathieu Picard. Elle abandonne son emploi en 1925, alors qu'elle est enceinte.

O'Neill, David: Ingénieur, il courtise Amélie Dubuc, la fille cadette de Paul Dubuc.

Trudel, Élisabeth: Seconde épouse de Thomas Picard. Devenue veuve au décès de ce dernier, elle acquiert une maison de chambres.

Liste des personnages historiques

Bégin, Louis-Nazaire (1840-1925): Nommé archevêque de Québec en 1898, cardinal en 1914, il est confronté aux changements attribuables à l'industrialisation de la ville.

Courchesne, Georges-Henri (1893-1975): Diplômé en médecine en 1920, il œuvre au dispensaire des pauvres. On lui doit aussi la fondation de la Caisse populaire Saint-Sacrement, en 1939. Un hôpital porte son nom.

Langlois, Joseph-Alfred (1876-1968): Prêtre en 1902, professeur puis directeur du Collège de Lévis, il devient évêque en 1924.

Lavergne, Armand (1880-1935): Avocat, ténor de la cause nationaliste, député à l'Assemblée législative et à la Chambre des communes.

Roy, Paul-Eugène (1859-1926): Curé de la paroisse Notre-Dame-de-Jacques-Cartier, contiguë à la paroisse Saint-Roch. Il devient évêque auxiliaire de Québec en 1908, et titulaire du diocèse en 1925.

Chapitre 1

À la gauche de l'entrée principale de la grande demeure dans la rue Claire-Fontaine, trois plaques en laiton s'alignaient l'une au-dessus de l'autre. La plus élevée portait les mots « Dr D. Caron, MD ». Juste en dessous, une autre sur laquelle les ans n'avaient posé aucune patine encore, indiquait « Dr T. Picard, MD ». Elle brillait d'autant plus que tous les matins, sa propriétaire se donnait la peine de passer sa main gantée sur toute sa surface. Le dernier rectangle, tout aussi récent mais privé de soins attentifs, faisait référence à un certain Pouliot.

Fin juin 1925, Fernand Dupire franchit la porte en poussant devant lui un garçon robuste, un peu trop lourd peut-être, âgé de neuf ans. Devant le petit bureau placé en retrait de la salle d'attente, il commença :

— Bonjour, Élise. Votre père se trouve-t-il à son bureau ? Nous avons eu un petit accident.

Elle posa les yeux sur l'enfant. À la hauteur de son coude, il tenait une serviette blanche qui portait quelques taches de sang.

— C'est ce que je constate. Papa est absent, mais le docteur Picard se trouve toujours ici. Acceptez-vous de la voir ?

Si la question paraissait un peu étrange, elle s'imposait toutefois. À peu près tous les clients de sexe masculin, de même que de nombreuses femmes, répondaient par la négative. Pour toutes ces personnes, la compétence ne se conjuguait pas au féminin, surtout si l'examen exigeait de baisser son pantalon.

— Je ne pense pas que ce jeune homme y verra un inconvénient.

Antoine tenait le pansement improvisé en grimaçant. Si le trajet entre la voiture et cet endroit avait été supportable, il s'imposait de lui permettre de s'asseoir bien vite.

Élise se leva pour cogner légèrement à une porte voisine, ouvrir et dire à mi-voix :

— Thalie, nous avons une urgence.

Tout de suite, elle se reprocha sa trop grande familiarité. En ces lieux, elle se devait désormais de s'en tenir à « docteur Picard ». L'habitude ne lui en viendrait pas aisément avec cette bonne amie. Heureusement, la salle d'attente demeurait à peu près vide ; le docteur Pouliot commencerait seulement dans vingt minutes à recevoir des patients.

— Fais-le entrer, je m'en occupe.

Le garçon prit place sur un tabouret. Il accepta en hésitant de poser son bras sur une table à la surface en acier poli.

— Je vais enlever la serviette, maintenant, lui dit Thalie.

La grimace sur le petit visage l'amena à ajouter :

— Je vais faire bien attention, ne t'en fais pas. Comment diable as-tu fait cela ?

— … Je suis tombé, il y avait du verre par terre. Une bouteille brisée.

— Tu n'es pas tombé tout seul, intervint le père d'une voix chargée de reproche.

— On jouait. Robert n'a pas fait exprès de me faire mal.

Thalie leva les yeux vers Fernand Dupire et lui adressa un sourire.

— Je suis heureuse de vous revoir, monsieur. Toute à ce grand blessé, j'en oublie les convenances. Comment allez-vous ?

Ses petites mains aux mouvements précis soulevaient la pièce en toile pour montrer une coupure de deux bons pouces de long, juste à l'articulation du coude. Elle paraissait assez profonde.

— Je me porte bien, répondit le visiteur. Avec ma famille, je m'apprête à migrer vers la campagne.

— Mathieu me disait cela, cette semaine. C'est devenu une tradition, chez vous.

— Vieille de quelques années.

Sans transition, la jeune femme continua, à l'intention de son client :

— Cela ne me paraît pas bien grave. Il va falloir nettoyer la plaie, pour être certain de ne pas y laisser un petit morceau de verre. Tu risques d'avoir mal. Crois-tu que ça ira ?

Un instant, le garçon riva ses yeux dans les siens, puis il fit un geste d'assentiment de la tête.

— Je vais faire très attention, je te le promets.

Malgré cette assurance, ouvrir la plaie et la nettoyer entraîna bien des « aïe, aïe » crispés. Pourtant, Antoine réussit à offrir son bras tout au long des soins et à réprimer ses larmes. Le père paraissait en réalité plus souffrant que le fils. Il suivait toutes les étapes en grimaçant discrètement.

— Vous savez, lui dit Thalie en prenant son fil chirurgical, vous pouvez vous asseoir de l'autre côté de la pièce, en face de mon bureau.

— Je tenterai de me maîtriser. Mais je vais regarder ailleurs.

Le notaire se tenait près de la table d'examen, offrant une présence rassurante à son fils.

— Nous avons presque terminé, continua Thalie pour son patient. Juste un petit peu de couture et tu pourras retourner à tes jeux.

— Je pourrai travailler ?

— Travailler ? Tu occupes un emploi ?

— À la ferme. J'aide tous les étés.

Amusée, elle interrogea le père du regard.

— C'est bien vrai. Au début, le cultivateur qui nous loue sa grande maison devait trouver mon bonhomme bien nuisible, mais maintenant il ne peut plus s'en passer.

L'affirmation venait avec un gros clin d'œil.

— Alors, si tu es déjà un fermier, remarqua-t-elle, quelques petites piqures ne te feront pas peur. On y va ?

L'aiguille se trouvait à un pouce de la peau. Antoine donna son accord d'un signe de la tête. L'opération lui tira quelques plaintes étouffées.

— Que préfères-tu, dans le travail de la ferme ?

— Le soin des animaux.

— Ah ! Moi, je ne saurais pas. Comme tu vois, je préfère la couture.

L'affirmation arracha un demi-sourire à l'enfant. Il la regarda nouer le fil, heureux d'en arriver à la fin de cette expérience.

— Je vais maintenant te peindre la moitié du bras tout en ocre, puis mettre un pansement. Ensuite, tu pourras rejoindre tes amis.

Ces étapes n'étaient pas douloureuses, aussi prêtaient-elles à la conversation.

— Vous travaillez dans ce cabinet depuis longtemps ? demanda Fernand à la jeune praticienne.

— C'est encore tout nouveau, et seulement quelques heures par semaine.

Devant le regard interrogateur du notaire, elle ajouta :

— Je travaille aussi au Jeffrey Hale deux jours par semaine. Vous savez, se bâtir une clientèle prend du temps. Le docteur Caron est très gentil de me permettre d'utiliser ce cabinet, et surtout de m'adresser quelques-unes de ses patientes. Cela lui permet d'alléger un peu son horaire de travail, et moi, de me faire connaître.

Dire « de payer mon gîte et mon couvert » aurait été plus exact. Cet embryon de clientèle lui apportait un modeste revenu.

— C'est la même chose pour les notaires. Il faut quelques années pour se bâtir une clientèle fidèle. Votre présence à l'hôpital doit faciliter un peu les choses.

— C'est vrai. Si le contact avec une patiente est bon, elle voudra me voir à mon cabinet par la suite.

Elle terminait le pansement de gaze. En quittant son propre tabouret, elle remarqua :

— Tu es un jeune homme très courageux, Antoine. Reviens dans une semaine ou dix jours et j'enlèverai les points. D'ici là, fais attention.

— Mon travail ?

— Tu pourras faire les foins, et quand viendra le temps de récolter l'avoine, il restera seulement une toute petite cicatrice.

— Mais là, l'école sera recommencée.

La voix contenait bien du dépit. Aux yeux du garçon, la discipline des Frères des écoles chrétiennes revêtait moins d'intérêt que la vie agricole. La retrouver en septembre prochain lui pesait déjà un peu, mais pas au point de gâcher les plaisirs de l'été à venir.

— Combien vous dois-je ? commença Fernand en faisant mine de sortir son portefeuille.

— Voyez cela avec Élise, murmura Thalie en griffonnant quelques mots sur son bloc, et donnez-lui ceci. Je vous conseille de lui acheter une attelle pour immobiliser le bras quelques jours. Un faux mouvement risquerait d'ouvrir la plaie de nouveau.

Après l'avoir conduit jusqu'à la porte, elle tendit la main.

— J'ai été heureuse de vous revoir, monsieur Dupire.

— Moi aussi, malgré les circonstances.

— Et vous, monsieur Antoine, continua-t-elle en lui tendant la main à son tour, vous êtes un jeune homme bien sympathique. À l'avenir, essayez de vous tirailler là où il n'y a pas de verre brisé. Je vous souhaite un bon été à la ferme.

— Merci, docteur Picard.

L'usage de son titre ne parut même pas lui écorcher les lèvres, un fait plutôt rare chez les représentants du sexe fort. Cela lui valut un sourire reconnaissant.

— Vous ne m'avez presque pas fait mal, renchérit-il.

Formulée à la sortie du cabinet, la remarque fit sourire dans la salle d'attente. Peut-être les pères et les mères de famille, parmi les patients, songeraient-ils avec moins de réticence à avoir recours à un médecin de sexe féminin pour le soin de leur progéniture.

Quand la porte se fut refermée sur le docteur Picard, Fernand revint vers le bureau d'Élise, son portefeuille à la main.

— Le bras paraît sauvé, et le père n'a même pas perdu connaissance pendant l'opération, prononça-t-il d'un ton amusé.

— Vous avez affaire à une vraie professionnelle, commenta la réceptionniste un peu narquoise.

Elle prit connaissance du gribouillis sur le bout de papier remis par Thalie et annonça le prix de la consultation.

— Et vous, vous allez bien ? demanda l'homme en tendant l'argent.

— Dans les circonstances, oui.

Élise se secoua un peu. Parfois, elle s'exprimait comme si son veuvage était tout récent, alors que sept ans avaient passé depuis.

— Oui, je vais bien, reprit-elle. Bien sûr, revenir sous le toit de papa comporte des contraintes, mais tout le monde dans la maison entend me rendre la vie facile.

— Je comprends.

— Et de votre côté, tout le monde va bien ?

Fernand jeta un regard vers son fils éclopé. Celui-ci, stoïque, attendait la fin de la conversation des « grandes personnes ».

— Si l'on excepte les petits accidents de la vie, personne n'a trop à se plaindre. Même maman paraît rajeunir, ce qui, à son âge, tient du tour de force.

— Eugénie ?

De l'intimité entre les deux jeunes couventines, près de vingt ans plus tôt, il ne restait rien, sauf des souvenirs. L'homme lança un regard du côté d'Antoine. Sa présence l'incita à se faire laconique :

— Elle est toujours égale à elle-même.

Ces quelques mots s'avéraient tout de même explicites pour qui avait vu l'humeur de cette jeune femme se détériorer. Comme un patient venait d'entrer, Fernand enchaîna bien vite :

— Je vous laisse travailler. À bientôt.

Elle le salua d'une inclinaison de la tête et porta toute son attention vers le nouveau venu.

Thalie s'attarda dans son bureau jusqu'à cinq heures, le temps de réviser les dossiers de ses quelques clients. La nouvelle de sa présence dans le cabinet circulait dans la ville, sans nécessairement soulever l'enthousiasme. De nombreuses femmes, en prenant rendez-vous avec Élise, précisaient souhaiter voir un « vrai » médecin. Traduit en clair, cela signifiait un homme.

Elle sortait du cabinet, quand elle se trouva face à face avec le docteur Pouliot.

— Cher collègue, commença-t-elle, un peu crâneuse, vous n'êtes pas trop fâché de quitter une aussi agréable journée pour vous enfermer dans cette pièce ?

— … Comme notre patron à tous les deux a partagé les heures de cabinet de cette façon, j'aurais mauvaise grâce de me plaindre.

Pourtant, le ton témoignait de sa frustration à sacrifier une belle soirée. En réalité, le docteur Caron avait établi l'horaire du cabinet d'une façon très équitable. Si Thalie se trouvait plus souvent requise pendant la journée, cela tenait au fait que le brave homme pariait que des femmes, des mères de famille essentiellement, souhaiteraient la voir à ce moment. Occupés par leur travail, les hommes, quant à eux, préféraient souvent un rendez-vous après six heures.

— Je ne vous retiendrai pas. Je vous laisse à vos patients.

D'un regard circulaire, elle apprécia l'affluence. Le diplôme de celui-là n'était guère plus ancien que le sien, mais les gens paraissaient se bousculer pour le consulter.

Un peu dépitée, elle s'approcha du bureau d'Élise pour demander encore :

— Tu ne me feras pas faux bond, n'est-ce pas ? Je peux nous inscrire toutes les deux à l'Institut pour la semaine prochaine ?

— Je ne sais trop. D'habitude, je travaille pendant la matinée.

— Et souvent aussi en soirée, comme aujourd'hui. J'ai moi-même entendu ton père dire que ce serait une excellente idée.

— En réalité, je ne connais rien à la culture physique. La dernière fois que j'ai fait quelque chose du genre, c'était de la callisthénie, chez les Ursulines. J'aurai l'air tellement gauche.

Thalie eut un sourire amusé. Elle-même ne péchait pas par un excès de zèle en ce domaine. Le désir de demeurer un peu active s'était plutôt mal combiné avec les longues heures d'étude, ces dernières années.

— Je pense que nous serons toutes logées à la même enseigne. Après tout, cet Institut de culture physique destiné aux femmes existe depuis quelques semaines tout au plus, et c'est le premier dans la ville. Si quelqu'un est en meilleure forme que nous, ce sera une mère de famille qui passe ses journées à courir derrière ses jeunes enfants.

Élise poussa un soupir en se remémorant cette période heureuse de sa vie, avant la mort de Charles. Ce décès avait rendu Estelle et Pierre précocement graves et sages.

— D'accord, réserve pour nous deux. J'espère que tu as une bonne provision de tes cartes professionnelles.

— Pourquoi donc ?

— Pour les distribuer là-bas, bien sûr. Toutes ces femmes connaissent de petits ennuis, tu seras la seule femme médecin sur les lieux.

— À moins qu'Irma Levasseur ne souhaite aussi se dégourdir les jambes.

Première diplômée de langue française en médecine de la province, Irma travaillait alors à la mise sur pied de l'hôpital de l'Enfant-Jésus, spécialisé dans les soins pédiatriques.

— Je me vois mal distribuer des cartes à la ronde, admit Thalie après une hésitation.

— Tu crois que ton charmant collègue se gêne, lui ?

À l'instant même, Pouliot sortait du cabinet pour appeler son premier patient. Quand la porte se referma derrière un homme âgé, la jeune diplômée affirma d'un ton résolu :

— Tu as tout à fait raison, merci de me rappeler à l'ordre. J'en ferai imprimer mille de plus et chacune des bonnes dames de l'Institut aura la sienne.

Après un dernier salut, son petit sac en cuir à la main, Thalie quitta les lieux.

Quand Fernand Dupire et son fils pénétrèrent dans la grande demeure de la rue Scott, formée de deux cubes un peu décalés l'un par rapport à l'autre, Jeanne passa la tête dans l'embrasure de la cuisine afin de voir les nouveaux venus.

— Grands dieux ! s'exclama-t-elle en apercevant Antoine.

Selon les recommandations du docteur Picard, le gamin portait une attelle afin d'immobiliser son bras gauche. La manche de sa chemise avait été coupée un peu au-dessus du coude, ce qui lui donnait une allure étrange.

— Je suis tombé en jouant chez le troisième voisin, tout à l'heure, expliqua-t-il.

— Et comme je passais justement par là, je l'ai conduit chez le docteur, compléta le père.

— Dire que je ne me suis rendu compte de rien, déclara la domestique un peu honteuse de ne pas lui être venue en aide.

— Elle m'a fait des points de suture... C'est bien ce que l'on dit, papa ?

Les yeux levés, il attendit le signe d'assentiment de son père.

— Ça n'a même pas fait mal.

Après une pause, il ajouta d'un ton plus bas :

— Enfin oui, c'était douloureux, mais je n'ai pas pleuré.

La femme accueillit la précision en lui passant la main dans les cheveux, puis elle demanda :

— Le docteur Caron a embauché une infirmière ?

— Non, la sœur de Mathieu, Thalie, fait quelques heures de bureau toutes les semaines dans son cabinet.

La nouveauté troubla légèrement Jeanne. Savoir qu'une femme exerçait un métier, ou plutôt une profession d'homme, la rendait mal à l'aise.

— Elle fait bien ça, commenta Antoine. Puis, elle est jolie.

L'appréciation fit sourire le père. Celui-là grandissait bien vite.

— Va te laver, en faisant bien attention à ton pansement. Nous allons manger bientôt.

Le garçon grimpa à l'étage sans attendre. Laissés seuls dans le couloir, les adultes restèrent silencieux.

— Je vais aller travailler encore une heure, déclara alors le notaire. Les péripéties de l'après-midi m'ont empêché de faire une petite recherche de titres.

Il regagna son bureau. Depuis les rénovations de la maison effectuées cinq ans plus tôt, le salon du rez-de-chaussée présentait des proportions un peu réduites, alors que l'espace de travail permettait à deux professionnels de s'occuper sans se marcher sur les pieds. Il ne lui restait plus qu'à se trouver un associé. Après son année de stage, Mathieu Picard s'était orienté vers le droit, finalement.

❖

Jeanne avait regagné la cuisine sans perdre de temps. La vieille domestique de la maison ne servait plus à grand-chose, sauf à préparer le thé de madame Dupire mère et à lui tenir compagnie. Dans ces circonstances, la tâche de la jeune femme se trouvait considérablement alourdie. Faire la cuisine, le service et tout l'entretien la laissait épuisée.

Quand elle sut que son mari ne risquerait pas de sortir de son étude, Eugénie quitta le salon pour se rendre dans la pièce située au fond de la maison.

— Tu sais, il ne sera jamais à toi !

La domestique leva les yeux de l'évier et contempla la maîtresse des lieux.

— Tu as beau te précipiter à la moindre blessure, poursuivit-elle, au moindre petit mal de ventre, Antoine est à moi. Les deux autres aussi. Toi, tu n'es que la servante, rien de plus.

Son interlocutrice serra les dents, résistant à l'envie de lui asséner un grand coup avec le fait-tout qu'elle s'affairait à nettoyer.

— C'est à moi qu'Antoine a voulu raconter sa mésaventure, risqua-t-elle dans un souffle.

Répondre à ces assauts répétés lui tournait toujours le cœur à l'envers. Toutefois, elle n'arrivait pas à s'en empêcher.

— Tu demeures la bonne.

— Je ne l'ai pas entendu se confier à vous.

Le coup porta. Ce fut d'une voix sifflante qu'Eugénie enchaîna :

— Et pour Fernand, ta présence lui permet seulement de se passer des visites au bordel. D'ailleurs, tu devrais quémander une augmentation. Tu lui fais faire des économies.

Là-dessus, madame Fernand Dupire tourna les talons pour se rendre à l'étage. Pendant ce temps, Jeanne se penchait de nouveau sur l'évier. Bientôt quelques larmes se mêlèrent à l'eau de vaisselle.

Un peu plus au sud dans la rue Scott, la maison familiale des Picard présentait aussi un caractère majestueux, un peu moins austère peut-être. Édouard y habitait maintenant avec sa seule famille immédiate. Construite en 1897, la demeure possédait un intérieur qui illustrait le style victorien dans toute sa lourdeur. Les boiseries sombres, les rideaux très épais, les papiers peints fleuris : tout rappelait le siècle précédent. Le passage des derniers vingt-cinq ans en avait fait un logis fort démodé.

— Cela me fait tout drôle de me trouver ici un mercredi midi, observa Élisabeth en examinant la salle à dîner.

Pendant vingt ans, elle avait régné sur ces lieux. Se trouver dans cette pièce à titre d'invitée lui donnait toujours un pincement au cœur, moins pour le statut perdu que pour l'absence de Thomas. «Je me demande bien ce qu'il penserait de moi, maintenant», songeait-elle souvent. Toujours belle à quarante-sept ans, mince et digne, elle refusait absolument de se soumettre à la nouvelle mode des cheveux courts. Pour le reste, avec des robes finissant tout juste sous les rotules, deux boutons de son chemisier détachés, un rang de perles au cou, les hommes se retourneraient toujours sur son passage.

— Enfin, l'Assemblée législative s'est décidée à faire du 24 juin un congé férié, commenta Édouard en lui versant un verre de vin.

— Bien sûr, cela sied bien à tes sympathies nationalistes.

— Oh! Ne va pas chercher des motifs politiques à ma satisfaction. Cela met fin à un dilemme pour tous les marchands. D'un côté, les sociétés nationalistes et le clergé nous reprochaient de demeurer ouverts. Ils allaient jusqu'à murmurer le mot *boycott*. De l'autre, si nous fermions, les magasins anglais ou juifs faisaient des affaires d'or. Là, nous sommes tous sur le même pied, c'est-à-dire fermés.

Évelyne, l'épouse du jeune marchand, était revenue dans la salle à dîner assez tôt pour entendre la fin de la conversation.

— Si ta flamme nationaliste est éteinte, remarqua-t-elle, comment se fait-il qu'Armand Lavergne s'invite à souper ici une fois par mois ?

— Il ne s'invite pas, je l'invite ! Il demeure mon meilleur ami, et le seul qui ne soit pas marchand dans la rue Saint-Joseph, ou Saint-Jean. Cela fait changement. Avec lui, je peux cesser un moment de parler boutique.

L'épouse se renfrogna, attitude chez elle si familière qu'au repos, son visage la retrouvait tout naturellement. Une moue marquait ses lèvres en permanence. Elle était arrivée dans cette maison jolie, souriante et un peu sotte. La vie conjugale en avait fait une femme malheureuse, renfrognée, et toujours un peu sotte.

— Grand-maman, intervint Thomas junior, papa m'a rapporté de nouveaux wagons pour mon train électrique. Viens les voir.

— Bien sûr, mon ange, quand nous aurons terminé le repas.

Âgé d'un peu plus de sept ans maintenant, le garçon ressemblait terriblement à son père. Élisabeth revivait ses vingt ans au moindre regard posé sur lui. Dans une maison où le climat confinait si souvent à l'orage, il arrivait à conserver une étonnante bonne humeur.

— Nous allons boire à cette première fête de la Saint-Jean fériée, déclara le maître de la maison.

Élisabeth voulut bien partager ce toast. Évelyne se sacrifia aussi, mais ne fit que tremper ses lèvres dans la boisson.

— Te souviens-tu combien papa pestait contre la prohibition ? questionna Édouard en reposant son verre.

— Tu ne paraissais pas t'en réjouir plus que lui.

— Devoir enrichir un médecin pour obtenir la moindre bouteille, ou alors acheter un liquide à peine buvable concocté par un cultivateur à deux pas de son tas de fumier, cela ne me disait rien. Alors, voilà un sujet sur lequel nous étions parfaitement d'accord.

— Franchement, nous sommes à table, grommela Évelyne.

Thomas junior leva les yeux, intrigué. Un gros mot venait d'être prononcé, et il ne s'en était même pas rendu compte.

— Cette bouteille vient de la Commission des liqueurs, la plus belle invention des libéraux depuis un siècle, continua le marchand comme si aucune parole n'avait été prononcée.

— Nous nous dirigeons vers un scrutin en septembre, remarqua Élisabeth. Les conservateurs paraissent désireux de reprendre la lutte contre ton institution favorite. Ceux-là souhaitent toujours interdire la vente d'alcool.

— Et ensuite, ils vont se demander pourquoi personne dans la province ne vote pour eux. La Commission a déjà été copiée dans de nombreuses provinces. La prohibition ne fonctionne pas.

— Cela ne les empêchera pas de faire campagne sur ce sujet, avec l'appui du clergé.

— Les soutanes ! maugréa l'homme de la maison.

Évelyne laissa échapper un soupir lourd de reproches, posant les yeux sur son fils comme si celui-ci s'exposait à un péché mortel.

— Ces curés ne comprennent pas que cette élection concerne le fédéral, continua-t-il, alors que la question du commerce de l'alcool relève des provinces.

William Lyon Mackenzie King était à la tête du pays depuis 1921. Même si les auspices semblaient mauvais pour lui, il ne pouvait se dérober au rendez-vous électoral.

Les questions politiques occupèrent la conversation pendant tout le repas. Élisabeth tenta bien à quelques reprises de l'amener sur le terrain de la vie domestique afin d'y mêler Évelyne. Comme celle-ci se limitait alors à des réponses d'une ou deux syllabes, elle renonça bientôt à ses efforts.

De son côté, l'esprit de Thomas junior vagabondait vers son train électrique. Cela suffisait pour lui permettre d'échapper à la morosité ambiante.

Dans la bibliothèque, les panneaux en noyer noir décidément trop sévères avaient cédé la place à un bois plus pâle. Avec des rideaux légers à la grande fenêtre donnant sur la rue, la pièce prenait un air plus gai.

— Les choses ne vont guère mieux entre vous, remarqua Élisabeth.

Prendre un sherry l'après-midi ne s'inscrivait pas dans ses habitudes. Cette fois, l'alcool chasserait peut-être la tristesse des deux dernières heures.

— Je suppose que l'on se fait à tout. Tu vois, moi je l'ai trouvée comme à l'habitude.

La mère et le fils occupaient des fauteuils placés de part et d'autre de la cheminée, éteinte en cette saison. De l'extérieur, par les croisées grandes ouvertes, venaient une brise légère et le chant des oiseaux.

— Et de ton côté, enchaîna-t-il, tu es toujours satisfaite de tenir une maison de chambres?

Plutôt que de voir son ménage soumis à une nouvelle autopsie, Édouard préférait amener ce sujet de conversation.

— Comme des touristes occupent mes chambres sans discontinuer jusqu'au retour de mes locataires réguliers, je ne peux pas me plaindre.

— Pour les étudiants, je ne sais pas, mais le trio de députés ne tarit pas d'éloges sur toi. Je les croise lors des activités du Parti libéral.

En réalité, la femme devait gérer une petite liste d'attente. Elle se retenait de ne pas évincer les étudiants pour recevoir un plus grand nombre de ces messieurs. Seul le souci de ne pas avoir un nouvel admirateur à ses jupons l'en dissuadait. Ils lui tournaient autour avec une lassante détermination.

— Je suis partie d'ici il y a presque six ans jour pour jour, remarqua Élisabeth. Tu n'aurais alors pas parié sur ma réussite, n'est-ce pas?

À cette époque, il lui avait déclaré sans ambages qu'elle ne savait rien faire.

— Mon scepticisme se montrait raisonnable, ne crois-tu pas? demanda-t-il avec son habituel sourire de séducteur.

Comme elle ne répondait pas, affichant plutôt un air de défi, il poursuivit:

— Mais, comme tu as toujours été une hôtesse parfaite, j'aurais dû voir plus loin que le bout de mon nez et deviner ton succès.

— Je suis heureuse que tu le reconnaisses, après toutes ces années. Les affaires vont bien, au point où je me demande s'il ne serait pas pertinent d'agrandir.

Le jeune homme écarquilla les yeux, puis déclara:

— Je constate bien l'afflux de touristes au magasin, mais je ne réalisais pas que tu en profitais autant. Toutefois, je ne vois pas comment tu peux agrandir… à moins de construire dans le petit jardin derrière.

— Non, cela reviendrait à condamner la moitié de mes chambres. Je ne serais pas plus avancée. La seule possibilité serait d'acheter une maison contiguë, ou pas trop éloignée de la mienne.

— … Quelqu'un désire vendre?

— Non, mais je garde les yeux grands ouverts.

Édouard ne pouvait s'en empêcher: la prétention de sa mère à se présenter comme une femme d'affaires lui mettait toujours un sourire condescendant sur les lèvres.

— Si tu as besoin de liquidités, je demeure disposé à acheter ta part du magasin, dit-il.

— Je vendrai peut-être, mais ce sera au plus offrant.

De condescendant, le sourire se fit crispé.

— Tu vois, reprit Élisabeth, j'apprends à mener des affaires. Et dans ce domaine, il convient de séparer les sentiments de la recherche du profit, n'est-ce pas?

— Les deux peuvent tout de même cohabiter.

— Tu crois? Je devrai en discuter avec mon conseiller juridique.

Cette fois, le fils ne se priva pas de grimacer de dépit.

— Tu as décidé de confier tes affaires à ce débutant. Dupire me paraissait bien plus compétent.

— Tout à l'heure, tu voulais mêler affaires et famille. Mathieu est le seul notaire de notre parenté, n'est-ce pas?

— Est-ce vraiment un notaire? Il a prolongé ses études pour terminer aussi son Barreau. Voilà un homme qui ne peut pas se décider entre deux professions!

La conversation venait de dériver sur Mathieu Picard, le fils d'Alfred et de Marie. La visiteuse ne put s'empêcher de le défendre:

— Ou un homme sachant au contraire très bien ce qu'il veut, et désireux de se donner des outils pour y parvenir.

De façon bien puérile, Édouard éprouva un pincement au cœur, comme si la complicité entre sa mère et son cousin lui enlevait quelque chose. Il refoula sa frustration pour dire plutôt :

— Comme il a enfin terminé ses très longues études, je suppose qu'il quittera maintenant ta maison de chambres.

— Ses études et sa cléricature sont terminées, précisa la femme. Pour répondre à ta question, oui, il déménagera bientôt.

Un peu de tristesse pointa dans sa voix. Son premier locataire la quitterait dans moins d'une semaine.

— Cela signifie que j'aurai à me dénicher une nouvelle secrétaire pour remplacer Flavie, conclut Édouard.

— Je ne vois pas le rapport.

— Il sera enfin en mesure de faire vivre sa femme ! Voilà cinq ans que dure cette situation anormale et moi, je n'ose pas la renvoyer, parce que justement, c'est la famille.

— Tu veux dire que Flavie ne fait pas bien son travail ?

Élisabeth buvait son sherry à petites gorgées, incertaine d'apprécier le ton de la conversation.

— Ce n'est pas cela, tu le sais bien. Une femme mariée qui travaille, c'est tout à fait inconvenant.

— J'espère que tu ne penses pas la même chose des veuves qui gagnent leur vie.

Cette fois, Édouard se donna le temps d'avaler son cognac afin de penser un peu à sa répartie.

— Cela n'a rien à voir, tu le sais bien. Les femmes mariées se consacrent habituellement à leur famille, c'est l'usage dans la province de Québec. Dans ce cas précis, c'est plus délicat encore. Je n'ose plus rien formuler à haute voix, je tape certaines lettres moi-même, car je crains qu'elle ne répète le détail de mes affaires sur l'oreiller.

— Mathieu aussi possède une part du magasin. Il ne se servira pas de renseignements privilégiés pour te nuire, tu le sais bien.

— … Mes affaires ne se limitent pas au magasin.

Bien sûr, la situation était on ne peut plus délicate. Si le climat lugubre du dîner n'avait pas ruiné sa digestion, Élisabeth en aurait convenu de bonne grâce. Elle déclara après une pause :

— Je ne connais pas les projets de Flavie. Comme elle aura bientôt un appartement à entretenir, ou il lui faudra de l'aide à la maison, ou elle abandonnera son emploi.

— Je souhaite que ce soit la seconde éventualité.

— Ainsi donc, formula Élisabeth d'un ton narquois, tes affaires ne se limitent pas au commerce familial…

Pour la première fois depuis la fin du repas, Édouard lui adressa un sourire sans réserve.

— Actuellement, je liquide tous mes terrains pour investir à la Bourse. Les cours montent sans cesse, je ne veux pas rater cette manne.

— Je n'y connais rien, comme tu le sais, sauf ce que Thomas en disait : un terrain a une valeur intrinsèque. Tôt ou tard, quelqu'un voudra bâtir dessus. Avec les actions, on ne sait pas.

— Mais le profit prend du temps à venir. À la Bourse, n'importe qui peut devenir riche. Un coup de fil à un courtier, et on n'a plus qu'à regarder les profits s'aligner. Tous les matins, les journaux les publient.

Élisabeth secoua la tête, agitant sa lourde chevelure d'un blond foncé. Le garçon capta un reflet vieil or qui le ramena au bonheur de son enfance. Un bref instant, il eut envie d'y enfouir la main, comme le jour de leur première rencontre, en 1896.

— Je dois vieillir, commenta la femme en se levant. Le monde me paraît tellement différent, maintenant. À mes yeux, l'argent se gagne en y mettant un peu du sien.

— Cela, c'est une vision que les curés nous ont enfoncée dans la tête. « Tu gagneras ton pain à la sueur de ton front. » Avec la Bourse, l'argent travaille tout seul.

Elle hocha la tête plutôt que de s'engager dans une longue discussion.

— Moi, je transpirerai un peu, aujourd'hui. Comme les domestiques ont mérité quelques heures de congé, je vais même gagner ma vie en mettant la main à la pâte.

Édouard la reconduisit jusque sur la longue galerie ornant la façade de la maison. Sous le soleil, il remarqua quelques filaments blancs juste au-dessus des tempes de sa mère.

— Je te remercie d'être venue. C'est gentil à toi, fit-il en lui embrassant les joues.

— Transmets mes salutations à Évelyne. À bientôt.

Quelques années plus tôt, la visiteuse montait à l'étage pour la saluer elle-même. L'accueil plutôt froid reçu en ces occasions l'avait lassée de cette attention.

Sous le regard de son fils, elle marcha en direction de la Grande Allée. Elle croisa l'un de ses anciens voisins qui s'arrêta pour lui serrer la main. Le temps d'une brève conversation, l'homme exposa son crâne aux chauds rayons de juin et ne remit son panama qu'en la quittant. Alors que la femme continuait son chemin, le badaud s'arrêta de nouveau pour la regarder s'en aller, la taille toujours fine, un mouvement invitant dans les hanches.

— Le vieux salaud, commenta Édouard avant de rentrer. Soixante ans et toujours entiché de la silhouette de maman.

En soupirant, il ferma la porte de la triste maison.

La visite de sa mère entraînait toujours un regain de vertu chez Édouard. Cela ne le conduisait pas au pied de l'autel, à ronger une balustrade, mais au lieu de se rendre au terrain de l'exposition afin de participer aux festivités de la Saint-Jean, il passa la soirée au salon. Bien sûr, l'acquisition d'un nouveau jouet participait à son soudain intérêt pour la quiétude de sa grande demeure.

Un appareil radio Marconi trônait sur un guéridon près du mur. S'il n'ajoutait rien à l'esthétisme des lieux, il promettait des heures de divertissement. Surplombant le dispositif, un grand cône en laiton permettait de diffuser le son dans toute la pièce.

— Pourtant, cela devrait se trouver à cette fréquence, murmura l'homme en agitant un gros bouton.

— As-tu déjà entendu autre chose que des grincements, avec cela ?

Évelyne parcourait un ouvrage de piété, assise dans le meilleur fauteuil, dans le faisceau d'une lampe sur pied.

— La station CKCI diffuse tous les jours, tu l'as probablement écoutée plus souvent que moi. Tu es ici toute la journée.

Au cours des dernières années, trois stations de radiodiffusion avaient été inaugurées dans la ville. Il en restait une, associée au journal *Le Soleil*. Les couinements électriques s'estompèrent enfin et une chansonnette se répandit dans le salon. Édouard enleva ses doigts du cadran avec prudence, comme si le démon de la modernité risquait de faire revenir les bruits agaçants. La musique continuant sans interruption, il lança un regard de défi à sa femme. Elle ne daigna même pas lever les yeux pour reconnaître sa victoire sur la technologie récalcitrante.

La soirée s'écoula, tranquille au point de confiner à l'ennui. Vers dix heures, le couple monta à l'étage. Évelyne s'attarda longuement dans la salle de bain attenante à la chambre conjugale. À son retour, vêtue d'une robe de nuit la couvrant du cou aux mollets, elle s'arrêta près du lit, les yeux fixés sur le chevet. Une petite boîte ronde s'y trouvait.

— Je ne veux plus de cela ici. Plus jamais.

La jeune femme parlait à voix basse, comme il convenait pour un sujet aussi intime.

— Pourtant, ce n'est pas nouveau.

Édouard feignait de ne pas comprendre, même s'il n'en était pas à la première dispute à ce sujet.

— Je m'en veux d'avoir cédé déjà. Mon confesseur m'assure qu'il s'agit d'un péché mortel.

— Tu n'avais qu'à ne pas lui en parler !

Cette logique fit écarquiller les yeux de l'épouse.

— Empêcher la famille, c'est un péché très grave, insista-t-elle. Puis cette... chose est si répugnante.

Ses yeux ne se détachaient pas de la boîte posée sur le chevet. À l'intérieur, le condom en intestin de mouton affectait la forme d'un gros ver flasque, blanchâtre. Surtout, après chaque usage, il lui revenait de le laver.

— Se refuser à son mari, c'est un péché aussi, plaida l'homme d'une voix impatiente.

— Moins que cela ! riposta-t-elle en montrant l'objet du doigt.

Édouard serra les poings, désireux de dominer sa colère.

— Tu es ma femme. Je peux te forcer.

— Je ne me refuse pas à toi, je ne me suis jamais refusée. Mais tu ne me prendras pas avec... cette chose. Si tu mets cela, oui, tu devras me violer.

— Entre un mari et sa femme, le viol n'existe pas. Ce sont les avantages légitimes du mariage. Tu me les dois, comme moi je te dois le gîte et le couvert.

Présentée comme cela, l'institution sacrée ressemblait fort à de la prostitution. La présence du petit Thomas dans la chambre voisine forçait Édouard à maîtriser sa voix.

— Ne me mets pas au défi, menaça-t-il encore.

— Tu n'oserais pas !

Le mari la regarda longtemps, la rage montant en lui. Leur enfant, même s'il était adorable, lui paraissait une chaîne déjà lourde à porter. Il n'en ajouterait pas d'autres en négligeant de porter sa « protection ». D'un geste vif, il récupéra le condom sur le chevet, le glissa dans la poche de sa veste de pyjama. L'objet pouvait encore servir, le laisser dans la pièce serait risquer de la voir le percer à coups d'épingle.

Plus tard, l'homme tirait les couvertures sur lui. La chambre d'ami l'hébergeait avec une lassante régularité. Mieux vaudrait rendre cet arrangement permanent et éviter désormais les scènes de ce genre.

Chapitre 2

Thalie profita du fait que personne d'autre ne se tenait dans le salon familial pour s'approcher de sa mère et lui tendre une petite enveloppe.

— Voyons, je ne peux accepter cela de ma propre fille, protesta-t-elle.

— Nous n'allons pas reprendre cette même discussion toutes les semaines. Pour habiter ici, je te dois une pension, tout comme j'en ai payé une au cours des dernières années à Montréal.

— Mais quand tu venais ici l'été…

— Je pouvais toujours me dire que mon statut d'étudiante m'autorisait à profiter un peu de la situation. Maintenant, je suis médecin.

La scène devenait ridicule, la mère assise avec un magazine, la fille debout devant elle, son enveloppe à la main. La première céda finalement, accepta le montant convenu après une étrange négociation – la locataire essayant de faire monter le prix, la logeuse cherchant à le faire descendre – pour la faire disparaître dans l'une de ses poches.

— J'espère que tu as offert tes dernières résistances, murmura Thalie en prenant place près d'elle sur le canapé, car je trouve la petite scène répétée tous les samedis un peu gênante.

— Mais recevoir un loyer de ma propre fille me semble tellement étrange.

— Dans la très grande majorité des demeures de la ville, les jeunes filles au travail paient leur part. Parfois, elles remettent à peu près la totalité de leurs gains à leurs parents. Moi, je me contente de payer exactement le même montant qu'à la pension Milton.

— Mais tu as vingt-cinq ans, et de mon côté, je n'ai pas besoin de cet argent... Surtout que Paul contribue aux dépenses du ménage.

— Maman, tu recommences.

Marie rougit un peu de se voir prise en défaut, puis s'efforça de changer rapidement de sujet :

— Comment va ton travail ? Tu m'en parles si rarement.

— Cela va très bien avec mes patients... mais ceux-ci demeurent bien peu nombreux. Au point où je me sens un peu mal à l'aise devant le docteur Caron. Il m'offre des conditions idéales, mais je n'arrive pas à remplir la salle d'attente.

— Les choses iront bientôt mieux. Ce n'est pas facile de changer les habitudes des gens.

Et plus qu'ailleurs, toute nouveauté suscitait la méfiance dans la province de Québec. La population paraissait obnubilée par un passé sacralisé. Aujourd'hui, et demain encore plus, recelaient à ses yeux toutes les menaces.

— Justement, je me demandais si tu ne voudrais pas mettre un petit présentoir dans le magasin, peut-être près de la caisse... ou encore près des sous-vêtements.

Thalie sortit de la poche de sa veste l'une de ses cartes professionnelles.

— Je les ai reçues hier, elles sentent encore un peu l'encre.

Le recto portait les renseignements habituels : le nom de la praticienne et son statut, « Diplômée de l'Université McGill », l'adresse et le numéro de téléphone du cabinet du docteur Caron.

— Regarde de l'autre côté.

La jeune femme avait fait imprimer une petite réclame : «Pour certains problèmes de santé, une femme préfère parler à une autre femme. Je suis là pour vous.»

— Tu as bien raison, je suis moi-même heureuse de délaisser un peu le vieux docteur Caron.

— Et tu serais prête à venir me voir toutes les semaines... Mais ma famille ne compte pas assez de membres pour me faire une clientèle. Pourrais-tu mettre des cartes dans un petit coin de la boutique ? Comme tu vends exclusivement des vêtements pour femmes...

— Je ferai mieux. J'en glisserai une dans le sac de toutes les clientes.

Thalie écarquilla les yeux avant de dire à voix basse :

— Cela ne se fait pas !

— Tu crois ? Les prêtres disent exactement cela des femmes qui veulent faire des études.

La répartie laissa la jeune fille interloquée. Puis, elle convint :

— Dans ce cas, tu pourras la glisser dans les sacs, si tu penses que les acheteuses ne seront pas offusquées de l'initiative.

— Pourquoi le seraient-elles ? Un peu d'entraide entre parents, tout le monde s'y attend. Tu en as fait imprimer en anglais ?

La femme d'affaires reprenait le dessus, comme si vendre un médecin semblait aussi facile que de vendre une robe.

— Les touristes ne consultent pas pendant leurs vacances.

— Si elles sont malades, oui. Puis des anglophones de la ville fréquentent mon commerce, tu sais.

Inutile de préciser qu'il s'agissait de celles qui trouvaient les prix de Holt and Renfrew, et même de Simon's, un peu trop élevés pour leurs moyens.

— Je vais t'en laisser. Comme je les distribue au Jeffrey Hale, il m'en reste une provision.

Un bruit venant du couloir attira leur attention, puis une tête blonde un peu inclinée apparut dans l'embrasure de la porte.

— Est-ce que j'interromps un conciliabule mère-fille? demanda Amélie.

— Le conciliabule est terminé, viens te joindre à nous, répondit Thalie du même ton amusé.

La jeune femme entra pour se laisser tomber dans un fauteuil.

— Je croyais bien que les dernières clientes ne partiraient jamais, commenta-t-elle.

— Je m'en veux de t'avoir laissé la corvée de fermer le magasin.

— Tu le sais, je ne critique jamais ma patronne. Je veux bien fermer tous les soirs, si tu le souhaites. Mais ces femmes ne paraissent pas connaître la nouvelle loi.

Depuis l'année précédente, une loi provinciale obligeait les commerces à fermer leurs portes à six heures du soir. L'initiative couronnait des années d'efforts d'associations féminines afin de mettre fin aux horaires abusifs imposés aux vendeuses.

— Nous avons tellement de touristes en cette saison, plaida Marie.

— Oh! Les pires sont les Canadiennes françaises, habituées à faire des achats jusqu'à sept heures, et même huit. Cela ne leur entre pas dans la tête... Allons-nous manger bientôt?

— Gertrude n'a pas donné signe de vie depuis une bonne heure, intervint Thalie. Ou le repas sera prêt dans quelques minutes, ou les chaudrons ont eu le dessus sur elle.

Depuis sa naissance, la vieille domestique figurait dans son paysage, un mélange d'irritabilité et de générosité. Elle lui faisait l'effet d'une guerrière vouée à terrasser les dragons domestiques.

— C'est ta nouvelle carte ? demanda Amélie. Je peux voir ?

Marie tenait encore le petit morceau de carton crème dans sa main. Elle le tendit à sa belle-fille en disant :

— Nous allons en glisser dans les sacs des clientes, dorénavant.

— Quelle bonne idée ! Elles pourront la ranger quelque part à la maison. À la prochaine migraine, elles se souviendront de toi !

Amélie la retourna pour jeter un œil au verso.

— C'est bien vrai, ça. Je vais prendre un rendez-vous avec toi bientôt.

— Quelque chose ne va pas ? s'inquiéta tout de suite la belle-mère.

Marie remplissait de nombreux rôles, de mère à employeuse, dans la vie de cette jeune femme, passant de l'un à l'autre sans la moindre hésitation.

— Je pense au contraire être en excellente santé… Mais justement, n'est-ce pas le meilleur moment pour un examen physique ? Je m'expose alors à recevoir de bonnes nouvelles.

— Quelle sage attitude, répondit Thalie. Je serai très heureuse de te voir à mon cabinet. Et parlant de voir quelqu'un, aurons-nous le plaisir de la compagnie de David ce soir ? Ce garçon me manque déjà.

Le prénom masculin avait été prononcé à l'anglaise, comme il convenait dans le cas d'un jeune homme portant le patronyme O'Neill.

— Ne te moque pas de moi, fit la jolie blonde, les joues légèrement rosies.

— Je ne me moque pas. Voilà enfin quelqu'un capable de hausser le ton avec toi ou moi dans la chaleur de la discussion. Les autres ne se soucient même pas de le faire, car dans leur esprit, une femme ne peut pas vraiment avoir d'idées.

— … Donc il ne vaut pas la peine d'avoir des discussions avec elles et de chercher à les convaincre, admit Amélie avec une grimace.

Dans sa vie, ce jeune homme succédait à un petit escadron de chevaliers servants. Vivant dans cet appartement depuis maintenant six ans, elle aurait pu écrire un guide sur les «bons partis» de Québec. L'un après l'autre, ils l'avaient lassée.

— Mais viendra-t-il ou non, cet Irlandais passionné?

— Non, mais si je souhaite souper bientôt, c'est que j'aimerais bien me livrer à une longue marche avec lui.

La porte de la salle à manger s'ouvrit un peu brutalement.

— Quelqu'un parle de souper? questionna Gertrude.

— Moi, dit Amélie en se levant.

— Alors viens, la belle. Amène les autres, si quelque chose de chaud les intéresse.

Avec la chaleur ambiante, ces femmes se seraient contentées d'une salade. Mais tout le monde se priva de formuler ce commentaire.

Dès le lundi suivant, Thalie entendit mener à bien son projet de se remettre en forme. Peu désireuse de se retrouver seule dans un environnement nouveau, elle effectua le détour par la rue Claire-Fontaine afin de prendre Élise en remorque. Elles atteignaient l'intersection des rues Saint-Jean et Turnbull quand cette dernière remarqua:

— Si tu fais chaque fois tout le trajet jusque chez moi,

puis que tu descends jusqu'ici, tu n'auras plus besoin de t'entraîner. Cette longue marche devrait suffire.

— N'essaie pas de te dérober de cette façon. Nous voilà rendues.

De la main, elle désignait un immeuble d'assez grande taille. Des commerces occupaient le rez-de-chaussée. Un escalier intérieur un peu étroit conduisait à l'étage, au sommet duquel elles trouvèrent une vaste salle sous les toits. Une grande femme vint vers elles en tendant la main :

— Vous êtes sans doute Thalie Picard, commença-t-elle. Et madame Hamelin…

Jeanne Hardy-Paquet comptait parmi les personnes élevées dans une famille « mixte », où l'usage du français et de l'anglais la mettait à la frontière des deux mondes. Cela l'autorisait à offrir aux Canadiennes françaises la possibilité de se mettre en forme.

— C'est bien nous, comme convenu. Nous ne sommes pas en retard ?

— Si vous vous changez tout de suite, vous ne le serez pas.

Elle leur indiqua un vestiaire un peu à l'écart. Les nouvelles venues se trouvèrent bientôt parmi une vingtaine de femmes affairées à se déshabiller. Des casiers permettaient de ranger robes, camisoles, bas et chaussures à talons. En échangeant des salutations timides avec ces inconnues, Thalie et Élise se dirigèrent vers une section encore déserte de la pièce, commencèrent à déboutonner leur robe en tenant leurs yeux baissés. Enfoncée dans tous les esprits dès le plus jeune âge, la pudeur les empêchait de se sentir à l'aise.

Aux vêtements de ville succédait un curieux accoutrement. Ces femmes formaient une étrange équipe dans leur habit rappelant celui des matelots : pantalon blanc et large arrivant à mi-mollet, chemisette de même couleur sur un tricot rayé, souliers en toile à semelle en caoutchouc.

Elles se rassemblèrent autour de madame Hardy-Paquet comme des élèves un peu turbulentes, la plus jeune de vingt ans à peine, la plus âgée, de cinquante. Le tiers montrait un poids superflu, de là leur présence ; les autres cherchaient à rencontrer des personnes de leur condition tout en se dégourdissant les jambes. Leur hôtesse leur en donna tout de suite l'occasion en les engageant dans une course autour du grand ovale.

Très vite, Thalie constata que les années passées dans les livres, puis les longues heures de consultation, préparaient bien mal à l'effort physique. Au huitième tour, une douleur lui traversa le flanc. Devant elle, Jeanne Hardy-Paquet faisait de longues enjambées, se tournait à moitié et poursuivait en reculant tout en encourageant le petit groupe de la voix.

Cette femme dans la mi-trentaine, les cheveux blonds mi-longs, grande et efflanquée, respirait la santé. Elle partageait son temps entre faire transpirer les dames et initier les fillettes à la danse, au chant et au jeu dramatique. Cette grande salle abritait à la fois l'Institut de culture physique et le Conservatoire Mignon.

Après la course, les femmes s'attelèrent aux espaliers pour des exercices d'étirement. Élise accrocha ses bras aux barreaux supérieurs, leva la jambe gauche vers l'avant pour la replier. En copiant les gestes de ses voisines, Thalie l'aida à la soulever, jusqu'à faire toucher le genou à la poitrine.

— Tu ne parais pas trop souffrir de l'effort, remarqua-t-elle.

— Non. Je vois que toi, tu es à bout de souffle.

— Je me sens un peu vieille... Et demain j'aurai mal à tout le corps.

Sa compagne pouffa de rire et souleva l'autre jambe. Jeanne Hardy-Paquet s'approcha d'elles, corrigea leurs mouvements, puis demanda :

— Les choses se passent bien ?

— Mon amie vient de me confier se sentir vieille, ricana Élise.

La femme observa sa nouvelle cliente.

— Dans ce cas, vous avez bien fait de vous inscrire. D'ici un mois, si vous multipliez vos efforts, vous aurez trente ans.

— J'en ai vingt-cinq...

— Cela, c'est ce qui se trouve écrit sur votre baptistère. Moi je parle de votre corps. Cet automne, vous aurez rejoint le chiffre officiel.

La femme s'éloigna pour s'approcher d'une autre équipe.

— Donc, tu es devenue mon aînée, ricana Élise.

Cette dernière avait tout juste dix ans de plus que sa compagne.

— Dire que tu hésitais à venir ici... Finalement, tu es en meilleure forme que moi. Je prends ta place, nous allons voir si mes vieilles petites jambes ont encore un peu d'élasticité.

Thalie s'accrocha à l'espalier. Le mouvement fit sortir le bas de la chemisette du pantalon. Le nombril à l'air, elle leva une jambe d'abord, l'autre ensuite, jusqu'à toucher à son tour sa poitrine avec son genou. À ces étirements succédèrent de nombreux exercices.

Après quatre-vingt-dix minutes d'efforts, le groupe se retrouva dans le vestiaire, suant à grosses gouttes. Malgré toutes les fenêtres ouvertes, avec le soleil de l'été frappant sur les tôles du toit, la chaleur devenait vite étouffante.

— Tout à l'heure, nous n'avons pas eu le temps de nous présenter, commença une grosse dame en tendant la main à Élise. Je suis Germaine Thibeau.

— Élise Hamelin, la fille du docteur Caron. Mon amie est le docteur Thalie Picard. Elle vient tout juste de revenir à Québec.

Le titre laissa la femme un peu interloquée, puis elle murmura :

— Docteur ?

— Comme dans médecin, précisa Thalie en offrant sa main moite à son tour.

« Ta carte, c'est le moment », souffla Élise avant de se présenter à une autre dame. L'occasion était trop belle. Un peu rougissante, la jeune professionnelle chercha son sac à main dans son casier, sortit une poignée de ses petits rectangles en carton pour en présenter un à madame Thibeau d'abord, et à toutes les autres auxquelles elle serra la main ensuite.

— Vous devriez en laisser une sur le babillard à l'entrée, déclara la grosse dame, et même en placer quelques-unes dans une boîte. Beaucoup de monde passe par ici.

Finalement, l'exercice de mise en marché se déroulait tout naturellement. Un peu plus tard, ces femmes interrompirent les échanges pour se débarrasser de leurs vêtements mouillés. La morale interdisait les douches communes et personne ne voulait attendre une heure afin d'avoir son tour dans l'unique cabine aménagée. En sous-vêtements, elles se contentèrent de s'essuyer énergiquement avant de remettre robe, jupe, chemisier. Elles empesteraient toute la journée.

En sortant de l'édifice, les femmes échangèrent des souhaits de bonne journée, puis se dispersèrent.

— Tu n'as pas de regrets ? demanda Thalie.

— Moi, pas du tout. Finalement, je me suis bien amusée à courir, me plier dans tous les sens, puis courir encore.

Pour revenir au domicile des Caron, la rue offrait une pente un peu prononcée. Cela n'aidait pas le jeune médecin à retrouver son souffle. Sa compagne renifla un peu avant de demander :

— As-tu de nombreuses consultations aujourd'hui ?

— À compter de midi.

— Pour ta bonne réputation, mieux vaudrait que tu utilises le bain familial. Sinon, ta clientèle pourrait en souffrir.

— Je pue à ce point-là ?

Au lieu de répondre, l'autre se pinça le nez avec deux doigts avant d'éclater de rire.

— Je me demande si ma mauvaise odeur tient à l'exercice, ajouta Thalie, ou à ma gêne de distribuer ma carte.

— Certainement un peu des deux.

Tout de même, Élise lui offrit son bras pour poursuivre la marche.

Flavie arriva lorsque le camion de livraison quittait l'immeuble en pierres grises située dans la rue Saint-Cyrille. Sur l'artère nouvellement ouverte à l'ouest de l'Assemblée législative, le tramway faisait résonner sa cloche depuis peu. Ce développement autorisait les entrepreneurs en construction à y exercer leur talent.

La jeune femme accéléra le pas et pénétra dans le logement du rez-de-chaussée de l'immeuble pour découvrir, dans le salon situé immédiatement sur sa droite, un mobilier tout neuf. Le tissu montrait de grosses fleurs dans des tons de bleu. Lors de l'achat, Mathieu avait grommelé :

— Dans quelques années, nous aurons du cuir. Pour tout de suite, soyons raisonnables.

Raisonnable ! La jeune femme ne trouvait rien de raisonnable dans cette accumulation de dépenses.

— Te voila enfin ! déclara le maître des lieux en venant vers elle.

Enfin « chez eux », il pouvait l'embrasser avec un appétit évident. Au cours des années passées à la pension Sainte-Geneviève, la présence continuelle de témoins les condamnait à une certaine réserve.

— Nous avons maintenant un endroit où passer nos soirées, un autre où prendre nos repas, et même de quoi les faire cuire.

— Nous aurions pu trouver tous ces objets d'occasion, à la moitié, même au tiers du prix, plaida-t-elle de nouveau.

— Et déparer cette belle maison. Tu n'y penses pas.

Cet immeuble était, aux yeux de la jeune femme, la première dépense faramineuse. Bien sûr, un jeune avocat membre d'un cabinet en vue de la ville devait se loger décemment. Elle comprenait qu'autrement, la clientèle lui ferait une mauvaise réputation. Mais de là à acheter cet élégant édifice !

— En plus du nôtre, nous voilà avec deux appartements sur les bras, se plaignit-elle de nouveau. Les locataires se font attendre.

— Ils viendront, ne crains rien. Alors, les loyers perçus paieront nos taxes et une partie de l'hypothèque.

Devant sa mine désolée, Mathieu prit sa femme dans ses bras et lui murmura tout près de l'oreille :

— Ne fais pas aussi mauvaise figure à notre chance. Ces meubles, pour la moitié, nous les payons avec le cadeau de mariage de maman. Nous n'y avons pas touché depuis cinq ans !

— Mais cette grande maison...

— Les locataires feront en sorte que le coût mensuel ne soit pas si élevé pour nous. Mon annonce paraîtra dans *Le Soleil* lundi. Et regarde...

Tout en la tenant contre lui du bras gauche, il lui montrait le salon du droit : une belle grande pièce aux moulures en chêne, au papier peint d'une couleur apaisante.

— Nous avons deux chambres, continua-t-il, et même un petit boudoir, qui demeureront vides pour l'instant.

— Tu veux dire ton bureau…

L'idée d'avoir un boudoir pour elle seule laissait Flavie indifférente.

— Soit, mon bureau. Et dans ce cas, je vais y mettre très vite un vieux pupitre acheté d'occasion. Mais dans le cas des chambres, nous les meublerons quand nous aurons « du nouveau ».

Pour la jeune femme, cela présentait la plus belle promesse d'un avenir heureux. Depuis des années, les confesseurs de la cathédrale prenaient un ton inquisiteur pour lui demander si elle « empêchait la famille ». Peut-être sa voix trahissait-elle son mensonge, mais la réponse « Non, le bon Dieu ne veut pas, c'est tout », ne convainquait plus les porteurs de soutane. Avant de se faire interdire la communion, elle et son époux avaient pris l'habitude de fréquenter la paroisse Saint-Dominique, créée au mois d'octobre précédent. Les bons pères, dont plusieurs étaient nés à l'étranger ou y avaient séjourné longuement, paraissaient croire qu'il existait des crimes plus horribles que l'utilisation du condom. En conséquence, ils ne poussaient guère l'interrogatoire.

— Quand il y aura « du nouveau », comme tu dis, je devrai abandonner mon emploi, rappela-t-elle.

— Le véritable perdant sera Édouard. Je me demande comment il pourra gérer son affaire sans toi.

Cette boutade tira le premier sourire vraiment sincère à la jeune femme. Cette fois, elle jeta un regard réellement satisfait sur le salon et alla s'asseoir dans l'un des fauteuils.

— Cela sera étrange de recevoir des gens, commenta-t-elle.

— Tu as raison. Tante Élisabeth avait beau nous dire de ne pas nous gêner, je ne me voyais pas inviter maman et Paul dans son salon. J'imaginais toujours que l'un des députés viendrait faire le casse-pied.

— Nous sommes si souvent allés chez eux. Ce seront les premiers à venir ici.

Flavie se réconciliait rapidement avec cette nouvelle demeure. Même que l'idée d'aller tout de suite essayer le lit neuf en compagnie de son amoureux lui effleura l'esprit... À la place, elle murmura :

— Tu dois avoir faim.

— Un peu. J'ai même eu le temps de mettre de la glace dans la glacière et d'acheter de quoi manger.

— Je ne sais pas vraiment cuisiner. J'ai bien observé Victoire à la pension, mais elle refusait absolument de me laisser toucher à quoi que ce soit.

— Je ne suis pas vraiment plus compétent. Viens, à nous deux, nous devrions nous tirer d'affaire. Comme les produits sont frais, nous ne risquons pas de nous empoisonner.

Mathieu tendit la main afin de l'aider à se lever. En faisant cuire les pièces de viande dans la poêle, il l'effleura suffisamment souvent pour la convaincre de ne pas attendre la fin de la soirée pour essayer le nouveau *set* de chambre à coucher.

Thalie pénétra dans le salon de thé du *Château Frontenac* en passant par la terrasse Dufferin. La grande pièce lambrissée en cerisier offrait un air gai, reposant. À cette heure de l'après-midi, de nombreuses tables étaient occupées par des duos ou des trios de femmes respectables. L'anglais dominait les conversations.

D'un mouvement circulaire de la tête, la jeune femme chercha dans la salle et découvrit un visage vaguement familier. Elle s'approcha, puis demanda, un peu intimidée :

— Mademoiselle Pelland ?

L'autre se leva à demi en disant :

— Oui, c'est moi.

— Restez assise. Je suis Thalie Picard.

Elle tendit la main, l'autre la prit. Entre inconnues, l'échange demeura emprunté, des doigts offerts et pressés sans conviction.

— Je semble en retard. Je m'en excuse, plaida la nouvelle venue.

— Non, la rassura l'inconnue. C'est moi qui suis en avance. Votre missive m'a tellement surprise.

La veille au matin, Thalie avait mis un petit mot très simple à la poste : « Mademoiselle, j'aurais beaucoup de plaisir à vous rencontrer. » Suivait la proposition de cette heure et de ce lieu.

— Je ne suis pas certaine d'avoir respecté les convenances en vous écrivant de cette façon, mais après avoir vu cet article dans le journal samedi dernier, je n'ai pas pu résister.

Sur ces mots, le médecin posa le numéro de *La Patrie* du 11 juillet au milieu de la petite table entre elles. En première page, dans un bandeau de photographies, on voyait celle de cette jeune femme âgée de vingt ans tout juste. Une très jolie et sobre brunette, aux traits parfaitement réguliers, une mèche de ses cheveux tombant un peu sur l'œil gauche pour ensuite frôler la ligne de la mâchoire. Aujourd'hui, elle portait le même costume, une veste sombre et un chemisier légèrement ouvert sur son cou.

«Voilà l'allure d'une dangereuse révolutionnaire», songea Thalie.

— En septembre, vous serez la première à entreprendre des études de médecine dans une université française de la province, commenta-t-elle à haute voix. Je vous félicite de tout mon cœur. Je tenais à vous le dire de vive voix.

— ... Je vous remercie. Comme je sais qui vous êtes...

Elle allait dire «cela me touche d'autant plus», mais l'arrivée d'un serveur amena son interlocutrice à commander un Earl Grey, tout en déclinant les pâtisseries et les sandwichs offerts.

— Avez-vous essayé du côté de l'Université Laval? questionna ensuite Thalie.

— Oui, sans succès. De toute façon, l'idée de passer quelques années à Montréal ne me déplaît pas.

— La vie dans les environs de la rue Saint-Denis, près de Sainte-Catherine, offre quelques distractions.

L'Université de Montréal se dressait à cet endroit très animé de la ville depuis la fin du siècle dernier.

— Les trois lignes sous la photographie indiquent que vous vous êtes classée première aux examens prémédicaux, indiqua encore Thalie.

— C'est vrai!

La jeune fille avait un peu monté le ton, comme pour défendre ce titre de noblesse. Un bref instant, elle trahit une détermination farouche. Son côté jeune femme un peu trop sérieuse ne lui enlevait rien de sa fougue.

— Mais je n'en doute pas, la rassura Thalie. Puisque l'envie de cette carrière a germé dans votre tête, vous vous êtes condamnée à être la première, partout et toujours. Sinon, ils ne vous laisseront pas faire.

Marthe Pelland sut tout de suite qui ce «ils» désignait.

— Peu après ma demande d'admission, confia-t-elle, le vice-recteur de l'Université de Montréal a écrit à mon père pour le convaincre de me dissuader de persévérer dans ma démarche. Selon lui, je vais troubler le climat social de la faculté.

Cette lettre, la candidate aurait pu la citer de mémoire, sans en rater un mot… tout comme celles venues de bonnes gens de toute la province, soucieux de répéter les mêmes exhortations déprimantes.

— Comment votre père a-t-il réagi à la missive de ce bon ecclésiastique?

— Quelques jurons, pas très méchants, contre les empêcheurs de vivre librement dans notre province.

— Cela ne l'a pas découragé?

— Pas du tout. Voyez-vous, il est fier de moi.

Un peu de tristesse envahit Thalie à cette évocation.

— Alors, buvons notre thé en l'honneur de ces pères modèles. Le mien comptait parmi ceux-là. Malheureusement, la mort l'a empêché d'assister à ma collation des grades, ce printemps. Je vous souhaite de tout cœur le bonheur de partager cet événement avec le vôtre.

Les deux jeunes femmes restèrent songeuses.

— Vous parliez de ma condamnation à être première…, murmura Marthe Pelland.

— À tout le moins, parmi les trois premiers. Voyez-vous, le jour où vous serez la dixième d'une classe de quarante étudiants, ils commenceront à dire: «C'était prévisible, les femmes n'ont pas l'intelligence pour mener ce genre d'études.»

L'argument se trouvait régulièrement évoqué dans les pages du *Devoir*, et dans toutes les autres publications pieuses de la province.

— Il semble que notre cerveau soit moins lourd que celui de ces messieurs, ricana l'étudiante. Ceci explique sans doute cela ! C'est un beau sujet d'étude, le cerveau.

— Puis notre « nature » nous rend inaptes à tout effort physique une semaine sur quatre.

Thalie savait adopter une voix grinçante, celle des prêcheurs.

— Curieux, quand il s'agit de faire travailler les femmes dans les usines de textile ou dans les grands magasins dix heures par jour, notre nature ne les retient pas du tout, renchérit Marthe Pelland.

Puis, elles s'attardèrent sur le sujet du travail féminin. Pendant la guerre, des dizaines de milliers de ménagères avaient été engagées dans les manufactures. La paix revenue, les travailleuses mariées devaient inexorablement retourner à leurs chaudrons.

— C'est bien vrai, tout de même, résuma la jeune étudiante après réflexion. Je me suis démenée comme une folle pour me préparer aux examens prémédicaux. L'Université de Montréal admet une quarantaine de personnes tous les ans, mais si j'avais été cinquième, je suppose que ma candidature aurait été rejetée. Ma première place a dû les troubler.

— Vous devrez non seulement être la meilleure, mais demeurer très prudente afin de ne pas montrer votre intelligence. Ne répondez jamais la première et baissez les yeux avec modestie en énonçant une bonne réponse. Sinon, ils vous diront arrogante.

— Ce sera le plus difficile.

La jolie brunette battit ses longs cils. La modestie ne figurait pas parmi les premières qualités de cette jeune femme.

— Oh non ! Le plus difficile, ce seront les blagues scabreuses de vos collègues du sexe fort. Ils parleront de leurs conquêtes imaginaires, de flatulences et de déjections, tout en cherchant une rougeur sur vos joues. Sous le couvert de l'humour, ces jeunes gens se rendront détestables.

— Vous me promettez un jardin de roses.

— Pendant les dissections, vous serez constamment surveillée.

Thalie jetait pêle-mêle tous ses mauvais souvenirs, le ton chargé de rancœur.

— Au moindre tremblement de la main, au moment de fendre la peau, ils diront encore : « Les femmes sont incapables de faire ce travail. » Pourtant, dans votre classe, vous verrez un garçon s'étendre de tout son long à la vue de tripes grisâtres, et personne ne songera à l'accuser de sensiblerie.

La jeune femme marqua une pause et adressa un sourire contraint à sa compagne.

— Je m'excuse. Je voulais vous féliciter et vous encourager à persévérer. Je me suis montrée à vous comme une vieille femme aigrie.

— J'admets que j'ai déjà reçu des encouragements mieux sentis.

Toutes les deux se regardèrent un instant, puis éclatèrent de rire.

— Une fois votre diplôme en poche, vous devrez vous faire une clientèle. Cela aussi me pèse un peu, mais depuis deux semaines, je me fais un devoir d'offrir mes services à toutes les femmes que je rencontre.

Thalie sortit de la poche de sa veste l'une de ses cartes professionnelles. Marthe Pelland en lut le recto et le verso. Les deux petites phrases lui tirèrent un sourire. En levant ses yeux noirs, elle déclara :

— Je passerai vous voir avant de me rendre à Montréal, en tant que patiente. Vous m'annoncez une rude bataille, je dois me préparer au pire, rassembler toutes mes forces.

— Mais je n'ai pas demandé à vous voir pour cela.

— J'espère bien, car ce serait un moyen bien lent d'arriver à vos fins.

De nouveau, un rire partagé permit d'alléger l'atmosphère. Le jeune médecin leva la main pour attirer l'attention du serveur et réclama pour elle l'addition.

— Je vous invite, déclara-t-elle à sa compagne.

Quand elles quittèrent la salle à manger, tout en lui serrant la main, Marthe Pelland se troubla.

— Vous ne m'avez pas brossé un beau portrait des années à venir. Éprouvez-vous des regrets?

— Non, et si je vous ai donné cette impression, j'en suis désolée.

— … Votre carrière satisfait-elle vos aspirations?

L'image de sa salle d'attente à moitié vide lui traversa l'esprit.

— Oui. Certains moments compensent les années de préparation. Tenez, il y a deux semaines, un garçon est venu en consultation avec son père. En sortant, il a lancé «merci, docteur Picard» sans la moindre hésitation, sans arrière-pensée. Quand il aura quarante ans, la présence de femmes professionnelles semblera peut-être naturelle à tout le monde.

— Et ce garçon, il avait quel âge?

— Peut-être dix ans.

Marthe Pelland secoua la tête pour écarter la mèche brune de son œil gauche, puis murmura, amusée:

— Cela nous conduit en 1955. Nous attendrons donc longtemps le moment où ces messieurs ne parleront plus du poids de notre cerveau et des empêchements liés à notre nature.

— Au moins, nous y serons pour quelque chose, j'espère.

Thalie salua la jeune femme de ses doigts gantés. Elle la regarda se diriger vers la sortie, sa démarche présentant un joli mouvement des hanches.

— Elle sera première de classe tout en demeurant très attirante. Ses camarades vont la détester… tout en rêvant d'elle.

Elle consulta la montre à son poignet, puis s'empressa de rentrer à l'appartement de la rue de la Fabrique.

Chapitre 3

De nombreux citadins fuyaient les grandes chaleurs de l'été en migrant à la campagne. La plupart des membres de la famille Dupire y trouvaient un plaisir indiscutable. Toutefois, ce n'était pas le cas de la domestique.

Tous les jours, le même scénario se répétait avec régularité. Jeanne se levait à cinq heures afin de préparer le déjeuner de la maisonnée. À partir de la fin de juin, Antoine la rejoignait peu après dans la cuisine. Une tranche de pain posée sur le poêle à bois lui fournissait la première rôtie. Avec un peu de fromage et un verre de lait, cela lui faisait un repas suffisamment consistant.

— Les foins doivent se terminer bientôt, je pense, mentionna la domestique en lui versant à boire.

— Nous les avons à peine commencés, cette année. Il gelait encore en mai, donc les semences ont été retardées. Nous aurons terminé dans deux semaines.

Il levait vers elle ses yeux rieurs, affectueux aussi.

— Cela prenait plus de temps dans Charlevoix.

— Ici, la terre est meilleure, moins pierreuse.

Le garçon prenait le ton d'un expert. Sans doute en deviendrait-il un, s'il continuait à passer toutes ses vacances dans une ferme.

— Quand la fenaison sera terminée, que feras-tu toute la journée ?

— Le train, comme d'habitude. En attendant la récolte de l'avoine, je ferai de petits travaux.

— Autrement dit, tu seras enfin un peu en vacances.

— Un peu.

Après plusieurs jours à s'agiter en plein soleil, un chapeau de paille un peu rejeté en arrière sur le haut du crâne, quelques livres en moins à cause de ces efforts, Antoine affectait des allures de petit homme. Ses cheveux blonds et ses yeux bleus rappelaient sa mère. La stature venait de son père.

— Je dois y aller, les vaches ne m'attendront pas.

Il se leva en essuyant sa bouche sur sa manche et se haussa sur la pointe des pieds pour lui poser les lèvres sur la joue. Ces scènes affectueuses survenaient quand personne ne les regardait. Un peu à la manière de son père, Antoine considérait Jeanne comme une femme dans ces rares moments d'intimité. Dans d'autres circonstances, il gardait ses distances.

Depuis la fenêtre, la domestique l'observa courir vers l'étable. Comme les années précédentes, la famille de cultivateurs abandonnait sa demeure aux estivants pour aller occuper une vieille laiterie et la tasserie de foin. L'argent sonnant des Dupire valait les inconvénients d'un mode de vie de privations pendant deux mois.

— Quelle scène touchante !

La voix fit sursauter Jeanne. Eugénie se tenait au milieu des marches de l'escalier. De ce point de vue, elle devait avoir tout vu des dernières minutes.

— Vous voulez quelque chose ?

— Un peu de café. Tu n'as pas encore commencé à le préparer ? fit-elle en guise de reproche.

— Vous ne vous levez pas aussi tôt, d'habitude.

La jeune femme accueillit la remarque d'une grimace, avant d'aller s'asseoir dans la chaise berçante placée près de la fenêtre.

— Tu te prépares de très cruelles déceptions, formula-t-elle à mi-voix.

Jeanne préféra se concentrer sur la cafetière. Un silence un peu lourd envahit la pièce.

— Tu n'es rien pour ce garçon, rien d'autre que la servante. Si je décide de te renvoyer aujourd'hui, tu ne le reverras plus.

Eugénie ne jouissait pas vraiment de ce pouvoir, car il revenait au maître de la maisonnée, mais contester son affirmation ne ferait que rendre l'atmosphère plus délétère encore.

— Je veux bien vous croire, souffla l'employée. Toutefois, c'est à moi qu'Antoine fait la bise en secret, pas à vous.

En réalité, le gamin n'embrassait sa mère ni en public ni en privé. Très vite, il avait abandonné le « maman » pour le « mère », plus distant. Mais la femme n'allait pas aisément se considérer comme vaincue.

— Cela ne change rien à l'affaire. Tu peux disparaître de sa vie comme cela.

De la main, elle fit le geste de chasser une poussière.

La domestique laissa échapper un soupir. Depuis son lever, la longue attente avait commencé. Jusqu'au milieu de la matinée, ce samedi, Jeanne s'arrêterait souvent devant une fenêtre donnant sur la grande route. Parti à la première heure de Québec, Fernand mettrait plus de deux heures avant d'atteindre la grande demeure paysanne.

— Ce n'est pas encore assez mûr, commenta Antoine en marchant au milieu du champ de foin.

Derrière lui, le propriétaire du champ sourit. Ce garçon de la ville prenait de plus en plus l'allure d'un paysan. Ce qui paraissait une envie passagère au cours du premier été se révélait finalement une véritable passion pour lui.

— Tu as bien raison. Nous reviendrons dans ce champ dans trois ou quatre jours.

— Peut-être même dans une longue semaine.

Antoine se gratta la tête sous son chapeau de paille. La sueur lui collait les cheveux au crâne.

— Ce sera la même chose avec l'avoine, ajouta-t-il. La récolte sera un peu retardée.

— Ah! Avec plein de soleil, puis la bonne dose de pluie, nous le couperons peut-être à la même période que d'habitude.

Cette éventualité ramena un sourire sur le visage du garçon.

— Tant mieux. Au moins, je pourrai aider un peu, avant l'école.

— … Mais avec toutes ces études, que feras-tu, une fois grand?

— Cultivateur, affirma-t-il avec un rire satisfait.

L'homme secoua la tête, un peu sceptique. Les notaires de la ville ne devaient pas souvent laisser leurs garçons salir leurs souliers vernis dans le fumier de vache.

— Ton père doit arriver bientôt, constata le paysan en levant les yeux vers le soleil.

— C'est vrai. Je dois y aller. Au revoir.

Sans se retourner, le garçon se mit à courir en direction de la maison, au pied du coteau. Le trajet lui prit une dizaine de minutes. Quand il entra dans le potager, Fernand Dupire stationnait sa Chevrolet près de la demeure. La vieille Buick de Thomas Picard lui avait rendu de bons services pendant deux ans. L'habitude venue, le statut de piéton lui était apparu insupportable quand il lui avait fallu s'en défaire.

Sur la galerie de la maison de campagne, la vieille madame Dupire se tenait des deux mains à la balustrade. Un blanc immaculé colorait maintenant ses cheveux. Cela allait très bien avec ses perpétuels habits de deuil. Avec quelques livres en moins, elle paraissait désormais résolue à devenir vieille, très vieille.

— Papa, te voilà enfin !

Béatrice, une petite fille blonde de huit ans, élégante dans une robe bleue lui allant aux genoux, un ruban de la même teinte dans les cheveux, se précipita vers lui. Fernand la prit dans ses bras, la soulevant sans mal pour la tenir contre lui.

— Voyons, à ton âge, ces simagrées ne se font pas, émit la voix d'Eugénie, qui résonnait comme une crécelle à travers une fenêtre grande ouverte.

Elle les surveillait depuis l'intérieur. La petite fille la regarda, puis resserra son étreinte autour du cou de son père. Elle s'autorisait encore quelques années d'innocence. Dans la maison, sa mère retourna vers son fauteuil habituel avec un soupir excédé. Charles, le cadet, vint les rejoindre et se serra contre Fernand.

— Tu peux rentrer ma valise ? demanda le père. J'ai les bras pleins.

L'homme monta l'escalier avec son fardeau et réussit à se pencher pour poser ses lèvres sur les joues de sa mère.

— Notre paysan se trouve encore au travail ? demanda-t-il.

— Non, le voilà justement, répondit la vieille dame en montrant le garçon du doigt.

L'aîné approchait de l'automobile.

— Il va encore sentir le fumier, commenta la petite fille.

— Nous n'avons plus de baignoire ? demanda Fernand en souriant.

— Oui, mais quand même…, ajouta Béatrice.

Antoine serra la main de son père avec effusion, indifférent aux commentaires moqueurs de sa sœur. L'homme entra dans la maison, sa fille toujours dans ses bras.

— Bonjour, mon épouse, prononça-t-il en s'arrêtant devant la chaise berçante où elle avait trouvé refuge un peu plus tôt.

— Bonjour…

La femme préféra ne pas qualifier sa relation avec lui, ni se lever pour l'accueillir.

— Béatrice, maintenant c'est assez. Voilà bien cinq minutes que tu fatigues ton père.

L'homme regarda sa fille dans les yeux, puis lui murmura à deux pouces de l'oreille :

— Je vais te poser par terre, mais je t'assure, tu ne me fatigueras jamais. Tu me crois ?

Très sérieuse, elle hocha la tête en guise d'assentiment. L'homme récupéra sa valise des mains de son cadet, puis il s'arrêta près de la table de la cuisine.

— Tu as passé une bonne semaine ? demanda-t-il à Jeanne.

— Oui monsieur, très bonne. Vous avez fait un bon voyage ?

— Les routes sont meilleures qu'il y a six ans, mais elles ne sont pas encore parfaites.

Un moment, ils restèrent l'un devant l'autre, l'air emprunté. À la fin, l'homme baissa la tête en murmurant :

— Je vais me changer.

La domestique le suivit du regard dans l'escalier. Quand il eut disparu, Eugénie murmura depuis sa place :

— Ne te trompe pas, il ne vient pas ici pour toi.

La domestique posa un regard mauvais sur sa maîtresse.

— Mais vient-il pour vous ?

Fernand s'était arrêté sur le palier, à l'étage. L'échange, à peine perceptible, lui tira une grimace.

Les journées de Jeanne commençaient avant le lever du jour et elles se terminaient après son coucher. Le temps de ranger la vaisselle, et l'obscurité s'appesantissait déjà sur Saint-Michel. Quand elle sortit afin de prendre un peu l'air sur la galerie, Fernand demanda, depuis sa chaise en rotin :

— Viens t'asseoir avec moi. Depuis une heure, j'avais envie de te donner un coup de main, tellement ta tâche est lourde.

— Tu le sais bien, ces choses ne se font pas.

— Tu es toute seule à travailler dans cette grande maison. La bonne de maman ne sert plus que de « dame de compagnie », comme on dit dans les romans français.

L'homme ricana un peu. Devenue veuve, la vieille dame avait appelé la mort. Depuis, elle repoussait sans cesse l'échéance fatale. Elle avait d'abord souhaité voir Antoine commencer l'école ; maintenant, elle rêvait de le voir à l'université, de même que son cadet.

— Viens t'asseoir, répéta-t-il. Tu mérites un peu de repos.

Jeanne regarda la fenêtre donnant sur la cuisine située juste derrière eux. L'endroit lui semblait bien peu discret.

— Pas ici…

Si Eugénie était montée dans sa chambre un peu plus tôt dans la soirée, elle pouvait redescendre pour le seul plaisir de suivre leur conversation.

— Nous pouvons aller marcher sur la grève.

À chacun de ses séjours à sa maison de campagne, le notaire attendait avec impatience cette promenade, le seul moment d'intimité entre eux. Elle acquiesça d'un signe de tête. Le couple emprunta le chemin abrupt conduisant à la rive. À l'étage de la maison, Eugénie écarta légèrement le rideau de la fenêtre de sa chambre.

— Les salauds, murmura-t-elle. Depuis la matinée, ils frétillent d'impatience, attendant l'instant de se livrer à l'impureté.

Engoncée dans sa vertu, elle alla s'agenouiller au pied de son lit pour se perdre dans une longue prière.

Le village de Saint-Michel-de-Bellechasse nichait au creux de la courbe décrite par le fleuve, au sud de l'île d'Orléans. À cette heure, les fenêtres de la plupart des maisons étaient noires. À part les estivants, tout le monde se couchait tôt dans la paroisse.

Pendant quelques minutes, le couple marcha en silence, écoutant les vagues lécher la grève.

— Nous pouvons nous asseoir ici, proposa Fernand en passant à proximité d'un tronc d'arbre abattu.

Il leur servait de siège depuis des années. Sauf les jours de pluie, l'endroit leur procurait un refuge discret. Les menus événements de la semaine écoulée remplirent d'abord leur conversation. Puis, Fernand demanda :

— Avec elle, les rapports ne s'améliorent pas ?

La question trahissait à la fois sa naïveté et un espoir illusoire.

— … Elle ne manque pas une occasion de me dire une méchanceté, maugréa la jeune femme. Ça revient avec une lassante régularité, comme les moustiques tous les étés.

— … Je ne sais plus quoi faire. Comme tu le sais, la nouvelle loi sur le divorce adoptée par le gouvernement fédéral ne s'applique pas au Québec.

Dans la pénombre, Jeanne le contempla longuement.

— Tu ne peux pas parler sérieusement, se lamenta-t-elle.

— … Non, bien sûr. Moi aussi, je suis épuisé par cette situation. Alors, parfois je me prends à rêver de divorce, ou de veuvage.

Interdit dans la province à cause de l'opposition des évêques, le divorce nécessitait l'adoption d'un *bill* privé à la Chambre des communes. Les Canadiens français recourraient très rarement à cet expédient, à cause de l'ostracisme social associé à la procédure.

— Au moins, toi, tu n'es pas condamné à passer toutes tes journées en sa présence. Comme elle n'a pas son salon particulier ici, elle s'installe dans une chaise berçante près de la fenêtre et garde ses deux yeux rivés sur moi toute la journée.

Un moment, le couple donna toute son attention à la silhouette sombre d'un transatlantique glissant sur le fleuve.

— C'est comme une brûlure, murmura Jeanne. Son regard me brûle la peau.

— Les choses iront mieux bientôt, plaida Fernand. Dans un peu plus de trois semaines, vous reviendrez tous à Québec.

La perspective ne paraissait pas réjouir tout à fait la domestique.

— Tu comprends, insista le notaire, je ne veux pas priver les enfants de ces quelques semaines au grand air. D'un autre côté, ce serait si simple d'embaucher une jeune fille du village pour t'aider. Je l'ai proposé, à la fin juin.

— Et continuer de l'entendre tous les jours me rebattre les oreilles à propos de ma paresse ? Ajouter encore un péché capital à la liste qu'elle me jette sans cesse au visage ?

Quand l'homme fit mine de passer son bras autour de sa taille, elle se raidit et fit non de la tête. Leurs tête-à-tête demeuraient bien sages, cet été. Eugénie devrait retrancher une faute à la liste de ses reproches.

Raymond Lavallée, pas très grand, présentait un corps robuste, des traits réguliers et des cheveux châtains un peu bouclés. En entrant dans l'église Saint-Roch, il remarqua tout de suite les crêpes noirs et violets pendus aux murs, contre les colonnes, et d'autres accrochés au maître-autel. Aucun habitant du voisinage n'était passé récemment de vie à trépas. Pourtant ici, comme dans toutes les paroisses du grand archidiocèse de Québec, chacun prenait une mine grave, affectée.

La famille Lavallée se révélait trop nombreuse pour le banc numéro 21 situé dans l'aile sud de l'église. Les deux filles de la maison étaient venues à la basse-messe dès sept heures. Ses quatre autres membres devaient se tenir épaule contre épaule.

L'adolescent, comme bien des élèves d'origine modeste, s'affublait de son uniforme scolaire chaque dimanche. Pendant toute la cérémonie, Raymond se tint la tête baissée, les mains jointes à la hauteur de la poitrine. À voir ses traits éplorés, un étranger à la paroisse aurait pu croire que les crêpes soulignaient le décès de ses deux parents.

Lors du prône, monseigneur Émile Buteau monta en chaire d'un pas lent, la mine lugubre, pour commencer d'une voix attristée :

— Aujourd'hui, nous sommes tous orphelins. Hier soir, vers onze heures et demie, Sa Grandeur Louis-Nazaire Bégin nous a quittés après une courte maladie.

Ce décès était prévisible; l'homme dépassait les quatre-vingts ans. Tout le monde affectait pourtant la plus grande surprise.

— Il y a tout juste une semaine, Sa Grandeur se trouvait à Saint-Nazaire, l'une des premières paroisses qu'il a fondée au début de son séjour à la tête de notre diocèse, pour bénir la cloche de la nouvelle église. À son retour au palais épiscopal, il s'est effondré, frappé du mal qui l'a emporté hier.

— Oh non!

L'exclamation murmurée attira l'attention des paroissiens assis près du banc des Lavallée. La plupart sourirent de cette affliction un peu trop affichée; le père laissa entendre un soupir lassé.

— Hier soir, vers dix heures trente, la fin semblait inévitable. Monseigneur Paquet et l'évêque auxiliaire, monseigneur Langlois, furent appelés auprès de l'auguste malade. Ce dernier récita la prière des agonisants. Comme Hilarion, l'illustre anachorète de Palestine, il aurait pu dire: «Pourquoi trembler, ô mon âme. Voilà plus de quatre-vingts ans que tu sers Jésus, et tu redouterais ses jugements!»

Le prélat domestique publierait ce sermon le lendemain, dans les pages de *L'Action catholique*.

— La prière des agonisants terminée, monseigneur Langlois demanda au vénérable malade de bénir les personnes présentes.

Buteau laissait entendre avoir été témoin de ces scènes édifiantes. Le petit accroc à la vérité passerait inaperçu aux yeux des paroissiens recueillis.

— Toute la semaine, conclut-il après de longues minutes d'un hommage larmoyant, la dépouille de Sa Grandeur le cardinal Bégin sera en chapelle ardente au palais. Je suis certain que tous les habitants de la paroisse iront lui présenter leur hommage.

Bien avant ces derniers mots, Raymond avait résolu de s'y présenter tous les jours.

Peu après la fin de la messe, la famille Lavallée regagna son domicile, dans la rue Grant. Alors que le fils aîné montait à l'étage pour se réfugier dans sa chambre, le père occupa sa chaise habituelle à la tête de la table tout en laissant échapper :

— Tu as vu toutes ses simagrées !

L'homme joignit les mains à la hauteur de sa poitrine et regarda vers le ciel en agitant les lèvres dans une prière murmurée.

Les aînées, âgées de dix-huit et dix-neuf ans, s'occupaient autour du gros poêle à charbon. Les jours où leur mère décidait de se rendre à la grand-messe, elles se chargeaient avec compétence de la préparation du repas dominical. Plutôt robustes, toutes les deux travaillaient six jours par semaine devant des machines à coudre de la Dominion Corset, la grande manufacture de la rue Desfossés qui avait fait de Georges Élie Amyot un homme riche. Le cadet de la famille, François, s'attardait sur le trottoir en compagnie de camarades de jeu.

— Notre fils est un bon catholique. Tu ne vas pas le lui reprocher, toujours ? plaida la mère.

Il s'agissait d'une femme de quarante ans au corps abîmé par de nombreuses grossesses.

— Ce n'est plus être catholique, ça. Je crèverais, ça ne lui ferait pas remuer un sourcil. Mais le départ de Son Éminence le met à l'envers. Bientôt, il va se mettre un sac sur le dos et de la cendre sur la tête !

La suggestion prouvait que le bonhomme avait retenu quelque chose de la lecture de l'Ancien Testament.

— Avoir un prêtre dans la famille, ce sera une bénédiction pour nous tous, répliqua son épouse.

La mère n'osait pas préciser « surtout pour toi ». En
vérité, tous les voisins rougiraient d'une envie coupable
devant leur sort. Pour une femme, voir l'un de ses rejetons
entendre l'appel de la vocation équivalait à la promesse d'un
accès direct vers le ciel.

— Je vais m'asseoir en arrière.

Sur ces mots, le père ouvrit la porte de la glacière pour
en tirer une bière Boswel, puis la décapsula d'un geste
rageur.

— Tu ne vas pas boire un dimanche…

— Maintenant qu'elle est ouverte, je ne la gaspillerai
certainement pas.

Plus tard, dans la cour arrière, Onézime Lavallée posait
les fesses sur une caisse en bois. Jamais il n'avait pensé
appeler ce petit rectangle de terre un jardin. Pourtant,
entretenu avec soin, il lui procurait des choux, des navets,
des carottes et même de la rhubarbe. Tous les jours, ce
potager exigeait une bonne heure d'efforts. Le long du mur
de la maison, une construction basse couverte d'un léger
grillage contenait deux lapins adultes et une bonne douzaine
de petits. Une autre bâtisse sommaire, le long de la clôture,
abritait des poules.

Tous ces réflexes de paysan permettaient d'améliorer le
quotidien de la famille. Le salaire du père, employé du
Canadien National, additionné à celui des filles, aidaient
ces gens à satisfaire leurs besoins essentiels et même à se
payer un luxe inouï : avoir un garçon étudiant au Petit
Séminaire de Québec.

— Baptême ! pesta l'homme après avoir avalé le tiers de
sa bière. S'il tenait absolument à une vie de vieux garçon,
les Frères des écoles chrétiennes étaient assez bien pour lui.

Depuis quatre ans, je me saigne pour payer son damné cours classique, et il lui en reste autant à faire. Après, ce sera le Grand Séminaire !

La formation des Frères des écoles chrétiennes durait peu de temps, et la congrégation en assumait bien souvent le coût dans le cas des jeunes gens susceptibles de s'engager dans une carrière de quarante-cinq ou cinquante ans d'enseignement en échange d'une maigre pitance. Les autorités du Séminaire, quant à elles, ne s'étaient pas montrées généreuses quand était venu le temps de s'entendre sur le montant de la scolarité annuelle.

Surtout, tout en poussant ce fils de la paroisse dans la carrière ecclésiastique, monseigneur Buteau n'avait pas mis la main dans sa poche. Pourtant, cela faisait partie des usages dans le cas des vocations récoltées dans un milieu comme le sien. Le curé ne prêchait pas par l'exemple.

— Je me sens tellement intimidée, répétait Flavie pour la dixième fois peut-être. Je n'ai jamais appris à faire la cuisine.

Ce n'était pas tout à fait vrai, mais les mets rustiques préparés dans la maison paternelle à L'Ancienne-Lorette ne séduiraient pas les membres de sa belle-famille.

— Dans ce cas, répondit Gertrude de sa voix bourrue, arrête de me dire de m'asseoir. Tasse-toi plutôt pour me faire une petite place près de ce poêle.

— … Mais vous êtes une invitée !

— On ne va tout de même pas se disputer sur les détails.

Sans plus discuter, la domestique ouvrit la porte du four pour se pencher sur le rôti. La petite cuisine accueillait tout un équipage de femmes. Avant que toutes ces cuisinières ne gâchent la sauce, Marie prit sur elle de chasser les plus jeunes.

— Amélie, Thalie, allez rejoindre les hommes dans le salon. Nous nous marchons sur les pieds.

— C'est vrai, c'est un peu petit ici…, murmura la jeune maîtresse de maison.

— Flavie, c'est plus grand que chez nous, décréta la marchande.

Thalie poussa devant elle sa demi-sœur en murmurant:

— On nous chasse. Autant aller parler politique.

Les deux hommes abordaient alors une autre dimension de la vie publique: les véritables chefs de la province habitaient des évêchés et ne faisaient jamais face à l'électorat.

— Le sermon de monseigneur Langlois était interminable, remarquait Mathieu.

— Après les trente-trois ans de Bégin à la tête du diocèse, le bilan ne pouvait se résumer à quelques phrases, dit Paul Dubuc.

— Nous avons entendu le récit de sa vie depuis sa première communion, rien de moins. Une heure d'éloges, au bas mot. J'en suis sûr, j'ai consulté ma montre.

— Quelle horreur, s'exclama Thalie en s'installant sur le canapé. C'est signe d'un mauvais chrétien de regarder l'heure alors que son pasteur répand la bonne nouvelle.

À son air amusé, la jeune femme ne paraissait pas encline à le condamner sans appel.

— Je me demande bien qui lui succédera, continua-t-elle. Je ne sais pas quel saint invoquer pour que mon oncle Buteau ne se retrouve pas à la basilique. Ses sermons ne seraient certainement pas buvables… sans compter tout le reste.

La jeune fille pensait à la rigueur janséniste de son parent. Déjà, Bégin avait mené une rude lutte contre toutes les expressions de la modernité. Le curé de Saint-Roch serait encore plus acharné dans ce genre de croisade.

— Ne crains rien, le nom de ton oncle ne figure pas dans la liste des candidats potentiels, ricana Dubuc.

— Papa, veux-tu dire que le pape consulte Louis-Alexandre Taschereau et ses députés avant de nommer les évêques ? demanda Amélie avec une pointe d'ironie.

— Dans notre gros village, expliqua le politicien, tout le monde se connaît. La succession du cardinal se discute à l'Assemblée, tout comme celle de Lomer Gouin fut un sujet de conversation au palais épiscopal, il y a quatre ans. Et crois-moi, les commentaires n'étaient pas tous charitables.

Thalie revint à sa préoccupation première :

— Et lequel de nos nombreux « monseigneurs » héritera du trône ?

— Le nom de Paul-Eugène Roy est évoqué le plus souvent, mais le pauvre homme serait bien malade, selon les rumeurs.

Pendant ce temps, à l'heure du repas dominical dans les grandes salles à manger des presbytères ou des réfectoires d'institutions, des porteurs de soutanes violettes devaient se construire des plans de carrière. Tous risquaient d'être déçus ; le nouveau titulaire du poste pouvait venir de n'importe quel diocèse du Canada.

— Flavie doit être morte d'inquiétude à la cuisine, remarqua Mathieu, changeant abruptement de sujet.

— On dirait qu'elle reçoit le prince de Galles, murmura Amélie.

Paul Dubuc se déplaça sur sa chaise, mal à l'aise d'incarner ainsi la royauté. Sa présence seule embarrassait la jeune femme. Les autres membres de la maisonnée ne l'angoissaient guère.

— Pourtant, personne ne saurait la prendre en défaut, dit Thalie. Après avoir passé cinq ans dans l'intimité de tante Élisabeth, aucune bourgeoise ne maîtrise mieux les usages et les convenances qu'elle.

En effet, par le maintien, le langage et les sujets de conversation, Flavie était devenue une hôtesse accomplie. Seuls ses talents de cuisinière demeuraient inférieurs aux attentes. Elle se promettait de combler très vite cette lacune.

Bientôt, la maîtresse de la maison se présenta dans l'embrasure de la porte :

— Si vous voulez passer à la salle à manger, le repas est servi.

Paul Dubuc lui offrit son sourire le plus engageant, et pour la rassurer, parcourut avec elle le petit bout de couloir jusqu'à la grande pièce. Pour asseoir tout le monde, les hôtes avaient dû acheter deux chaises supplémentaires chez un marchand de meubles usagés. Des fleurs fraîches au centre de la table, un présent de Thalie, enjolivaient le décor.

— Vous êtes très bien installés, commenta Marie en servant le potage.

Son initiative ajoutait un peu au malaise de Flavie. Pour la rassurer, Marie lui caressa l'épaule de la main.

— C'est vrai, si on ferme les yeux sur les chambres toujours vides, dit Mathieu.

— Mais comme vous ne faites pas encore chambre à part, le manque de lits ne pose pas de difficulté, plaisanta Thalie.

— Voyons, ne dis pas des choses comme cela, s'indigna la mère en fronçant les sourcils.

— Mais c'est justement parce que nous ne faisons pas chambre à part que nous devrons meubler ces chambres, tôt ou tard, ricana le fils.

Cette fois, ce fut d'un regard sévère que Marie imposa à ses enfants de changer de sujet. Plutôt que de clamer qu'il pouvait bien formuler à mots couverts son intention d'avoir des enfants devant la famille, Mathieu enchaîna :

— Sœurette, tu accepteras sûrement de nous accompagner au palais épiscopal demain soir. L'illustre défunt sera en chapelle ardente à compter du matin.

— Je ne sais pas si cette visite m'intéresse…

Plus franche, elle aurait admis ne pas y tenir du tout. En réalité, l'idée lui répugnait.

— Si tu es dans cette disposition, je viendrai te prendre en passant, pour être certain de ta présence. Car tu le sais bien, tu n'as pas le choix, et moi non plus.

Un instant, la jeune femme voulut protester, puis elle acquiesça d'un geste de la tête. Personne dans la ville ne pouvait négliger d'aller saluer le célèbre cadavre, la mine recueillie et avec, de préférence, les yeux un peu rougis. Ne pas se plier à l'exercice entraînerait la ruine d'une réputation, et surtout celle d'une carrière naissante.

— Marie et moi irons aussi, renchérit Paul Dubuc.

Tous les députés, même ceux de religion protestante, devraient se montrer et, idéalement, mériter un commentaire sur leur visite dans les journaux. Aucun n'hésiterait d'ailleurs à verser un dollar ou deux à un gratte-papier pour voir son nom cité dans un article édifiant sur le sujet.

— Je suis sans doute la seule dans cette maison à ne pas avoir de motif professionnel de me rendre devant le saint homme, commenta Amélie.

— Je n'en ai pas non plus, renchérit Gertrude.

— Nous pouvons y aller ensemble, alors. Nous passerons pour de vraies dévotes.

— Le grand garçon aux cheveux roux sera avec nous ?

La domestique lui jetait un regard narquois. Le fait de ne pas se trouver dans le domicile de la rue de la Fabrique ajoutait encore un peu à son impertinence habituelle.

— Pourquoi pas, fit l'autre sur le même ton.

— Tant mieux. Je ne le déteste pas, celui-là. Surtout comparé aux autres.

Sur ces mots, Gertrude se leva pour aller chercher le rôti dans le four.

— Mais moi, je ne l'ai jamais vu, ce David, commenta Mathieu. Car c'est de lui dont il s'agit, n'est-ce pas ?

— Oui...

— C'est un gars dégingandé, les cheveux roux un peu en désordre, les oreilles décollées...

En voyant son amie rougir, Thalie arrêta sa description et posa sa main sur son avant-bras.

— Oh ! Je m'excuse, je ne voulais pas te blesser. Je deviens un peu aigrie. Ce doit être la vieille fille qui s'exprime. J'ai maintenant vingt-cinq ans révolus. À la prochaine Sainte-Catherine...

— Tu as raison, dit Amélie d'une voix chevrotante. David n'est pas un beau garçon... Mais le premier imbécile venu peut avoir un beau visage. Prenez-moi, par exemple...

Le rouge lui montait aux joues, bientôt des larmes apparaîtraient à la commissure des yeux. Le sujet paraissait susceptible de lui chavirer le cœur.

— Voyons, dit Thalie un peu désemparée, c'est un bel homme. Pas joli, pas l'un de ces visages si harmonieux qu'ils paraissent féminins. Mais c'est une belle tête, on s'imagine sans mal passer une soirée à converser avec lui.

« Et même bien plus longtemps », songea la jolie blonde. Si ses joues gardèrent leur teinte rose, le sourire revint sur ses lèvres.

— Alors, si le bonhomme a toutes ces qualités, comment se fait-il que je ne le connaisse pas encore ? demanda Mathieu.

— Le hasard, déclara Marie. Il vient à la maison le mardi ou le jeudi, depuis quelques semaines.

— Ce sont les bons soirs, ricana le maître de la maison. Tout le monde le sait, le samedi soir, les jeunes filles prennent leur bain.

Sauf la mère, qui trouvait ses enfants bien enclins à aborder des sujets intimes ce jour-là, tout le monde s'amusa de la remarque. La conversation s'attarda un long moment sur l'élection fédérale prochaine et la douceur de juillet.

— Amélie, ne répète pas cela, déclara Paul pendant que sa femme allait chercher le dessert dans la glacière.

— … Que veux-tu dire, papa ?

— Ne répète jamais que tu es une imbécile. Tu es tout le contraire. Mais justement, de vrais imbéciles pourraient te croire sur parole.

— Oui papa, je ne le répéterai pas, fit-elle de sa voix la plus soumise.

Le premier repas familial tenu dans le domicile de Mathieu se prolongea bien tard dans l'après-midi. Quand les invités quittèrent les lieux, Flavie se laissa tomber dans son fauteuil préféré.

— Après tout, les choses se sont bien déroulées, murmura-t-elle.

— Tu es la plus charmante hôtesse de la rue Saint-Cyrille.

— Gertrude a préparé le rôti, Marie le dessert. Seuls le potage et les pommes de terre venaient de moi.

— Je l'aurais deviné. Le meilleur potage…

— De la rue, je sais.

Tout de même, elle garda son sourire satisfait.

Chapitre 4

Une fois le repas terminé chez les Lavallée, une réunion assombrie par l'attitude renfrognée du père, Raymond s'esquiva bien vite. Après avoir erré un peu dans la Basse-Ville, il se recueillit dans un banc de l'allée centrale de l'église, assis le plus près possible de la balustrade. Pendant de longues minutes, il s'absorba dans ses méditations. Quand le curé de la paroisse retourna vers la sacristie, l'adolescent le suivit discrètement, en habitué des lieux.

— Monseigneur Buteau, commença-t-il, tout à l'heure, je veux dire à la messe, j'ai été totalement bouleversé par votre sermon. Je suis monté dans ma chambre en arrivant à la maison pour en commencer le résumé. Je le compléterai ce soir. La perte de Sa Grandeur...

L'ecclésiastique pliait soigneusement son étole après l'avoir enlevée.

— Tu ne le savais pas encore, au moment du prêche ?

— Bien sûr, je le savais. Ce matin, les gens qui possèdent une radio se promenaient dans la rue pour annoncer la nouvelle aux autres.

Deux stations émettaient maintenant dans la ville. Le contenu des journaux se trouvait ainsi largement commenté, et parfois les annonceurs livraient la nouvelle.

L'adolescent parut hésiter, puis il demanda :

— Je suppose que vous allez organiser une délégation paroissiale pour aller rendre hommage au défunt.

— Le mot « délégation » ne convient pas. Parlons plutôt de procession. Mes vicaires et moi donnerons rendez-vous devant l'église aux paroissiens ainsi qu'aux sociétés religieuses avec leurs insignes et leurs drapeaux, et nous marcherons tous ensemble vers le palais épiscopal.

— Demain ?

Monseigneur Buteau ressentit un certain agacement devant ce zèle, comme si ce garçon souhaitait lui enseigner son métier. Son enthousiasme religieux lui paraissait souvent exagéré.

— Certainement pas. Les premières heures verront défiler tout le monde ecclésiastique, les membres des congrégations et ceux du gouvernement.

Raymond Lavallée se priva du plaisir de préciser que ces gens-là, en comparaison de lui, n'étaient pas tous rendus bien loin sur le chemin de la sainteté.

— De toute façon, continua le curé, le corps sera en chapelle ardente pendant plusieurs jours. Les paroissiens auront le temps de se recueillir devant la vénérable dépouille.

En se débarrassant de son surplis, l'homme examinait son visiteur à la dérobée. Sa bonne mine se trouvait un peu gâchée par des yeux cernés, fiévreux, d'une intensité peut-être malsaine.

— J'ai passé la semaine à parcourir les livres que vous m'avez recommandés, confia-t-il. L'histoire des saints martyrs canadiens m'a ému jusqu'aux larmes.

Le garçon devançait un peu les événements en évoquant la sainteté. Le 21 juin précédent, le pape Pie IX avait déclaré « bienheureux » huit jésuites morts aux mains des « Sauvages » lors de la période héroïque de la Nouvelle-France. La canonisation de deux d'entre eux, Brébeuf et Lalemant, n'aurait pas lieu avant cinq ans.

— Le récit de leurs tortures surtout... Les doigts coupés, les haches rougies au feu posées sur leur poitrine, les lambeaux de chair découpés sur les cuisses pour être dévorés, les corps nus livrés aux flammes...

Une exaltation morbide s'emparait de l'adolescent, au point de mettre son interlocuteur mal à l'aise. Il marqua bientôt une pause dans son énumération lugubre avant de murmurer :

— Je voudrais tellement faire comme eux, devenir missionnaire et aller évangéliser les Nègres en Afrique. Je veux être martyr à mon tour.

— Les Iroquois ne sont pas nombreux, dans ces parages.

Le ton de Buteau contenait un peu de moquerie. Raymond ne la perçut pas.

— Je suis allé au monastère des pères blancs la semaine dernière. Ils m'ont montré des photographies de leurs missions. Je veux faire comme eux, je sens l'appel de Dieu.

Cet appel, Raymond l'avait évoqué à plusieurs reprises devant lui au cours des dernières années. La vocation de participer aux missions étrangères apportait une nouveauté dans son discours. Bien des jeunes garçons mariaient ainsi l'appel de Dieu avec celui de l'aventure. Leur nombre augmentait avec l'enthousiasme récent au sujet des bienheureux martyrs canadiens. La plupart du temps, cela se limitait à une fantaisie romantique, sans avenir.

— C'est un beau projet, admit-il à contrecœur. Nous aurons sans doute l'occasion de nous en parler dans les prochains jours.

— Justement, si vous avez un peu de temps...

— Pas aujourd'hui, pas avant les funérailles. Je serai trop occupé. Mais mes vicaires...

— Oh ! Non, monseigneur, j'attendrai de vous voir.

À ce chrétien d'élite, il fallait une soutane marquée de violet. Les jeunes abbés lui paraissaient des apprentis, quand il s'agissait de conduire les ouailles vers le salut.

L'église Saint-Roch, même si elle était bâtie au cœur d'une paroisse ouvrière, était majestueuse. La construction en avait été décidée au commencement de la guerre. En conséquence, la pénurie de main-d'œuvre avait allongé les travaux jusqu'au début des années 1920. Le résultat valait toutefois tous ces délais. Un long moment, monseigneur Buteau demeura immobile devant la statue de Saint-Roch, le patron de la paroisse.

L'œuvre pouvait tirer un sourire aux mécréants. L'artiste avait voulu rappeler un événement anecdotique de la vie du saint. L'homme barbu relevait un pan de sa tunique afin de dévoiler une blessure à la cuisse. À ses côtés se tenait un chien, un pain dans la gueule. La brave bête volait les paysans des environs afin de nourrir son maître incapable de se déplacer.

Monseigneur Buteau grimaça, se remémorant un souvenir pénible. Près de trente ans plus tôt, Alfred Picard avait tourné cette histoire en ridicule lors d'une visite, en plus de lui annoncer alors son désir d'épouser Marie.

— À cette époque, j'étais un simple vicaire, laissa échapper le prélat à mi-voix.

Ce souvenir gênant lui revenait à une bien curieuse circonstance. La crainte d'attirer l'attention de quelques vieilles paroissiennes amena le haut dignitaire à poursuivre en silence : «J'ai tout de même fait un joli bout de chemin, depuis.» Un temps, il avait craint que la faute de sa sœur ne porte préjudice à sa carrière. L'intervention de ce mécréant avait finalement été providentielle.

L'ecclésiastique pivota sur lui-même, en un tour complet. Il contempla les vitraux des grandes fenêtres, le jubé, les hauts tuyaux de l'orgue grimpant sur le mur du temple. Le chœur s'encombrait de sièges sculptés disposés sur trois rangs. Cette église paroissiale se donnait des airs de cathédrale, comme si elle avait son propre chapitre.

L'édifice n'avait bien sûr aucune prétention de ce genre, c'était plutôt celle du curé. Déjà, en 1915, en préparant les plans de ce temple, Buteau voyait grand. Le violet de sa soutane le prouvait; il avait réalisé certaines de ses ambitions.

À pas lents, le prêtre s'engagea vers la gauche, s'inclina machinalement devant le petit autel latéral puis regagna la sacristie.

Errer au parc Victoria, parfois même du côté des quais pour s'abandonner à la rêverie, convenait très bien à Raymond, mieux que l'atmosphère du foyer familial. En ce dimanche, il s'attarda d'autant plus volontiers qu'un oncle de la campagne devait rendre visite à ses parents. Les allusions aux travaux des champs et au temps qu'il fait ne lui disaient rien. Puis, son passage à l'église Saint-Roch lui permit de se dérober encore un peu.

Il revint à son domicile de la rue Grant un peu avant six heures, un air d'innocence sur le visage.

— Tu vois, c'est bien ce que je t'avais dit, clama le père à l'intention de son épouse. Il rapplique à temps pour le repas, et juste après le départ du train pour Trois-Rivières.

L'homme paraissait furibond, sur le point d'user de violence.

— Il est allé se promener, intercéda la mère. Ce n'est pas un crime.

— Ah! Ça, c'est vrai, continua-t-il : il sait comment aller se promener juste quand il le faut.

Le garçon ouvrait de grands yeux ronds, comme s'il ne comprenait rien aux paroles de l'auteur de ses jours.

— Voyons, il ne pouvait pas savoir, poursuivit la femme.

— Il y a une semaine que nous en discutons. Ton frère Octave a un homme en moins à cause de la maladie de son aîné. Pendant ce temps, lui passe ses grandes journées à rêvasser!

La colère gonflait les veines du cou du pauvre Onézime. Ses yeux ne quittaient pas Raymond.

— Il ne rêve pas, il médite et il prie.

— Prier sur un voyage de foin ne lui fera pas de mal.

Toute cette commotion tenait à une transaction commerciale bien simple : comme le frère de madame Lavallée se trouvait privé des services de son aîné pour la fenaison et les récoltes, bien vite, les deux hommes avaient convenu d'un marché. Contre des provisions de pommes de terre pour le prochain hiver, Raymond devait prendre la relève sur la ferme jusqu'à la fin des grandes vacances.

— …Je n'y ai pas pensé, se détendit-il, le rose aux joues.

— Menteur. Tu as disparu au bon moment, et te revoilà alors qu'il est trop tard pour faire le trajet avec Octave. Demain, tu vas monter dans ce foutu train, même si je dois t'y conduire à coups de pied au cul. As-tu compris?

Quand des orages pénibles comme celui-là pointaient à l'horizon, les deux filles de la maison disparaissaient dans la cour arrière ou dans leur chambre. Le plus jeune, François, se terrait dans un coin pour suivre les événements tout en réprimant un sourire. Depuis sa naissance, sa mère multipliait les phrases comme « Fais comme Raymond, applique-toi à l'école», ou alors «Raymond avait de bien meilleurs résultats que toi, quand il se trouvait dans la classe de frère Josaphat».

D'une certaine façon, des scènes semblables le vengeaient un peu.

— … Demain, je ne peux pas, murmura l'aîné d'une voix hésitante. Monseigneur Bégin se trouvera en chapelle ardente.

— Ah ! Et c'est toi qui dois l'escorter jusqu'à la porte du paradis ?

— Monseigneur Buteau organisera des processions dans les rues, puis toute la classe ira lui rendre un dernier hommage. Le professeur a téléphoné hier soir…

Lors de l'appel, le dernier souffle n'avait pas encore quitté la poitrine de Sa Grandeur. Dans la course à la sainteté, certains empressements paraissaient bien indélicats.

— Si tu veux manger, tu iras demain à Sainte-Anne-de-la-Pérade.

— Voyons, Onézime, il ne peut pas partir, le Séminaire a appelé, tu le sais bien.

Dans des situations de ce genre, la mère offrait un soutien indéfectible à son fils. Elle tenait plus à son futur prêtre qu'à la paix de son ménage.

— Je peux y aller, moi, proposa doucement François.

L'intervention calma un peu la juste colère du père, le temps qu'il se tourne à demi pour dire :

— Je sais que toi, tu n'as pas peur de travailler, mais tu es trop petit…

En reportant son attention sur Raymond, l'homme serra de nouveau les poings. Le désir de mettre un peu de plomb dans la tête de son aîné par la manière forte le tenaillait.

— Il y aura des cérémonies toute la semaine, plaida l'adolescent, jusqu'aux funérailles samedi prochain.

Onézime Lavallée en arrivait à se sentir parfois comme un Iroquois faisant un mauvais parti à un jésuite. Comme il comprenait la frustration des Sauvages! La sainteté lui tombait cruellement sur les nerfs.

— Monte, gros sans-cœur, rugit-il. Disparais dans ta chambre et ne montre pas ta face de paresseux à table. Si t'as pas la décence de travailler pour gagner ta pitance, passe-toi de manger. Le jeûne aussi, ça fait partie des moyens de mortification, non?

Raymond s'engagea dans l'escalier, la tête basse. S'il ne montrait pas sa soumission, il se prendrait des coups de ceinture.

La vie dans l'immense presbytère d'une paroisse ouvrière prenait parfois une allure étrange, celle d'une famille totalement atypique. Buteau parcourut de longs corridors aux murs austères, décorés de portraits d'une multitude de saints et de prélats, avant de rejoindre la salle à manger.

Quand il pénétra dans la pièce, les trois vicaires se levèrent en même temps.

— Excusez-moi de vous avoir fait attendre. J'ai perdu la notion du temps pendant une prière pour le repos de l'âme de notre cher cardinal.

— Ne vous excusez pas, monseigneur, protesta le plus âgé des trois. Nous aurions dû vous imiter.

Le jeune abbé en arriva à se sentir coupable. Le prélat prit son siège, les vicaires l'imitèrent. Puis, les quatre hommes remerciaient Dieu pour l'excellent repas qui leur serait servi.

— Damien, les jeunes filles ont-elles été nombreuses à leur rendez-vous dominical? demanda ensuite Buteau.

— La Vierge Marie a pu recevoir toutes ses enfants à la sacristie, sauf la petite Paquin.

— Elle serait atteinte de consomption et je n'en serais pas surpris, remarqua un autre vicaire. D'après ce que dit sa mère...

Le bruit de la conversation agit comme un signal. Une religieuse franchit à reculons la porte donnant accès à la cuisine, une soupière dans les mains. Elle servit d'abord monseigneur Buteau en affichant la plus grande déférence.

— Je vous remercie, ma sœur.

La vieille dame, suffisamment difforme et âgée pour ne titiller les sens d'aucun de ces prêtres, servit ensuite les vicaires, du plus âgé au plus jeune, puis elle disparut dans la cuisine.

— Le décès de notre bon cardinal tenait pour beaucoup dans la présence de toutes les Enfants de Marie, expliqua Damien. Celles-ci se doutaient bien de nos projets.

— Vous avez pu organiser notre prochaine procession? questionna Buteau.

— Elles viendront vêtues de leurs plus beaux atours mercredi soir. La couleur bleue dominera la côte d'Abraham, au moment de monter vers la Haute-Ville. Vous le savez, la plupart sont ouvrières dans les usines de chaussures ou vendeuses. Elles ne pourraient pas se mobiliser ainsi dans la journée.

— Je sais, indiqua le curé. Ce sera le cas aussi de la majorité des hommes. Nous formerons le plus beau cortège de paroissiens de cette ville.

Ce dernier ne renonçait jamais à vouloir impressionner ses collègues. Dans les presbytères de Notre-Dame-de-Jacques-Cartier, Saint-Sauveur, Saint-Charles-de-Limoilou, des ecclésiastiques organisaient des événements du même genre.

— Je suppose que les ligueurs du Sacré-Cœur se sont montrés tout aussi ponctuels, remarqua encore Buteau.

Ces trois jeunes prêtres, à eux seuls, encadraient les ouailles des deux sexes. Les Enfants de Marie, les Filles d'Isabelle, les Ligues du Sacré-Cœur et quelques autres associations encourageaient le zèle religieux. Il fallait encore offrir des loisirs honnêtes aux enfants, accompagner les personnes âgées dans la mort, visiter les écoles avec la plus grande assiduité, fournir des aumôniers aux Chevaliers de Colomb, à la Société Saint-Jean-Baptiste, à la Société de tempérance, à la Ligue Lacordaire... et même aux syndicats catholiques locaux.

De la naissance à la mort, chacun des paroissiens trouvait une soutane à ses côtés. Quand la sœur apporta le plat principal, ces pasteurs de choc en étaient à préparer une messe solennelle en l'honneur du regretté cardinal.

Souvent, les absents à un repas pèsent plus lourds que les présents. Onézime Lavallée ne décolérait pas contre son fils. Ce ne fut qu'au dessert que sa femme osa intervenir.

— Pour lui, les affaires de l'Église sont importantes, plus que tout, plus que nous. Il veut consacrer sa vie à Dieu.

— C'est des simagrées de paresseux. Il ne veut pas aller aider ton frère, tout simplement. Depuis une semaine qu'on en parle, il fait semblant de rien entendre.

— Il ne connaît rien aux travaux de la ferme...

Le plaidoyer se heurta à des oreilles bien fermées.

— Et aujourd'hui, continua l'homme, il savait très bien que ton frère avait l'intention de repartir avec lui. Alors il s'est sauvé par la porte d'en arrière.

L'épouse se renfrogna un peu. En vérité, un peu après cinq heures, quand Octave s'apprêtait à rentrer chez lui en train, c'est avec une certaine surprise qu'elle avait trouvé la chambre vide.

— Je vais lui parler tout à l'heure. Monseigneur Bégin sera enterré samedi, dimanche il se rendra à Sainte-Anne.

L'homme voulut protester, mais il se contenta plutôt d'émettre à mi-voix quelques jurons bien vulgaires.

À l'étage, Raymond entendait assez bien les conversations tenues à la cuisine grâce aux trappes ménagées dans le plancher pour laisser circuler la chaleur. Penché sur son cahier, il avait écrit : « Le second dans mon cœur, c'est mon père. Il a uni ses efforts à ceux de ma mère pour faire de moi un honnête homme plus tard. »

En lisant les derniers mots, il fut tenaillé par l'envie de tout biffer. Mobilisant sa volonté, il continua plutôt : « Ce qu'il est d'ailleurs lui aussi : un honnête homme. » Comment présenter cet ouvrier courageux autrement qu'en ces mots ? Soixante heures de travail hebdomadaire pour faire vivre convenablement sa famille lui valaient bien ce titre.

« Il n'a pas tout à fait la même méthode que ma mère, enchaîna le séminariste. Il n'a surtout pas la grande bonté de celle-ci. Son amour est quelquefois rude et correctif. Quoi qu'il en soit, je reconnais que papa m'a beaucoup aimé, qu'il m'aime encore, et je voudrais lui rendre tout ce que je lui dois, dont mes études… Mais c'est impossible. »

L'adolescent relut son dernier paragraphe avec attention, en trouva le ton tout de même un peu sévère, se souvint du commandement « Tu honoreras ton père et ta mère ». Ces lignes ne rendraient pas justice au saint qu'il projetait de devenir. Aussi il ajouta : « Je veux faire plaisir à mon père le plus possible, lui être bien soumis et obéissant. »

Jeûner au souper permit à Raymond Lavallée de cultiver sa tristesse comme d'autres entretiennent une vertu. Ou plus précisément, l'apparence de la tristesse. Pendant toute la soirée, jusqu'à son coucher, il demeura à l'étage afin d'éviter de nouveaux éclats de voix.

De toute façon, ses quartiers se montraient confortables. Ses sœurs devaient partager une toute petite pièce; le cadet, François, héritait d'un étroit réduit. Mais le futur prêtre profitait d'une parfaite intimité. Quand il se perdait dans ses oraisons, aucun témoin ne troublait l'élévation de son âme.

Assis à sa petite table, un cahier grand ouvert devant lui, le garçon cherchait ses mots en mâchonnant son crayon. Écrire un journal pour soi, quelle aberration! Étaler ses pensées sur le papier ne servait à rien, si personne ne devait un jour en prendre connaissance. Le faire pour la postérité, offrir aux croyants ce témoignage sur une jeunesse pieuse, exemplaire, paraissait infiniment plus raisonnable.

Raymond aligna laborieusement quelques paragraphes, se relut en soupirant, désolé de son style. Au moins, l'éloge funèbre de monseigneur Buteau prononcé en matinée pour le cardinal lui donnait la matière d'une jolie section. Il décida de revenir longuement sur le sujet.

Au Petit Séminaire, ses maîtres lui reconnaissaient un beau talent d'écrivain. Fin juin, dans la grande salle académique, ses efforts incessants de la dernière année lui avaient valu treize prix. Toutefois, il avait souffert de la déception d'être le second de la classe. D'un autre côté, le premier n'en avait eu que onze. Dieu lui avait offert cette petite consolation.

Le garçon se pencha encore sur son journal pour ajouter quelques lignes sur le vilain péché d'orgueil. Cette pensée l'amena à se renfrogner un peu. Il s'abandonnait au septième péché capital avec une affreuse régularité. Néanmoins, ses écrits, il n'en doutait pas, édifierait encore les âmes à la fin du xxᵉ siècle.

À dix heures, Raymond se défit de ses vêtements. Un moment, il se contempla dans le miroir, affublé d'un grand sous-vêtement en coton... L'idée de se glisser sous le drap complètement nu lui traversa l'esprit. Il n'osa pas. Étendu de tout son long, les yeux grands ouverts dans l'obscurité et les bras posés sur le drap des deux côtés du corps, il attendit le sommeil.

« Sitôt couché, sitôt endormi », disait l'interminable « règlement de vie » qu'il avait rédigé lorsqu'il avait commencé le nouveau cahier de son journal. L'écrire ne suffisait pas. Pendant une demi-heure, une tension au bas du ventre, Raymond attendit. Le second péché, la luxure, le plus terrible de tous, l'assaillait à son tour. La bête se trouvait là, dans un coin de la chambre. L'infâme Charlot se tapissait sans cesse dans la pièce, à guetter la moindre faiblesse.

— Non, sale démon, grommela-t-il. Pas quand notre cardinal se trouve sur les planches ! Si je dois céder, ce ne sera pas avant les funérailles.

Le diable refusa de se le tenir pour dit. D'un geste brusque, le garçon repoussa le drap, s'étendit sur le plancher pour l'embrasser à plusieurs reprises. La saleté sur ses lèvres lui soulevait un peu le cœur. La fraîcheur du bois, sous lui, incita ses hanches à amorcer un mouvement de va-et-vient. Nouvel assaut.

— Ah non ! Pas question, Charlot. « Je vous salue Marie, pleine de grâce... »

La main fiévreuse chercha dans un tiroir de la commode. Le compas se trouvait là, un instrument de géométrie en bronze terminé par des pointes en fer bien aiguës. Le geste vif, il visa sa cuisse, geignant sous la douleur.

— Tu vois ce coup de griffe ! Pas ce soir.

Dans la pénombre, Raymond vit apparaître un disque sombre sur le tissu de son sous-vêtement. La tache de sang ferait froncer les sourcils de sa mère. Au moins, Charlot rampait maintenant sous la porte de la garde-robe, vaincu... pour une courte période.

Même si elle exigeait de longues heures de travail, la collaboration d'Émile Buteau à *L'Action catholique* lui apportait une grande satisfaction, plus grande encore que les prônes du dimanche. Cela tenait un peu à sa conscience d'être, au fond, un bien piètre orateur. Bien sûr, ses sermons respectaient les règles de la grammaire, de la syntaxe, et surtout celles de l'éloquence guidée par la foi. Toutefois, la chaire lourdement sculptée et rehaussée d'inscriptions latines de l'église Saint-Roch ne changeait rien à la monotonie de son débit ou à sa voix un peu éraillée.

À l'écrit toutefois, l'ecclésiastique savait manier à la fois l'exhortation et la menace du châtiment éternel pour éradiquer le mal et amener son troupeau aux portes du paradis. Jusqu'à onze heures, il chercha les mots justes pour fustiger tous les péchés assaillant sa paroisse. Une fois sa plume revissée et posée près de l'encrier en cristal, le bon abbé s'étira longuement. Du bout du doigt, il caressa la courbe de la théière placée près du sous-main par une religieuse une heure plus tôt.

— Monseigneur, ne travaillez pas trop tard, avait murmuré la sainte femme avec déférence.

Ce « monseigneur » ne signifiait pas grand-chose, réalisait Émile Buteau avec le passage des heures. Les curés des grosses paroisses montrant un peu de zèle recevaient ce titre honorifique. Il valait à ses titulaires une écoute plus attentive de la part du cardinal-archevêque, une meilleure place dans les processions, sans plus.

— Se pourrait-il que…, murmura-t-il.

Formuler toute la phrase heurterait la vertu de modestie essentielle à tout membre du clergé. L'homme gardait de son enfance malheureuse quelques menues superstitions. Selon l'une d'elles, nommer à haute voix l'objet de ses désirs portait malheur.

— Normalement, le trône devrait aller à monseigneur Roy, l'évêque coadjuteur. Mais cela ne se peut pas…

Se parler à soi-même venait avec les années de solitude. L'homme s'y abandonnait sans même s'en rendre compte. Paul-Eugène Roy avait été curé de la paroisse Notre-Dame-de-Jacques-Cartier. Lui aussi prélat domestique, véritable colosse à la voix tonitruante, très habile prêcheur et excellent écrivain – enfin, si l'on avait une inclination pour la prose ecclésiastique –, tout faisait de lui le successeur de monseigneur Bégin. Pourtant, Dieu en avait décidé autrement. Hospitalisé depuis 1923, rongé par un cancer des intestins, le pauvre n'en finissait plus d'agoniser. Littéralement, il se voyait pourrir petit à petit.

— Il serait tellement mieux mort…

Ces mots, les paroissiens les répétaient pour toutes les personnes dont la condition leur paraissait insupportable. Même s'ils ne portaient pas vraiment à mal, le saint homme murmura :

— Que votre volonté soit faite, Seigneur !

La soumission réaffirmée, il revint à sa réflexion. Roy ne pouvait être en lice. Cela laissait deux candidats, Buteau lui-même, et le prétentieux monseigneur Langlois. Celui-là paraissait trouver une intense satisfaction à régler les détails de l'exposition en chapelle ardente et des funérailles de son supérieur. C'était une excellente façon pour lui de se mettre sur le devant de la scène.

— Cet homme-là ne peut pas diriger le diocèse de Québec. Il n'a aucune expérience du travail paroissial. On ne fait pas un cardinal avec un directeur de collège. D'autant plus qu'il est évêque depuis un an à peine.

Pourtant, malgré ce manque évident d'expérience, Louis-Nazaire Bégin en avait fait son auxiliaire. Buteau se leva pour aller se planter devant la fenêtre. Il contempla la statue du Sacré-Cœur dressée dans le petit jardin. À cette heure tardive, avec la lumière allumée sur son bureau, sa silhouette noire se découperait visiblement pour les passants, dans la rue Saint-Joseph. Cela le réjouit. Les paroissiens répéteraient à leurs proches que leur pasteur se dévouait jour et nuit pour le salut de leur âme.

L'homme avait beau retourner la question dans tous les sens, personne, dans le grand diocèse de Québec, ne lui semblait digne de succéder à Sa Grandeur. Personne excepté lui-même, bien sûr. Mais comment faire en sorte que cela se sache dans les milieux appropriés ?

Le prélat regarda l'article demeuré sur la table de travail. Devait-il le rendre plus sévère encore ? Un vicaire se chargerait de le transcrire à la machine et de le porter au directeur de *L'Action catholique*. Ces écrits suffiraient-ils à mousser sa réputation ? Condamner la modernité, même à gros traits, entraînait-il l'admiration de la part de ses ouailles ? Ce doute l'agaçait.

En soupirant, il éteignit la lumière. Les couloirs de l'immense presbytère lui étaient si familiers qu'il pouvait les parcourir dans la plus grande obscurité.

Chapitre 5

Thalie faisait grise mine à son miroir. « Mathieu, ronchonna-t-elle, demeure un homme de parole, surtout si mon intérêt se trouve en jeu. » La veille au soir pourtant, il s'était excusé, jugeant que l'affluence serait trop grande au palais épiscopal. Les journaux annonçaient la venue d'une délégation d'Ottawa, avec le ministre Ernest Lapointe à sa tête. Le député de Québec-Est dominait maintenant sans partage l'aile francophone du Parti libéral du Canada.

Toutefois, mardi, le fils aîné arriva à l'appartement de la rue de la Fabrique à sept heures pile, sa femme pendue à son bras, avec la ferme intention d'entraîner sa sœur avec lui.

— Vous avez bien le temps de vous asseoir un peu, commença Thalie en leur désignant la porte du salon.

Devant ce genre de corvée, la jeune femme souhaitait procrastiner un peu.

— Bien sûr que non, protesta le garçon. Va mettre ton chapeau et tes gants.

— Mais la file d'attente s'allonge jusque sur le parvis de la cathédrale !

— Justement, nous n'attendrons pas qu'elle se prolonge sous ta fenêtre, et même jusqu'à la rue Saint-Jean.

La jeune femme secoua la tête devant un pareil entêtement à bien faire. Quand elle pénétra dans sa chambre pour compléter sa tenue, Marie et Paul arrivèrent dans le couloir.

— Nous vous accompagnons, décréta la maîtresse de maison après les échanges de bonsoir.

Accomplir ce genre de mission en famille allégeait un peu l'ennui inévitable.

— J'ai vu ton petit ajout dans la vitrine, souligna Mathieu à l'intention de Marie. Pas très joli.

Depuis dimanche, le portrait de Sa Grandeur feu monseigneur Louis-Nazaire Bégin, souligné de rubans noirs, s'étalait aux pieds d'un mannequin.

— Je n'avais guère le choix.

— Papa a dû se retourner dans sa tombe, ricana le jeune homme.

Paul ne sourcillait plus aux allusions au premier époux de sa femme. Au contraire, il avait appris à apprécier le disparu au fil des ans. Parfois, il s'imaginait partager une bouteille de cognac avec lui au paradis, s'esclaffant de ses saillies. Malheureusement, saint Pierre ne devait pas tenir un estaminet dans les nuages pour fournir l'occasion de tels conciliabules. Quant à Lucifer, mieux valait ne pas y penser.

— En levant un peu les yeux, déclara Thalie en revenant coiffée d'un joli chapeau cloche, le cher disparu voit sous une robe. Je me demande si cela ne vaudra pas une excommunication à maman.

Elle avait suivi la conversation depuis sa chambre.

— Voyons, ne dis pas des choses de ce genre, gronda Marie. Ce ne sont pas des sujets de plaisanterie… Le pauvre homme vient de mourir.

Cette dernière phrase rassura Thalie. S'il ne concernait que le respect dû aux morts, le courroux maternel serait de bien courte durée.

— Allons-y, décida Paul. Ce couloir ne prête pas aux longues discussions familiales.

— Amélie ? s'enquit Mathieu.

— Elle devrait être là..., dit le père. Mieux vaut ne pas l'attendre.

La voix trahissait une légère impatience. Flavie prit sur elle d'amener la conversation sur un autre sujet en s'engageant dans l'escalier.

— Paul, ce sera donc votre seconde visite au cardinal ? *Le Soleil* disait ce matin que tous les députés provinciaux avaient défilé devant lui hier.

— Tu as raison. Mais nous allons tous effectuer aussi une visite en famille, et même plusieurs. Les convenances l'exigent.

Le groupe se retrouva bientôt sur le trottoir. Une voix fit se retourner tout le monde dans la direction de l'hôtel de ville.

— Papa, nous voilà !

Amélie se tenait de l'autre côté de la rue, attendant le passage du tramway avant de traverser. Un grand type roux lui offrait son bras. Il commença par serrer la main du député en disant :

— Excusez-moi, monsieur, nous sommes en retard. Je n'arrivais plus à trouver mon brassard noir. Et dans les circonstances...

— Vous êtes tout excusé. De toute façon, vous auriez pu nous rejoindre dans la file d'attente.

Le nouveau venu, poli, serra la main de l'épouse du député. Quand ce fut le tour de Thalie, elle commenta :

— Vous avez tout de même de la chance. Votre vêtement de deuil se limite à cette bande de tissu noir, alors que pour nous...

— C'est vrai, répondit l'autre avec un sourire sympathique. D'un autre côté, cela permet à tous les hommes de vous voir avec cette jolie robe d'un bleu presque noir. C'est la teinte exacte de vos yeux, si je ne me trompe pas.

La répartie laissa la jeune femme bouche bée, une occurrence plutôt rare. Son silence donna le temps à Amélie de faire les présentations.

— Voici mon demi-frère, Mathieu, et sa femme, Flavie.

À l'intention du couple, les joues légèrement rosies, elle précisa :

— Voici David O'Neill... J'ai eu l'occasion de vous parler de lui, je pense.

— Oui, l'homme des mardis et des jeudis, répliqua Mathieu en tendant la main.

La remarque fit passer les joues d'Amélie du rose au rouge. De son côté, l'Irlandais rit de bon cœur.

— Je tiens à garder vivantes les traditions de nos belles campagnes québécoises. Et chacun le sait, le samedi soir...

— ... les jeunes filles prennent leur bain, compléta Mathieu.

Celui-ci comprenait maintenant très bien les commentaires favorables formulés par sa sœur à l'endroit de David. Il s'agissait d'un homme de vingt-cinq ans environ, solide, le visage mobile, rieur. L'enthousiasme et l'énergie émanaient de lui. Son costume usé, mais de bonne coupe, trahissait des moyens un peu limités.

— Je vois un anneau d'acier à votre doigt...

— J'ai obtenu un diplôme en génie de l'Université McGill, expliqua le jeune homme.

— Vous étiez donc un condisciple de ma petite sœur.

— Oui, mais éloigné. Je n'ai jamais eu l'occasion de la croiser sur le campus.

Paul Dubuc se réjouissait de voir une certaine familiarité se construire tout de suite entre son beau-fils et le dernier cavalier de sa cadette. Mathieu lui paraissait être un bon juge de la nature humaine. Ainsi rassuré, il jeta un regard sur la vitrine du magasin.

— Marie, Thalie a bien raison, tu as placé la photographie juste sous le bord des robes. Si le saint homme lève les yeux...

— Tu ne vas pas t'y mettre toi aussi ! Avançons, sinon nous ne passerons pas avant minuit.

Tout de même, en rentrant plus tard en soirée, elle se donnerait la peine de décaler un peu le cadre.

La file d'attente s'étendait maintenant devant les portes centrales de la basilique Notre-Dame-de-Québec. Le groupe familial contempla les battants tout neufs. Il s'agissait en réalité d'un nouvel édifice, fort semblable au précédent. Ce dernier avait été détruit dans une vaste conflagration quelques années plus tôt. Une rumeur tenace évoquait un incendie criminel allumé par le Ku Klux Klan. L'organisation raciste née aux États-Unis étendait sa campagne contre les catholiques jusque dans la province de Québec. On lui attribuait la responsabilité de quelques attentats.

Le souvenir du grand chantier à quelques pas de chez elle incita Amélie à confier à la ronde :

— David fait présentement des travaux pour la Quebec Power, mais il souhaite se faire entrepreneur en construction.

— Mais auparavant, je devrai faire mes preuves. On ne se lance pas en affaire comme cela.

Si Paul Dubuc enregistra discrètement l'information, Mathieu la saisit au vol.

— Les grands chantiers se multiplient dans la province, actuellement. Les possibilités ne manquent pas en Mauricie, le long de la rivière Saguenay. On voit s'élever des usines de pâte et papier et des alumineries, des barrages hydro-électriques s'élèvent sur tous les cours d'eau. Un jour, même les campagnes profiteront de l'éclairage électrique.

Les années 1920 offraient des promesses infinies de progrès. La fée électricité, dont l'image se trouvait sans cesse reproduite une lampe à la main dans diverses publicités, devenait une figure aussi connue que la Vierge. Des poètes en mal d'inspiration publiaient même des chansons sur elle.

— Vous vous intéressez aux développements industriels ? demanda David.

— Comme citoyen, bien sûr. Mais aussi comme avocat, ou notaire, selon les jours. Vous ne sauriez dire combien de terrains changent de propriétaire avant le début d'un grand chantier.

Mathieu commençait tout juste à se familiariser avec le sujet. Une firme d'avocats lui versait un salaire conséquent depuis quelques mois pour s'occuper exclusivement de ce genre d'affaires. Finalement, sa longue préparation lui permettait d'échapper à des années de causes criminelles déprimantes. Elles ne l'étaient pas toutes autant que l'affaire Aurore Gagnon, évidemment. Celle-là hantait toujours les nuits du jeune homme. Ne plus avoir à se préoccuper de troublants procès le comblait d'aise.

— Moi, précisa David, j'aimerais venir juste après l'achat de ces terrains. Quand la machinerie lourde commence à ouvrir le sol pour établir des fondations.

Marie se réjouissait de voir les deux hommes s'entendre aussi bien, mais elle leur jeta un regard en fronçant les sourcils. Autour d'eux, les gens affectaient une certaine douleur, ou à tout le moins le recueillement. Après un sourire entendu, ils comprirent son message et se turent.

Cela leur donna l'occasion d'apprécier la longue file devant eux. La perspective d'une interminable attente suffisait à leur inspirer une certaine morosité.

Après quinze minutes, le groupe s'engagea enfin dans la rue Buade. Mathieu contempla un bref instant la vitrine du *Café du Nouveau Monde* et remarqua la photo du prélat défunt encadrée de noir placée là aussi. Puis, il éprouva une certaine nostalgie pour les repas partagés avec Flavie, alors que le couple tentait d'échapper aux oreilles indiscrètes des autres pensionnaires de la rue Sainte-Geneviève. Les années un peu bohémiennes étaient derrière lui. Devant, l'existence du professionnel sérieux l'attendait.

Derrière la famille des Dubuc et des Picard, Raymond Lavallée alternait entre les moments de tristesse affectée et d'intense curiosité. Ces femmes étaient jolies dans leurs robes de couleur sombre, coiffées et gantées de noir. Même la blonde, malgré le sourire imprimé en permanence à la commissure de ses yeux, arrivait à présenter un air de deuil.

« Tu es bien jolie aujourd'hui, réfléchit-il, mais toi aussi, tu seras sous la terre bientôt, ton magnifique corps mangé par les vers. Les rats commenceront par se régaler de tes grands yeux bleus, de tes lèvres roses... »

Mentalement, le garçon recommençait sans arrêt sa nomenclature lugubre, prenant pour sujet chacune des jeunes femmes séduisantes s'offrant à ses regards. Depuis la veille au matin, cent d'entre elles peut-être avaient retenu son attention. Les hommes, quant à eux, lui inspiraient des idées d'un autre ordre. Mathieu et David lui parurent parfaits, virils, des modèles de masculinité en quelque sorte.

Un très bref instant, il les imagina nus, sur la croix, une pièce de tissu au milieu du corps.

Ses yeux se portèrent finalement sur Thalie. Ses cheveux sombres et bouclés dépassaient un peu sous son chapeau cloche. La robe, la veste et le chemisier, dans des tonalités de bleu, lui donnaient un air sérieux, presque sévère, tout en se révélant seyants. Les lèvres se serraient étroitement et un pli profond marquait le front.

« Elle semble avoir vraiment de la peine. » La réflexion fit monter en lui un élan de sympathie. Celle-là, il ne l'imagina pas au tombeau. Peu perspicace, Raymond Lavallée confondait un profond ennui et le dégoût devant toutes ces affectations avec une piété sincère.

La grande fatigue de l'adolescent excusait son manque de discernement. Depuis la veille, il se livrait à un étrange chemin de croix. Il se plaçait dans la file d'attente, patientait jusqu'au moment de passer devant la dépouille mortelle, puis retournait immédiatement se joindre à la multitude des fidèles pour un nouvel exercice de patience. Cela représentait des heures sous le lourd soleil de juillet, sans manger autre chose que le morceau de pain et la tranche de fromage dérobés le matin dans la cuisine familiale.

À ce rythme, à peu près à neuf heures ce soir, il serait devant la sainte dépouille pour la neuvième fois. Un chemin de croix comptait quatorze stations. Vendredi, il en aurait parcouru deux.

Les Dubuc et les Picard atteignirent la porte du palais épiscopal à neuf heures précises. L'entrée était rehaussée de grandes pièces de tissu noir. Au-dessus se détachaient les armoiries de l'archevêque. À l'intérieur, sur les murs et le plafond du vestibule, un rouge écarlate dominait tout.

« La couleur du sang s'écoulant d'une plaie », songea Thalie. Le décor lui faisait une étrange impression, celle de pénétrer dans un utérus. Elle se remémora les dissections à l'Université McGill. Elle contempla un grand portrait peint de l'archevêque, accroché au mur.

Le couloir jusqu'à la chapelle s'ornait de la même teinte. Le mobilier de celle-ci avait été enlevé pour faire de la place. Il ne restait que l'autel et un lit de parade, lui aussi tendu de rouge. L'orgie sanglante avait au moins un effet positif : au lieu de présenter un gris malsain, le visage du défunt paraissait rose à la lueur des cierges... comme celui d'un nouveau-né lançant un premier cri. L'illusion ne durait pas. Les chairs affaissées, la bouche comme une longue coupure, la légère odeur de pourriture atteignant les narines malgré les effluves d'encens, tout cela criait la mort.

Arrivés deux par deux dans la salle, les fidèles étaient invités à s'agenouiller devant le cadavre, le temps d'une invocation ou d'une pensée pieuse. Un petit escadron d'étudiants du Grand Séminaire s'assurait de maintenir une bonne cadence. Le hasard voulut que Thalie s'agenouille juste en face de Mathieu. Comme son regard paraissait lourd de reproches, son frère lui adressa un petit sou-rire contraint. « Nous n'avons pas le choix », semblait-il plaider.

Sur les murs écarlates, la jeune femme eut le temps de lire des « sentences » rédigées en grandes lettres d'or : « Il a été chéri de Dieu et bien-aimé de son peuple » ; « Sa douceur lui gagna les cœurs » ; « Il a compris les besoins des pauvres », « Il nous prêche encore la paix et l'union » ; « Il a fait l'harmonie entre les patrons et les ouvriers ».

Puis, au grand soulagement de la jeune femme, un garçon d'une vingtaine d'années lui fit signe de céder sa place. Elle s'en trouva si délivrée qu'elle remercia le séminariste d'un sourire.

Plus tard, le même candidat à la prêtrise se faisait insistant auprès de Raymond Lavallée, qui s'attardait sur un prie-Dieu. De nouveau, l'adolescent s'était perdu dans la contemplation de la soutane rouge, de l'aube en dentelle blanche. Les pantoufles violettes exerçaient toutefois sur lui une véritable fascination.

En sortant du palais, l'air parut plus frais, plus doux à Thalie. Songeuse, elle se pendit au bras gauche de son frère, alors que Flavie tenait le droit.

— As-tu vu toutes ces inscriptions dorées sur le mur ? demanda-t-elle à voix basse.

— Ce serait le résumé de ses trente-trois ans à la tête du diocèse. À tout le moins, c'est ce que j'ai lu dans *L'Action catholique*.

La jeune femme se priva de se moquer de ses lectures.

— Il en manquait au moins une : « Il s'est opposé farouchement au droit de vote des femmes. »

Après que le parlement d'Ottawa eut étendu à toutes les femmes ce droit lors des élections fédérales, du haut de son autorité morale, l'archevêque avait fustigé ce principe. Plus encore, il avait soutenu la création d'une association féminine contre le suffrage féminin.

— Et bien sûr, continua Thalie, je passe sous silence d'autres faits remarquables de son règne.

— En effet. Je sais que ton énumération serait longue.

Dans une longue lettre publiée en 1923 dans les pages du journal *Le Devoir*, Louis-Nazaire Bégin avait condamné tous les « fléaux modernes », dont la danse, la mode, le cinéma et la fabrication d'alcool illicite. C'était tout juste si, à ses yeux, l'électricité ne figurait pas sur la liste des horreurs venues des États-Unis.

L'un des vicaires de la paroisse Saint-Roch se donnait la peine de se rendre à l'Hôtel-Dieu une fois par semaine afin de réconforter celles de ses ouailles devant séjourner dans cet établissement. À son retour, il alla frapper à la porte du bureau de son curé. Une fois assis sur le siège réservé aux visiteurs, il commença :

— Vous devez le savoir, déjà… Selon les conversations des religieuses, le successeur de monseigneur Bégin aurait été désigné dès samedi dernier.

À l'arrivée de son subalterne, Émile Buteau avait craint une confidence désagréable. Les jeunes abbés étaient bien sensibles à la considération que leur méritait leur habit sacerdotal. Certains se troublaient de l'attention des jeunes femmes… parfois même des jeunes hommes. Ce genre de situation demeurait très difficile à gérer.

La conversation prenait un cours tout à fait inattendu.

— Les rumeurs sont nombreuses, maugréa le curé en essayant de dissimuler son malaise.

— Le choix se serait arrêté sur monseigneur Paul-Émile Roy. Comme celui-ci réside à l'hôpital depuis deux ans, ces saintes femmes sont susceptibles d'avoir été témoin de la nomination… Cela aurait eu lieu le 18 juillet dernier.

La nouvelle atteignit Buteau comme un coup en pleine poitrine. Bien sûr, cela devait être vrai, si les augustines en discutaient entre elles. Lentement, il acquiesça d'un signe de la tête. Le jeune prêtre conclurait ne lui avoir rien appris.

— La nomination est bien étonnante, enchaîna le visiteur. Tout le monde affirme que le pauvre monseigneur Roy connaît une véritable agonie.

— D'un autre côté, notre voisin de la paroisse Notre-Dame-de-Jacques-Cartier a tellement bien servi l'Église. Dieu lui donnera certainement la force...

La colère, plutôt que la peine, étouffa les mots dans la gorge de Buteau. Le vicaire en fut dupe. Il se trouvait maintenant prêt à témoigner de la sensibilité de son supérieur.

— Nous allons tous les deux prier pour notre nouvel évêque, enchaîna le prélat. Dieu lui viendra en aide, j'en suis certain...

Sur ces mots, Buteau se leva. Cela équivalait à un congédiement. Il raccompagna le vicaire jusqu'à la porte et lui souhaita une bonne nuit. Plus tard, adossé contre l'huis refermé, il prenait une grande respiration pour soulager sa colère. Ce foutu Langlois! Le jour même de la mort du cardinal, il faisait du coadjuteur le titulaire du diocèse. La maladie de Bégin avait duré une semaine. Ce délai avait amplement suffi pour consulter le nonce apostolique et avoir des échanges réguliers avec le Vatican. De nos jours, on pouvait même mener des tractations internationales grâce au téléphone!

L'ecclésiastique serra les poings. L'envie de les abattre sur le bois de la porte le tenailla. Lentement, il reprit la maîtrise de ses émotions. Après ce coup du sort, le sommeil ne viendrait pas facilement. Son chapeau de feutre noir à la main, il parcourut les couloirs sombres, puis tira les verrous pour se rendre dans le jardin assez vaste devant le presbytère.

Buteau se tint quelque temps debout devant la statue du Sacré-Cœur.

— Quel hypocrite, grommela-t-il. Au cours de nos conversations tout au long de la maladie de Sa Grandeur, jamais il n'a laissé poindre un indice. L'animal savait ne pas pouvoir être nommé tout de suite : il a été fait évêque en janvier dernier. Mais en magouillant pour mettre ce grabataire sur le trône épiscopal, Langlois se donne la chance de continuer à tout diriger, tout en travaillant à sa propre nomination quand Roy cessera de souffrir.

Devant lui, le visage en pierre demeura impassible. Le Sacré-Cœur ne confirmerait pas son analyse, mais ne la contredirait pas non plus.

— Tout cela en cachette ! Avoir su, j'aurais pu jouer mes cartes ! pesta-t-il encore, de la rage dans la voix.

Ce jour-là, le prélat domestique n'en viendrait pas facilement à formuler avec sincérité « Seigneur, que votre volonté soit faite ». Actuellement, la volonté de Joseph-Alfred Langlois, ancien directeur du Collège de Lévis, semblait prévaloir.

Son chapeau rond sur la tête, Buteau s'engagea dans la rue Saint-Joseph pour se diriger vers l'ouest. Assez vite, il se trouva devant la modeste église de la paroisse Notre-Dame-de-Jacques-Cartier. Bien sûr, en inspirant la lutte contre le droit de vote des femmes depuis quelques années, monseigneur Roy avait attiré l'attention sur lui. Quatre mille femmes de la ville payaient leur cotisation à la Société contre le suffrage féminin. Les groupes militant en sa faveur ne pouvaient aligner un pareil effectif dans toute la province.

Jamais les politiciens n'oseraient aller de l'avant avec une pareille mobilisation. Au Québec, contrairement à la situation dans les autres provinces, les femmes ne participeraient pas aux élections provinciales avant longtemps. Priver la moitié de la population de ses droits conduisait aux plus grands honneurs au sein de l'Église, le curé de Saint-Roch le comprenait bien.

— Mais le cancéreux ne sera pas bien longtemps sur ce trône, j'en ai peur, dit-il encore en regardant en direction du presbytère de Notre-Dame. Je doute même qu'il soit capable de s'y asseoir vraiment pendant une seule seconde.

Le pauvre homme se vidait de son sang par l'anus. Tout au plus pouvait-il se redresser un peu sur son lit, avec l'aide des religieuses.

En réalité, le passage de Roy à la plus haute fonction demeurerait un intérim plus ou moins long entre deux cardinaux. Court peut-être, si Dieu se décidait à mettre un terme à ses souffrances. Ce laps de temps permettrait à Langlois de placer ses pions, de façon à mériter la prochaine nomination.

— Tout comme il me permettra de placer les miens !

Une nouvelle résolution habitait Buteau, son moment d'abattement se terminait. Un peu rasséréné, il se dirigea vers son propre logis, une silhouette violette et noire dans la rue Saint-Joseph. Au coin de la rue de la Couronne, une voix un peu fatiguée s'exclama derrière lui :

— Monseigneur Buteau, c'est bien vous !

— … Lavallée, Raymond Lavallée. Tu cours les rues bien tard.

— Je reviens du palais épiscopal. J'ai prié devant la dépouille du saint homme à neuf reprises, depuis hier matin.

— Neuf fois ?

L'adolescent se fit un plaisir de décrire à son curé l'étrange chemin de croix déjà entrepris. Il tirait fierté de son enthousiasme religieux ! Pour ne plus l'entendre, le prélat accéléra le pas jusqu'à son presbytère. Les souhaits de bonne nuit échangés, il laissa l'adolescent terminer seul les quelques dizaines de verges jusqu'à la rue Grant.

Chapitre 6

L'archevêque de Québec, Sa Grandeur monseigneur Bégin, se trouvait en terre. Son successeur, monseigneur Roy, agrémentait son interminable agonie avec de nouvelles responsabilités. Quant à Raymond Lavallée, il affichait une allure de martyr, à bord du train du Canadien National se dirigeant vers Montréal. La locomotive ferait un arrêt à Trois-Rivières, et de nombreux autres dans des localités moins importantes.

L'adolescent descendit dans la petite gare de la paroisse de Sainte-Anne-de-la-Pérade, située un peu à l'écart du village. Depuis le quai, il jeta un œil à l'église aux allures de cathédrale, avec ses deux clochers majestueux. Dans ce trou perdu au milieu des champs, monseigneur Buteau avait un très sérieux rival dans le domaine des édifices monumentaux. Il s'imagina curé à la campagne, dans l'un de ces terroirs où les fidèles demeuraient attachés à la « foi de leurs ancêtres ».

— Raymond ?

La voix l'arracha à sa rêverie. Un gamin de treize ans se tenait devant lui, pieds nus, les orteils crasseux, un pantalon, attaché avec une corde, ne lui allant pas plus bas que les mollets.

— Tu es Léon ?

Les rencontres entre cousins n'avaient pas été assez régulières pour lui en donner la certitude. L'autre hocha la tête et dit en tournant les talons :

— Suis-moi.

Près de la bâtisse, une charrette et son cheval atten-
daient. Le petit paysan y monta et, debout, prit les rênes.
Le visiteur y avait tout juste posé les fesses qu'il claquait la
langue et donnait un coup sec avec les guides en cuir.
L'animal, sans doute pressé de retrouver son box et sa ration
d'avoine, se mit au trot pour traverser le village et s'engager
vers l'ouest dans le premier rang.

Le citadin eut l'occasion de contempler de plus près
encore les portes monumentales de l'église et le couvent des
religieuses où les enfants pouvaient poursuivre leur cours
primaire élémentaire. Quelques minutes plus tard, il se
cramponnait à l'une des ridelles pour ne pas tomber quand
la voiture entra dans la cour d'une ferme visiblement
prospère.

Le jeune garçon tira violemment sur les rênes pour
arrêter le cheval. La voiture était à peu près immobile quand
il dit :

— Descends ici. Moi, je vais dételer.

Le ton impatient indiquait combien Léon appréciait bien
médiocrement le surcroît de travail causé par le cousin de
la ville. Le visiteur sauta sur le sol, son petit bagage toujours
à la main, pour se tenir devant une vaste demeure. Sur toute
la façade courait une grande galerie couverte. Un assorti-
ment de sièges dépareillés témoignait du loisir privilégié
par les occupants, lors des rares heures de détente.

La porte de la cuisine d'été était ouverte. Intimidé, il
grimpa l'escalier et se planta dans l'embrasure.

— Tiens, tiens, le futur archevêque de Québec, lança le
maître des lieux.

Une conversation téléphonique avec son beau-frère avait
permis au cultivateur d'apprendre les motifs de l'absence
récente de son nouveau garçon de ferme. La voix gouailleuse

d'Octave Tousignant, l'oncle de Raymond, enlevait toutefois un peu de froideur à l'accueil. L'homme se tenait à un
bout de la table, en bleus de travail, bien campé sur sa
chaise. Son énorme moustache lui barrait le visage sur toute
la largeur.

— Voyons, reprit son épouse, ce n'est pas une façon de
recevoir la visite. Raymond, monte ta valise dans la chambre
des garçons, puis viens manger.

Des yeux, elle désignait le corps de logis principal. Le
citadin passa devant un salon bien meublé, décoré avec les
vieilles photos des aïeux, puis il gravit l'escalier jusqu'à
l'étage. Sur sa gauche et sa droite s'ouvraient deux grandes
pièces éclairées par des lucarnes. Aux vêtements qui traînaient çà et là, il reconnut le côté des garçons et posa sa
valise dans un coin avant de redescendre.

— Assieds-toi là, déclara la paysanne en lui désignant
une chaise.

Les autres avaient quitté la table pour aller profiter un peu
de la belle soirée. Seul Léon n'avait pas mangé non plus. Les
deux garçons avalèrent leur repas en silence. Le bouilli
contenait beaucoup de légumes et de rares filaments de
viande. Cela suffirait tout de même à leur lester l'estomac.

Plus tard, Raymond se retrouva lui aussi sur la galerie,
assis un peu à l'écart, les jambes pendant dans le vide. Les
autres occupaient le banc et les chaises.

— Comme ça, déclara son oncle d'un coin de la bouche,
l'autre serré sur sa pipe, tu veux devenir prêtre ?

— … Il m'a appelé.

Paraître prétentieux, quand il se trouvait au sein de sa
famille, lui venait naturellement. Une réponse toute simple,
comme « Oui. C'est un bon métier », aurait rallié tout le
monde. Celle-là attira plutôt un ricanement moqueur.

— Il a téléphoné chez toi ?

— Octave! intervint l'épouse, sans pouvoir réprimer son sourire.

— Non, c'est arrivé dans l'église Saint-Roch.

Émise avec le plus grand sérieux, la réponse amena les autres à échanger des regards, cette fois avec gravité. Ces mystères-là mettaient tout le monde mal à l'aise.

— Allez vous coucher, les enfants, ordonna la mère. Demain, une longue journée vous attend.

Même s'il faisait encore clair, le soleil avait depuis peu basculé à l'ouest, derrière l'horizon. Avant de regagner l'une ou l'autre des grandes chambres, les enfants devaient faire la file pour se rendre à la bécosse. Le couple Tousignant discutait depuis un certain temps de la pertinence de placer une toilette avec chasse d'eau dans l'un des garde-robes de la maison. L'idée demeurerait à l'état de projet quelques années encore. Privilège réservé au visiteur, ou encore au plus âgé des enfants présents, Raymond fut le dernier à faire usage de la petite construction de planches mal jointes. En arrivant au sommet de l'escalier, il entendit les trois petites filles parler à voix basse, sans doute un peu excitées par la présence d'un étranger. Du côté des garçons, Raymond trouva les deux autres vêtus de sous-vêtements taillés dans des poches de farine. Les lavages successifs n'étaient pas encore arrivés à faire disparaître complètement la marque de commerce de la meunerie.

— Tu prends le lit du fond, près de la lucarne, indiqua Léon. C'est celui de Paul.

— ... Où se trouve-t-il?

Si son sort avait été évoqué devant lui, il ne s'en souvenait pas. Il remplaçait ce garçon de son âge, le temps de faire les récoltes.

— Au sanatorium Cooke, à Trois-Rivières.

Cela se passait de toute précision. Alors que les deux autres se glissaient dans leur lit, le visiteur commença à déboutonner sa chemise. Le jour déclinant laissait une clarté blafarde pénétrer dans la chambre. Se dénuder devant des gens l'intimidait au plus haut point, aussi il se hâta afin de se cacher le plus vite possible sous les draps.

«Une paillasse», se dit-il au contact du sac en grosse toile. Tout de même, la paysanne s'était mise en frais, le chaume embaumait la terre fertile et le soleil.

Pour la première fois de l'été, il éternua.

Le soleil tapait fort sur les dos et les nuques, collant les vêtements à la peau. Tout le monde était là : le père, la mère et les enfants. La fenaison nécessitait tous les bras disponibles.

Toute la journée, Octave Tousignant mania la faux avec de grands gestes réguliers, rappelant ceux d'un métronome. Tôt le matin, Raymond s'était essayé à cette tâche, pour se faire chasser bien vite. Il se montrait tellement maladroit qu'il risquait de gâcher la récolte. Dans les circonstances, une fourche à la main, il s'était plutôt affairé à former des amoncellements de foin assez petits pour qu'on puisse plus tard les soulever. Dix longues heures de cet exercice le laissèrent épuisé. Le labeur avait été interrompu pendant une demi-heure, pour un repas consommé à l'ombre d'un arbre isolé.

Le foin coupé le matin était assez sec pour être ramassé en fin d'après-midi, passé cinq heures. Le citadin comprit bien vite qu'il aurait mieux valu faire des bottes un peu plus modestes. Lui et le propriétaire de la ferme étaient les plus robustes. Il leur revenait donc de courir dans le champ, une fourche à la main, pour épingler ces amoncellements et, d'un geste combinant l'effort de tous les muscles du corps, les projeter sur la charrette conduite par la mère de famille.

L'exercice exigeait en fait une force limitée pour une personne rompue à ce genre de besogne. Raymond, sans expérience, suait à grosses gouttes. Pire, son nez rappelait un érable au printemps, coulant maintenant sans discontinuer. Pendant la manipulation du foin, il devait s'arrêter souvent pour essuyer cette morve abondante. Chaque fois, cela signifiait se laisser distancer par la voiture et courir ensuite pour la rattraper. À la fin, découragé, il tortilla les coins de son mouchoir pour se les enfoncer dans les narines et les laisser là.

— Hé, saint Raymond! cria Léon depuis le haut du voyage de foin, tu feras une belle statue comme ça.

Joignant les mains, les yeux tournés vers le soleil, il affectait la plus grande piété, reproduisant assez bien l'attitude de son cousin au moment de la prière du matin. La moquerie provoqua un rire généralisé. Raymond serra les mains sur le manche de la fourche, puis saisit une autre botte de foin pour la propulser de toutes ses forces vers le haut. La moitié lui retomba sur le dos, provoquant une hilarité redoublée des plus jeunes enfants qui couraient autour de la voiture.

— C'est assez, les jeux, clama la mère en tirant sur les rênes afin d'arrêter le cheval. Il reste encore le train à faire.

L'adolescent eut l'occasion de reprendre un peu son souffle en ramassant les tiges éparpillées sur le sol. Dans la charrette, sur un amoncellement de foin haut de plusieurs pieds maintenant, Léon devait répartir la charge et la fouler un peu. Sa sœur de quatorze ans l'aidait habilement. Au gré des bottes de foin lancées vers elle, Raymond avait eu tout le loisir de voir sous sa robe, et même sous la culotte plutôt lâche. Tantôt il essayait de garder les yeux au sol, ce qui n'améliorait pas la précision de son travail, ou alors il les laissait s'attarder sur les cuisses juvéniles... Pendant ce temps, il entendait Octave Tousignant jurer de l'autre côté de la charrette, car le travail n'avançait pas assez vite à son goût.

— Nous en avons assez comme ça, déclara-t-il finalement. Si le voyage se renverse avant d'arriver à la grange, nous ne serons pas plus avancés.

— Est-ce qu'on peut aller se baigner? demanda Léon en se penchant vers lui.

— … D'accord, accepta le père. Mais demain, ce sera le tour des filles.

Le garçon s'accrocha à une ridelle pour rejoindre le sol en douceur.

— Tu viens? cria-t-il sans se retourner.

Raymond regarda son cousin courir vers une ligne d'arbres au bout du champ. Les deux jeunes frères se mirent à ses trousses en poussant des cris de joie. Le paysan enfonça sa fourche dans la charge de foin avant de dire à son invité:

— Vas-y aussi. Après tout ce travail, ça te rafraîchira un peu.

Après une pause, il ajouta encore:

— Ça change du cours classique du Petit Séminaire, hein?

Un peu moqueuse, la voix contenait néanmoins une bonne dose de sympathie. Toutefois, la fatigue accumulée enlevait tout sens de l'humour à l'adolescent. Plutôt que de partager l'amusement de son parent, il préféra tourner les talons et prendre la même direction que les autres.

Après quelques pas, il réalisa combien il devait paraître grotesque, avec son mouchoir coincé dans les narines. Il l'arracha d'un geste rageur.

En arrivant près de la rivière bordant l'extrémité nord de la ferme, Raymond trouva sans mal ses cousins en se guidant sur leurs éclats de voix. Les trois garçons s'ébattaient dans une espèce de piscine naturelle de forme circulaire, alimentée par le cours d'eau. Léon se tenait alors à deux mains à une branche d'arbre au-dessus du plan d'eau.

— Saute, hurla le plus jeune dans un grand rire.

Ces trois corps nus exerçaient une curieuse fascination sur l'adolescent. Bien sûr, il avait déjà entrevu son jeune frère. Entrevu seulement, car sa mère multipliait les précautions afin de lui éviter le péché d'impureté. Mais là, en plein soleil, le trio s'en donnait à cœur joie.

Léon lâcha prise, creva la surface dans un grand «plouf», et en émergea rapidement.

— Viens nous rejoindre, elle est fraîche à souhait.

Spontanée, l'invitation glaça Raymond. L'idée de se dénuder pour participer à leurs jeux le remplissait de terreur. Immobile, il ne répondit pas.

— Il est trop scrupuleux! clama le benjamin, amusé.

Les autres ricanèrent. Léon plongea. Un court instant, plié en deux, seules ses fesses émergèrent. Devant ce curieux salut, le citadin tourna les talons pour se diriger vers la maison. Sa privation de baignade ne déçut pas tout le monde. La paysanne lui confia sa fourche pour qu'il décharge le voyage de foin dans la tasserie, pendant qu'elle allait commencer la traite des vaches.

Le refus de Raymond de se baigner lui mérita quelques railleries au souper. Son retour inopiné lui avait valu de faire le train avec les filles de la maison, pour se débarbouiller ensuite avec elles près de la pompe «à queue».

La morve lui coulant du nez ajoutait à sa misère. Quand il était sur la galerie, il avait entendu l'homme dire à sa femme :

— Tu as vu, le travail le rend malade.

— Ne dis pas ça. Pour une première journée, il a fait toute une besogne.

Rageur, l'adolescent s'était éloigné trop tôt pour entendre l'homme en convenir et même souligner sa force physique. L'hommage l'aurait pourtant rasséréné un peu.

Après une soirée aussi morne que la précédente, à entendre les adultes évoquer la température du jour écoulé et celle de celui à venir, les enfants regagnèrent leur lit peu après le coucher du soleil. Malgré la fatigue qui lui rompait les membres, Raymond demeura longuement éveillé. Les yeux grands ouverts, étendu sur le dos, il sentait sous lui la paille lui piquer la peau. Dans la lucarne, le bleu du soir céda au noir de la nuit.

Charlot se trouvait là, dans cette chambre, tapi dans un coin. Il se transformait en projectionniste, repassant dans l'esprit du citadin la vue en contre-plongée sur des cuisses féminines, les corps ruisselant d'eau sous le soleil.

Avec mille précautions, il quitta sa couche, descendit en essayant de se faire léger sur les marches de l'escalier et franchit la porte pour se diriger vers la bécosse. À le voir ainsi en sous-vêtements, pieds nus, traverser la cour, ses camarades du Petit Séminaire se seraient bien amusés.

Ce fut dans ce cagibi étroit qu'il tint son conciliabule avec Charlot.

Les journées de monseigneur Buteau s'allongeaient parfois, au gré des visites de toutes les âmes pieuses désireuses de l'assister dans son projet de nettoyer sa paroisse des occasions de péché. L'appel téléphonique du président des Ligues du Sacré-Cœur vint en début de soirée.

— Monseigneur, êtes-vous passé cet après-midi devant le Palais Royal ? demanda-t-il d'une voix très alarmée.

— Croyez-vous que j'ai si peu à faire, monsieur Harvey ?

L'autre demeura interdit, puis ajouta :

— Non, bien sûr que non, monseigneur. Mais je crois que vous devriez voir cela.

— Les studios américains nous ont concocté une autre horreur, je suppose.

— De film en film, cela empire chaque fois.

— Écoutez, je dois passer à l'archevêché ce soir. L'un de mes vicaires pourrait se rendre sur les lieux…

À l'autre bout du fil, après un silence poli, son interlocuteur rétorqua :

— Monseigneur, jamais je n'oserais critiquer l'un ou l'autre des jeunes hommes qui vous assistent si bien dans votre travail… Mais ils sont si jeunes, justement.

En d'autres mots, ce bon chrétien les soupçonnait d'être touchés par le germe du modernisme. Consacrés après 1920, leur doctrine paraissait incertaine.

— Alors, attendez-moi près de ce cinéma ce soir. Je m'arrêterai à mon retour. Je ne peux vous dire à quelle heure toutefois. Cela dépendra de monseigneur Langlois.

À sept heures trente, Amélie était descendue dans le commerce ALFRED afin d'attendre son ami. C'était l'inconvénient d'habiter là : l'appartement ne bénéficiait pas de sa propre entrée, à moins de passer par la ruelle. Les visiteurs devaient s'annoncer à l'avance, et quelqu'un descendait dans la boutique afin d'ouvrir la porte.

David O'Neill se présenta à l'heure prévue. Elle ouvrit sans lui laisser le temps de sonner et l'accueillit de son plus beau sourire.

— David, je suis heureuse de te voir.

— Moi aussi, Amélie, répondit-il en lui donnant une bise sur la joue.

Ils en étaient encore à éprouver du plaisir à utiliser leur prénom respectif, et ils en abusaient volontiers.

— Tu viens dire bonjour aux membres de ma famille ?

— Bien sûr. Autrement, ton père craindrait que je veuille t'enlever.

Prononcées avec un petit sourire en coin, ces paroles mirent un peu de rose aux joues de la jeune femme.

— Il m'a toujours surveillée de près.

— Je le comprends de couver un pareil trésor.

Au lieu de répondre, Amélie s'engagea dans l'escalier. Derrière, son ami fit de son mieux pour maîtriser son envie de profiter de sa vue en contre-plongée. Cela lui fut impossible. Les jolies jambes gainées de soie sous les yeux, il la suivit sans dire un mot.

Dans le couloir, ils croisèrent Thalie en train de mettre son chapeau cloche. Après les souhaits de bonsoir, l'homme demanda :

— Vous sortez ?

— J'ai un rendez-vous à faire rêver : je vais tourner en rond pendant quatre-vingt-dix minutes avec une vingtaine de dames.

— Mais c'est ce qui vous donne cet air en santé si ravissant.

David lui adressait son meilleur sourire, accentué par les plis à la commissure des yeux. Les cheveux un peu en désordre, des taches de rousseur sur le visage, il ressemblait à un petit garçon turbulent et adorable à la fois.

— Alors, imaginez quand je pourrai terminer ces exercices sans un poing dans le côté et une furieuse envie de vomir.

— Vous serez parfaite.

Le médecin secoua la tête en riant pendant qu'elle s'engageait dans l'escalier. Ensuite, le couple salua les parents de la jeune femme, puis descendit à son tour.

— Où désires-tu aller ? demanda David en arrivant sur le trottoir.

— Comme tout le monde, sur la terrasse. Par cette si belle soirée, nous y trouverons la moitié de la population de la Haute-Ville.

— Et quelques audacieux venus de la Basse-Ville.

La voix trahissait un certain dépit. Cependant, il lui offrit son bras en souriant.

— Tu n'as reçu aucune nouvelle ?

— Non. Pourtant je me suis présenté dans toutes les sociétés susceptibles de vouloir des services d'un ingénieur. Tu peux toutes les nommer : manufactures de papier, barrages hydroélectriques, usines de production d'aluminium…

— C'était le motif de ton voyage à Montréal, la semaine dernière ?

— Oui. Je me suis même arrêté à Trois-Rivières au passage.

David n'avoua pas que ce voyage lui avait coûté ses dernières économies. Il n'avait que vingt-cinq cents en poche. Il espérait que sa compagne ne souhaite pas faire un arrêt au *Café du Nouveau Monde*. S'il lui offrait une tasse de thé, l'argent lui manquerait pour acheter des *tokens* de tramway le lendemain.

En guise d'encouragement discret, la jeune femme serra doucement son bras. Ils passèrent bientôt aux pieds de la statue de Samuel de Champlain et s'engagèrent sur les madriers de la terrasse Dufferin. Après une chaude journée, la brise venue du fleuve répandait une fraîcheur bienvenue. Ils s'arrêtèrent près de la balustrade en fonte, les yeux perdus vers la rive sud. Les amoureux se sentaient suffisamment bien ensemble pour ne pas s'inquiéter des longs silences. Quelques minutes s'écoulèrent, puis l'homme pointa le doigt vers la Basse-Ville, en disant :

— Je suis né de ce côté. D'ici, on voit le toit de la maison.

Amélie savait très bien d'où il venait, le sujet ayant occupé l'une de leurs premières conversations. Ce soir, parce que son avenir le préoccupait, il voyait ses origines comme un boulet à traîner.

— Tes parents se portent bien ?

La question le prit tout à fait au dépourvu.

— … Oui, ils vont bien.

Comment dire qu'ils se souciaient un peu de l'avenir de leur cadet, depuis la fin de ses études en mai dernier.

— Tu ne crois pas qu'il serait temps que tu me les présentes ?

L'homme se troubla. Lors de sa rencontre avec cette bourgeoise, la distance entre leurs deux univers ne lui avait pas semblé si grande. Bien sûr, il était un étudiant sans le sou, mais habité de la conviction que son diplôme lui servirait de sésame pour accéder au beau monde. Une fois bien établi, sa famille modeste ne serait plus un sujet de gêne, elle ferait ressortir l'ampleur de sa réussite. Mais accueillir une fille de député dans la maison d'un débardeur, quand il se désespérait de trouver un emploi, changeait la perspective.

— En cette saison, mon père est surchargé de travail. Mais ce sera pour bientôt, je t'assure.

En hiver, il aurait plutôt plaidé l'arrêt des activités portuaires pour trouver une visite inopportune. Après cela, son sourire si séduisant tarda à revenir.

— Allons marcher un peu, si tu veux, proposa-t-il.

— D'accord.

En se tenant par le bras, ils parcoururent à trois reprises la terrasse Dufferin sur toute sa longueur. Le soleil disparut de l'horizon, le ciel adopta une teinte d'un bleu sombre. La température plus fraîche amena le couple à se diriger vers la résidence de la jeune fille.

— Que feras-tu, en attendant ? demanda-t-elle.

Amélie voulait dire en attendant l'obtention d'un emploi.

— Je retournerai à la Quebec Power demain matin. Là-bas, on a encore besoin d'un dessinateur.

— Mais c'est bien !

— Tu sais, ma belle, ces petits travaux devraient revenir à un diplômé de l'école technique, pas à un ingénieur… Puis cela n'a rien de régulier. En réalité, je suis chômeur.

En approchant de la boutique ALFRED, ils aperçurent Thalie qui remontait la rue de la Fabrique. Elle les rejoignit devant la porte.

— Mademoiselle Picard, j'avais raison tout à l'heure. Vous êtes resplendissante.

Si David se montrait morose depuis quelques semaines, la présence de tiers lui ramenait le sourire au visage et des paroles enjouées. Il déployait tant de gentillesse pour convaincre les autres que tout allait bien pour lui.

— Je suis plutôt couverte de sueur ! Je vous laisse donc tout de suite. Bonsoir, monsieur O'Neill.

Au rez-de-chaussée du commerce, les jeunes gens gardèrent le silence. Puis Amélie dit à voix basse :

— Je sais combien c'est difficile, mais j'ai l'assurance que bientôt, tu recevras une bonne nouvelle.

— Ta foi me touche beaucoup.

L'échange de bises se fit dans la semi-pénombre, puis David regagna la Basse-Ville.

Trois heures plus tard, son rendez-vous tardif pesait sur le curé de la paroisse Saint-Roch. Des heures passées à la table de son concurrent dans la course à l'épiscopat ajoutaient à sa mauvaise humeur. La voiture prit à gauche en arrivant au coin de la rue Saint-Joseph puis s'arrêta bientôt devant la façade du Palais Royal.

— Monseigneur, commença Harvey en ouvrant la portière arrière, je commençais à m'inquiéter.

— Vous avez raison, l'archevêché recèle bien des dangers.

Monseigneur Buteau n'avait pas habitué ses paroissiens à l'ironie, aussi le président des Ligues du Sacré-Cœur en resta interdit.

— Quel est l'objet de scandale? déclara le prêtre pour couper court à cette discussion sur le trottoir, à la lueur des réverbères.

— Le voilà, juste sous cette lumière.

L'homme marcha vers le mur du cinéma largement éclairé toute la nuit. Une pièce de carton de trois pieds par quatre montrait une paysanne française en sabots. Mais le haut du corps, et non les pieds, suscitait le juste courroux de l'excellent catholique. La demoiselle arborait un profond décolleté sur lequel un John Gilbert énamouré lorgnait sans vergogne.

— ... Vous avez raison, Armand, c'est tout à fait répugnant.

— Tout le monde passe ici : les enfants pour aller à l'école, les ménagères pour faire leurs emplettes, les jeunes gens pour aller au travail.

— Je ne comprends pas comment cette horreur a pu obtenir le visa du Bureau de la censure.

— Et vous avez vu le nom de la…

Le mot « salope » ne franchit pas ses lèvres. Après un silence, il s'exclama :

— Renée Adorée !

Le pseudonyme évoquait la légèreté française. Des centaines de milliers de vétérans rapportaient de la guerre des récits scandaleux sur le « gai Paris ». Ce film y faisait écho.

— *The Big Parade*, lut Buteau. Savez-vous ce que raconte cette vue ?

— Je suis allé à la représentation, ce soir, admit son interlocuteur.

Le pasteur lui jeta un regard sévère, comme s'il avait commis un péché mortel.

— Il me fallait connaître le sujet du film.

Voilà toute la difficulté de la lutte contre le péché : pour combattre la menace, ces militants devaient s'exposer à la contagion. Leur situation se comparait à celle des médecins voués à la lutte contre la tuberculose.

— Allez, dites-moi un mot sur cette histoire.

— Trois soldats américains se retrouvent en France et tombent amoureux de la même femme.

L'ecclésiastique secoua la tête, un air entendu sur le visage.

— Sous le prétexte de montrer des jeunes gens désireux d'obtenir un peu de plaisir avant d'affronter la mort, commenta-t-il, ces producteurs d'Hollywood viennent exciter la concupiscence des foules même dans notre château fort du catholicisme.

Peut-être pour se donner de l'importance, ces grenouilles de bénitier aimaient s'imaginer une vaste conspiration américaine contre les tenants de la seule vraie foi.

— Il y a pire, monseigneur, grommela le paroissien.

— Pire que cela?

Buteau désignait l'affiche de la main.

— Sur les cartons évoquant les dialogues, il y avait le mot *damned*...

Les comédiens des films muets jouaient de façon tellement emphatique que les spectateurs risquaient peu de mal interpréter leurs pantomimes. Tout de même, des textes intercalés entre les scènes venaient parfois les guider.

— *Damned*... Comment osent-ils?

The Big Parade inaugurait un nouvel usage des «gros mots», afin d'ajouter au caractère dramatique de l'action. Dans ce cas précis, il s'agissait de souligner le désarroi de soldats menés à la mort par des officiers incompétents. Les réalisateurs mettaient dans leur bouche des termes... malpropres. Bien sûr, ceux-ci se révélaient bien timides, très loin de ceux qui avaient été véritablement prononcés dans les tranchées.

— *Damned*..., répéta le prélat.

Puis, d'un grand geste théâtral, il attrapa un côté de l'affiche pour l'arracher. Le hasard servit son intention: Renée Adorée fut dépourvue de sa poitrine aguichante.

— Monseigneur... attenter à la propriété privée est criminel.

Les Ligues du Sacré-Cœur enseignaient peut-être des notions de droit à leurs membres.

— Vous pourriez être arrêté par la police, précisa-t-il sur le ton de la conspiration.

— Alors, qu'ils m'arrêtent et me conduisent devant un tribunal!

La bravade lui coûtait peu. Jamais un policier n'oserait l'arrêter, jamais un employé du bureau du procureur général ne porterait des accusations, jamais un juge ne le condamnerait. Il incarnait un pouvoir absolu. Après un dernier coup d'œil jeté au Palais Royal, il regagna sa voiture. En s'installant sur la banquette arrière, il tendit le morceau de carton à son acolyte en disant :

— Je vous confie cela, Armand. Faites-le disparaître.

Tout de même, il donnait à un autre la pièce à conviction. Si ce pauvre militant attirait l'attention de la police, lui ne jouirait pas d'une totale immunité.

— Qu'allez-vous faire ? demanda-t-il, penché pour voir son pasteur dans l'auto.

— Mes cinq prochains sermons porteront sur la menace représentée par le cinéma venu de la Sodome américaine. *L'Action catholique* les publiera ensuite.

Puis, Buteau tapa sur l'épaule de son chauffeur pour lui signaler de rentrer à la maison.

Le dernier jour de juillet, une journée de pluie procura un peu de répit à la famille Tousignant. Malgré la présence des autres enfants dans la maison, Raymond trouva le moyen de s'isoler une petite heure avec son journal. Il commença, comme chaque fois qu'il en reprenait le cours, par s'excuser de l'avoir longtemps négligé. Puis il demeura un long moment le crayon suspendu dans les airs, désireux de décrire le travail harassant, les railleries de ses cousins et cousines, les soupirs impatients de son oncle devant toutes ses maladresses.

Mais de telles confidences lui parurent convenir assez mal pour la postérité. Ses états d'âme prirent une forme étrange : «Barricadé derrière le travail continu aux champs, le chapelet en famille et la messe dominicale, dans un milieu profondément imprégné de la foi de nos pères, je suis arrivé à résister au démon... qui ne me fit d'ailleurs que de rares assauts. »

L'un de ses maîtres du Petit Séminaire aurait pu commettre cette mauvaise prose.

Chapitre 7

Les membres de la famille Dupire se trouvaient à Saint-Michel-de-Bellechasse depuis cinq semaines maintenant. Un peu après avoir soupé seul d'une simple omelette dans la grande salle à manger, Fernand se planta devant la fenêtre du salon donnant sur la rue Scott. Les trottoirs étaient déserts. De nombreux voisins profitaient d'un séjour à la campagne.

— Je ne suis décidément pas fait pour la vie d'ermite, déplora-t-il.

Pourtant il se réfugiait très souvent en soirée dans la pièce aménagée pour lui à l'étage, coupé des autres membres de la maisonnée. Mais s'isoler était une chose, se retrouver tout à fait seul, une autre.

Le notaire gravit l'escalier d'un pas lent, puis il ouvrit successivement la porte des chambres de chacun des enfants. Celle d'Antoine laissait deviner que le garçon commencerait bientôt ses études secondaires. Les jouets avaient disparu, des livres traînaient sur la table de travail. Le constat fut le même dans la chambre de Béatrice. Elle se montrait bien sage, trop sage en réalité. La curieuse vie familiale dans cette demeure la privait de nombreuses occasions de rire.

— Je me demande si tu ne serais pas plus heureuse en pension, dit-il encore à mi-voix. Vivre avec des camarades de ton âge vaudrait peut-être mieux.

Le désordre dans la pièce à côté montrait combien le départ à la campagne avait été précipité. Jeanne n'avait pas eu le temps de ramasser les jouets de Charles abandonnés sur le plancher.

De l'autre côté du couloir, il posa la main sur une poignée de porte. Elle refusa de tourner. Eugénie avait pris la peine de fermer à clé avant de s'absenter pour l'été. D'abord, Fernand eut envie de forcer l'entrée afin de voir ce qui se trouvait dans ses tiroirs. Puis il comprit que cela ne lui apprendrait rien. Elle ne devait pas laisser traîner de documents confidentiels en quittant les lieux.

L'homme emprunta l'escalier étroit conduisant sous les combles. Le quartier des domestiques pouvait recevoir trois personnes. La chambre de Jeanne donnait sur l'arrière de la maison. Cette porte-là ne comportait pas de serrure. Il ouvrit et découvrit un lit étroit au matelas défoncé, des murs devenus grisâtres pour ne pas avoir été régulièrement peints ainsi qu'un plancher de planches nues.

— Quelle triste prison tu as là, ma pauvre amie.

Afin de ne pas attiser la colère d'Eugénie, il n'avait rien fait pour améliorer le sort de sa maîtresse au fil des ans. Et chaque fois qu'il avait voulu lui offrir un présent, la domestique avait refusé. Tout nouvel objet lui aurait valu une avalanche de reproches.

Fernand découvrit les tiroirs de la commode à peu près vides. La bonne ne possédait presque rien. Presque tous ses vêtements se trouvaient à Saint-Michel. Du bout des doigts, il caressa une camisole. La découverte d'un vieux peigne le réjouit. Quelques bouts de cheveux bruns se trouvaient toujours pris dans les dents. Il le porta à son nez avec l'espoir de retrouver son odeur.

Le téléphone sonna juste à ce moment. Avec empressement, il quitta la petite chambre pour descendre au rez-de-chaussée. Essoufflé, il décrocha le cornet et annonça :

— Hello, Fernand Dupire à l'appareil.

— Fernand, j'allais raccrocher…

L'homme reconnut Mathieu Picard à l'autre bout du fil.

— Désolé… je me trouvais dans le jardin.

Un peu plus, et il rougissait de son mensonge.

— Ta grande maison doit te sembler bien déserte. Accepterais-tu de venir souper à la maison un jour de la semaine prochaine?

— Je ne sais pas…

— Tu as peur que ta grande demeure vide s'ennuie de toi?

L'ironie amicale toucha le notaire. Il préféra jouer la candeur:

— Je ne sais pas si je peux m'imposer ainsi. Vous êtes dans votre nouvel appartement.

— Cela fait un bon mois déjà. Puis le premier avantage de mes nouveaux quartiers, c'est de pouvoir inviter des amis. Tu fais partie de ceux-là.

— C'est d'accord, j'accepte.

— Alors à mercredi. Nous soupons vers sept heures.

Avant de raccrocher, après les souhaits de bonne soirée, Fernand dit encore:

— Mathieu…

— Oui?

— Merci de ta gentillesse.

Après avoir replacé le cornet, l'homme solitaire pensa à se verser un whisky. Il préféra plutôt mettre son panama et sortir pour une longue marche. La pensée de se rendre à Saint-Michel le lendemain le rassérénait un peu.

Même si la plupart des manufactures, des ateliers et des commerces restaient ouverts toute la journée du samedi, plus de mille personnes, des hommes pour la très grande majorité d'entre eux, se réunirent dans les estrades du stade de baseball construit au coin de la 3ᵉ Rue et de la 3ᵉ Avenue, dans le quartier Limoilou. Le gazon à l'intérieur du losange offrait de grandes plaques jaunâtres, mais cela ne suffisait pas à décourager les véritables amateurs de sport.

— Cette équipe n'a rien à voir avec l'équipe de hockey ? demanda Mathieu, surtout pour rompre le silence devenu un peu lourd.

— Pas vraiment. Les propriétaires ont simplement voulu réutiliser un nom connu de tous les habitants de la ville.

Édouard se faisait une véritable vocation d'expliquer les mystères de la vie sportive de Québec à quiconque semblait lui prêter une oreille attentive. Il s'attarda sur les propriétaires de la première équipe de baseball professionnelle de Québec, les Bulldogs, de la ligue Eastern Canada. Toutes les semaines, des partisans enthousiastes encourageaient ses athlètes.

— Évidemment, du temps des Rock City, les joueurs canadiens-français dominaient l'équipe, précisa le commerçant. Dans celle-ci, les meilleurs viennent des États-Unis.

— Pourtant, nos voisins du Sud ont des centaines d'organisations chez eux.

— Et des joueurs en plus grande proportion encore. Ces gars trouvent ici un revenu de quelques centaines de dollars et de la bière à volonté, tout en rêvant de jouer un jour dans une ligue plus prestigieuse.

Le devant des estrades s'ornait de publicités peintes, dont celles de la brasserie Boswell et de Coca-Cola. À deux rues de là, une usine d'embouteillage procurait aux citadins leur provision de boissons gazeuses. Pendant de longues minutes, les deux hommes observèrent le jeu devant eux. Édouard cherchait un moyen d'aborder le sujet de ce rendez-vous. Les relations avec son cousin se qualifiaient au mieux de polies. Aussi, Mathieu devinait que l'invitation à assister à cette joute pas très enlevante visait un autre motif que les rapprochements familiaux.

— Tu n'as jamais réfléchi à mon offre ? tenta le commerçant.

— Laquelle ?

Le jeune avocat soulevait les sourcils pour exprimer son ignorance, tout en sachant très bien où l'autre souhaitait en venir.

— Ta part dans le magasin. Je suis toujours désireux de te l'acheter.

« Enfin, nous y voilà », songea le jeune homme. Le sujet revenait entre eux à chacune de leurs rencontres. Édouard possédait tout juste la moitié du grand magasin de la rue Saint-Joseph. Cette situation lui paraissait insupportable.

— Ma réponse reste la même, précisa son invité. Pourquoi me départir d'une propriété qui demeure d'un bon rapport ? Car les affaires paraissent excellentes.

— … Elles sont bonnes. Avec tous les chantiers en cours, les progrès de l'agriculture, les gens achètent comme jamais.

— Sans compter que les prix augmentent sans cesse, fit Mathieu avec ironie.

Après le ralentissement des années 1919 et 1920, l'éco-nomie avait redémarré de plus belle. Chacun rêvait de se rendre propriétaire de l'un ou l'autre des objets attachés au confort moderne : appareil radio, grille-pain ou phono-graphe électrique et, pour les plus nantis, une automobile.

— Si les prix montent, les salaires vont dans le même sens. Au bout du compte, la marge bénéficiaire reste la même, précisa Édouard.

— Et c'est parce que les choses vont si mal que tu veux acheter ma part ?

— Non, ne ris pas, les choses vont bien. C'est sans doute romantique, mais j'aimerais avoir la pleine propriété de ce magasin. C'est l'œuvre de mon père, tu peux comprendre cela.

— Bien sûr, l'œuvre de Thomas, et avant lui, celle de Théodule, murmura Mathieu en soupirant.

Dirait-il un jour à cet homme arrogant la vérité sur sa propre naissance ? Sur cette banquette inconfortable, deux jeunes hommes pouvaient prétendre à l'héritage du roi du commerce de détail, pas un seul.

— Je fais aussi partie de la famille Picard, continua-t-il. Je tiens ma part de mon père, je vais la garder… En fait, je suppose que tu veux t'assurer de la majorité de la propriété.

Celui-là aussi savait compter jusqu'à six, et apprécier la valeur des symboles.

— … Bien sûr, ce serait plus simple avec une majorité nette.

— Il y a toujours celle de tante Élisabeth… ou même de ta sœur. Pourquoi ne pas racheter l'une ou l'autre ?

— Toutes les deux ont aussi des raisons sentimentales de s'accrocher à leur part. Maman la tient de son mari, Eugénie de son père…

— Et moi du mien. Théodule a eu deux garçons, ne l'oublie pas. Alors, si tu veux invoquer des motifs sentimentaux, j'ai les miens.

— Avec cet argent, tu pourrais spéculer en Bourse. Ces temps-ci, le rendement sur les actions est extraordinaire.

— Je vais m'acheter de quoi boire, lâcha Mathieu, lassé de cette insistance.

Le vieux fantasme évoqué par son père adoptif dans son testament, la récupération du commerce familial, paraissait inaccessible en cet été de 1925. Toutefois, le premier pas dans cette direction était de ne rien vendre.

Le jeune homme acheta deux Coca-Cola bien frais. Deux minutes plus tard, en en tendant un à son cousin, il remarqua :

— Comme quatre personnes se partagent la propriété du commerce, il serait tout à fait naturel de les réunir pour leur présenter le bilan et discuter des décisions à prendre, il me semble.

— ... Toutes reçoivent le bilan une fois par an, avec leur part des profits.

— Je sais bien. Mais tout de même, toutes les sociétés réunissent les actionnaires avec régularité afin de discuter des orientations de l'affaire.

Édouard porta la petite bouteille verdâtre à sa bouche, affectant de se concentrer sur une phase du jeu devant leurs yeux.

— Ce serait une perte de temps. De toute façon, comme je suis majoritaire...

— Pas tout à fait. Tu as la meilleure part, mais elle ne dépasse pas la moitié du magasin. Si les trois autres s'opposaient à une décision...

— Ce serait paralyser toute l'administration du commerce. Mais de toute façon, cela n'arrivera pas.

L'expression faciale du marchand rappela soudainement celle d'un homme sur la chaise d'un dentiste, tellement cette pensée le troublait. À la fin, il se rassura en pensant que jamais Élisabeth ne s'opposerait à lui. Dans le cas d'Eugénie, il en était moins sûr.

— Je penserai à la meilleure façon de procéder, concéda-t-il. Mais à force de discuter affaires, nous ratons la totalité de cette partie.

À compter de cette seconde, Édouard résolut de ne plus détourner le regard du grand losange, et de n'aborder d'autres sujets que les prises et les fausses balles.

Afin d'occuper toutes ses heures de consultation, Thalie consacrait une journée par semaine au dispensaire pour les pauvres, ouvert depuis deux ans par les sœurs de l'Espérance. Cette institution se situait à un curieux endroit dans la Haute-Ville de Québec. Elle était établie près de la falaise, dans une section de la ville encore en développement, mais les pauvres arrivaient tout de même à en trouver le chemin pour une consultation le plus souvent gratuite.

La distance depuis la rue de la Fabrique demeurait trop grande pour la parcourir entièrement à pied. Thalie emprunta le tramway de la rue Saint-Jean. Au passage, elle remarqua un groupe de femmes pénétrant dans les locaux de l'Institut de culture physique. Comme elle arrivait à y suer tout son saoul au moins deux fois par semaine, les bénéfices de sa remise en forme commençaient à se faire sentir. Élise Caron, de son côté, devenait une véritable adepte de cette activité. Au cabinet de son père, elle n'hésitait plus à recommander l'endroit aux clientes un peu trop enrobées.

«Nous avons référé des clientes à madame Hardy-Paquet, mais cela ne s'est pas produit dans l'autre sens», songea la jeune femme en descendant au dernier arrêt de tramway.

Ce qui n'était pas tout à fait vrai. Trois femmes lui avaient signalé, lors de leur consultation, avoir pris sa carte à l'Institut. Toutefois, les remarques mesquines répétées du docteur Pouliot sur la salle d'attente déserte, lors de ses consultations, commençaient à lui tomber sur les nerfs.

Thalie devait finir le trajet à pied. Elle marcha sur le bas-côté du chemin Sainte-Foy jusqu'à l'intersection de la rue Salaberry, puis elle s'engagea vers le nord pour se rendre à la courte rue Simard. Le nom lui venait de l'ancien propriétaire du terrain. Le brave homme, à l'époque où le moteur à explosion demeurait encore une invention dont on cherchait les applications pratiques, y avait érigé des écuries. C'était dans ces anciennes bâtisses que le dispensaire avait ouvert ses portes.

Le jeune médecin pénétra dans l'édifice un peu décrépit, bâti de briques et de planches, par une porte assez haute et large pour laisser passer un cheval de trait. Chaque fois, cela lui mettait un sourire sur les lèvres. Travailler dans un local de ce genre convenait très bien à sa conception romantique de la médecine.

— Bonjour, sœur Sainte-Sophie, fit-elle à l'intention de la préposée à l'accueil. Avons-nous une récolte suffisante de malades ce matin ?

— Comme vous le voyez, le Seigneur est généreux avec nous, répondit la sœur, une douce ironie dans la voix.

Des yeux, elle désignait une salle aux murs blanchis à la chaux. Une vingtaine de personnes s'alignaient déjà sur les bancs.

— Bien sûr, remarqua l'omnipraticienne, ce qui est une bénédiction pour nous ne l'est pas nécessairement pour eux.

— Je ne vous contredirai pas à ce sujet. Je vous envoie tout de suite la première malade ?

— Laissez-moi d'abord le temps de m'installer dans mon « box ».

Les bureaux des deux médecins occupaient réellement les box logeant autrefois les chevaux. Un nettoyage en règle et la pose d'un nouveau plancher de madriers permettaient d'oublier leur première vocation.

Quelques minutes plus tard, une femme dans la vingtaine se présenta à la porte. Stupéfaite, elle murmura :

— J'ai demandé à voir un médecin…

— Alors, ouvrez les yeux : je suis médecin.

— Vous êtes une femme.

— Vous avez remarqué aussi ! Croyez-moi, ce n'est pas un empêchement à la pratique de la médecine. Prenez cette chaise, et expliquez-moi ce qui vous amène ici.

Les gens venant au dispensaire pour la première fois exprimaient souvent une surprise similaire, et Thalie offrait la même réponse d'un ton faussement enjoué. La cliente occupa le siège avec mauvaise grâce et releva un pan de sa robe pour révéler une jambe gauche atrophiée.

— Vous avez eu une polio, constata le médecin.

— Je voudrais renforcer ma jambe. La douleur devient intolérable après quelques heures debout. Si ça continue, je devrai abandonner mon emploi.

— Quel genre de travail faites-vous ?

— Vendeuse.

Pareille occupation était totalement incompatible avec son état. Elle devait, au bas mot, demeurer debout huit heures par jour.

— Je comprends. Même avec deux jambes parfaitement saines, c'est épuisant. J'ai moi-même une certaine expérience de la chose.

La confidence fit naître un regard soupçonneux sur le visage de la patiente. Thalie préféra ne pas s'étendre sur ses origines et ses années de travail dans la boutique de sa mère.

— N'avez-vous pas songé à faire autre chose ?

— Arrangée comme ça, les bons partis ne se bousculent pas à ma porte.

Spontanément, elle évoquait la « carrière » habituelle des femmes : le mariage et la maternité.

La patiente portait une chaussure avec une semelle compensée. Cet artifice devait atténuer un peu une sévère claudication. Son malheur tenait à un autre motif. Depuis le début de la décennie, les robes plus courtes entraînaient un véritable culte des jolies jambes gainées de soie. Sur le marché matrimonial, elle se trouvait cruellement desservie par l'évolution de la mode. Elle resterait vraisemblablement vieille fille.

— Je songeais à un autre type de travail, répondit Thalie.

— Mais vendeuse, ça permet de voir du monde, pour rencontrer quelqu'un !

Sa méfiance s'accroissait sans cesse : elle souhaitait consulter un médecin, pas une ancienne employée de magasin devenue conseillère en emploi.

— Enlevez votre bas et tendez la jambe, je vais regarder de plus près.

L'autre obtempéra sans enthousiasme. Thalie palpa le membre, apprécia la quasi-inexistence du mollet. La peau paraissait presque tendue sur l'os.

— Les muscles sont très faibles. Pour marcher ou demeurer debout, vous devez compenser avec l'autre jambe. La douleur doit s'étendre jusque dans les hanches, et même la colonne vertébrale.

Entendre enfin des mots de médecin rassura un peu la visiteuse.

— Je veux renforcer ma jambe. L'électricité permettrait peut-être...

Depuis peu, on savait que cette source d'énergie faisait fonctionner les cuisinières et les réfrigérateurs. Mais depuis le milieu du siècle dernier, son emploi s'ajoutait à l'arsenal des médecins. Outre des prétentions un peu magiques, le traitement galvanique permettait de provoquer une contraction violente et répétée des muscles lorsque les électrodes étaient appliquées aux bons endroits.

— L'électrothérapie peut parfois servir à réveiller un muscle paralysé, ou même à lui redonner de la force, convint la praticienne. Malheureusement, dans votre cas, je doute que cela fasse une différence.

La visiteuse n'écoutait pas vraiment, obsédée par son idée.

— Ici, vous êtes équipés pour les traitements à l'électricité.

— Oui, nous avons un appareil. Mais dans votre cas, une orthèse conviendrait mieux. Elle vous procurerait un soulagement important.

Le mot nouveau amena la patiente à plisser le front.

— Il s'agit d'un appareil qui supporte un peu votre poids, soulageant ainsi la douleur de votre jambe.

La patiente songea à quel point ces horribles appareils, plutôt lourds, gâchaient irrémédiablement une silhouette. Elle était venue en rêvant d'une procédure un peu miraculeuse susceptible de lui rendre deux jambes absolument semblables, bien rondes et droites. « Cette femme prétentieuse ne comprend rien », se dit-elle. Son visage se renfrogna.

— Je vais vous donner une adresse où vous procurer une orthèse à prix raisonnable, continua Thalie. Et bien sûr, vous devez impérativement trouver un emploi où vous serez assise. Si vous tentiez votre chance du côté de la Dominion Corset ? On embauche sans doute plus de deux cents ouvrières là-bas. Avec un peu de chance, on vous prendra.

La femme remettait déjà son bas avec des gestes impatients, frustrée d'avoir perdu son temps. En sortant, elle accepta de mauvaise grâce le bout de papier.

— Merci…, fit-elle en passant la porte.

Le mot « docteur » lui aurait écorché la bouche. En laissant échapper un soupir de lassitude, la praticienne s'apprêta à recevoir le second malade.

Dans le cabinet de la rue Claire-Fontaine, le docteur Pouliot profita d'une pause dans ses consultations pour s'approcher d'Élise et demander :

— Madame, pourrais-je échanger quelques mots avec votre père ? Je crois l'avoir entendu revenir de l'Hôtel-Dieu.

— Je vais voir s'il a un moment pour vous.

Le ton et la manière de la jeune femme témoignaient de la piètre estime qu'elle éprouvait pour son interlocuteur. Peu après, l'homme se tenait devant le docteur Caron. Celui-ci mettait à jour les dossiers d'anciens patients.

— Cher collègue, commença le propriétaire, j'espère que vous ne souhaitez pas vous faire ausculter. Je n'ai pas encore déjeuné, et j'aimerais bien avaler une bouchée.

Malgré cette entrée en matière, le vieux médecin désigna la chaise devant lui.

— Je tenterai donc de m'expliquer bien vite, rétorqua l'autre en s'asseyant. Je voulais vous entretenir de madame Picard.

Caron arqua les sourcils pour souligner sa surprise.

— Dans ce cas, ne vaudrait-il pas mieux remettre cet échange à demain ? Le docteur Picard ne viendra pas aujourd'hui.

Il avait appuyé sur le titre. Les médecins ne se donnaient pas du « monsieur » ou du « madame » entre eux. Celui-là heurtait les usages.

— Justement, je veux vous parler alors qu'elle n'est pas là.

— … Je vous écoute.

Les sourcils froncés, le vieil homme semblait toutefois bien peu intéressé par cette conversation.

— Elle n'attire pas beaucoup de clients, déclara Pouliot.

— Se bâtir une clientèle n'est jamais une mince affaire.

— Je n'exerce pas depuis plus longtemps qu'elle, et les jours où je tiens des consultations, la salle d'attente ne désemplit pas.

— ... Certains usages changent lentement. Les gens s'habitueront à la présence d'une femme. Déjà, des patients du Jeffrey Hale commencent à venir ici.

L'autre grimaça un peu de dépit, avant de murmurer avec mépris :

— Des femmes !

— Je ne savais pas que les femmes avaient perdu le droit de se faire soigner.

— Et la plupart sont des patientes que vous lui refilez. Picard n'augmente pas beaucoup l'achalandage total.

— Je suis heureux de vous voir aussi soucieux de la popularité de mon cabinet... même si ce ne sont pas vraiment vos affaires.

Parmi les motifs qui valaient au docteur Caron son excellente réputation, il y avait son humeur conciliante. En moins de cinq minutes, Pouliot avait réduit de beaucoup son affabilité. Un peu cassant, il ajouta :

— Laissez-moi me préoccuper seul de la prospérité de mon affaire, et cessez de tourner autour du pot. Pourquoi avez-vous demandé à me parler ?

— ... Je trouve la prétention de cette dame à exercer la médecine insupportable. Ce n'est pas sa place. Qu'elle se déniche un époux et nous laisse travailler.

— De nombreuses femmes trouvent plus rassurant de s'adresser à elle, tenta le propriétaire d'une voix conciliante. La tendance ira en augmentant. Même mon épouse est bien heureuse de la consulter...

— Mais cela se fait à notre détriment.

Le « notre », dans les circonstances, désignait les hommes.

— Là, je ne vous suis plus. Il y a une minute, vous évoquiez l'abondance de votre clientèle. Donc vous ne souffrez guère de sa présence.

— Je ne défends pas ici mes intérêts personnels, car je me tire bien d'affaire, mais ceux de la profession.

— Jusqu'à l'obtention de votre grade universitaire, la profession médicale s'est assez bien portée. Personnellement, je pense qu'elle se portera mieux si les femmes peuvent s'en remettre à une autre femme, dans certaines circonstances. Vous savez, toutes ne rêvent pas de se faire tâter la poitrine ou l'entrejambe par vos mains velues.

Ces arguments, Pouliot se lassait de les entendre. Le monopole masculin sur les professions existait depuis toujours, et les générations précédentes ne s'en étaient pas portées plus mal.

— Elle reçoit surtout des femmes mariées, enceintes pour la plupart. C'est un domaine où elle ne connaît rien.

— Voulez-vous dire qu'étant fille, elle ne connaît pas ces choses-là ? Mais vous-même, vous êtes célibataire, et à moins que vous me cachiez quelque chose, vous n'accoucherez pas d'un enfant de sitôt. À ce chapitre, vous êtes aussi « innocents » l'un que l'autre.

Caron préférait maintenir un ton badin plutôt que de sortir de ses gonds. Il continua avec un sourire narquois :

— Puis, je suis désolé d'apprendre que vous souffrez de cruelles hémorroïdes, continua-t-il.

— … Mais je n'en ai pas.

— Ah ! Comme vous semblez dire que le docteur Picard ne devrait pas s'occuper de femmes enceintes, car nous devons présumer de sa virginité, j'ai pensé… Vous avez accepté de prendre le vieux Tremblay comme patient, vous devez donc être affligé du même mal pour prendre soin de lui avec tellement de compétence.

À la façon dont l'importun s'agita sur sa chaise, on pouvait bien le penser accablé, lui aussi, par cette affliction. À la fin, en colère, il jeta :

— Les femmes n'ont rien à faire en médecine, et elle moins que les autres !

— Je n'ai pas votre inexpérience. Très bientôt, j'aurai accumulé trente-cinq ans de pratique. Cela me permet de ne pas être d'accord avec vous. Vous venez de lancer deux affirmations. Prenons-les l'une après l'autre.

Le docteur Caron leva son pouce pour être bien clair :

— Les femmes ne doivent pas pratiquer la médecine. Tous les pays civilisés ne partagent pas votre opinion. Personnellement, je me range de leur côté. Je ne sais pas si votre sensibilité tolérera que je commente la seconde…

— Dites toujours.

— Vous l'aurez voulu. Je vais toutefois tenter de peser mes mots, continua-t-il en dressant son index. Vous dites que le docteur Picard n'a pas sa place parmi nous. En allongeant les heures en soirée, ce cabinet permet d'occuper trois médecins. Mais si je devais réduire ce nombre à deux, je garderais avec moi le plus compétent de mes collaborateurs actuels. Sachez, en toute honnêteté, que ce ne serait pas vous.

Pouliot accusa difficilement le coup, même s'il avait déjà remarqué la nette préférence du docteur Caron pour sa consœur. Depuis quelques semaines, c'était avec elle que le vieux praticien prenait plaisir à discuter de ses cas les plus difficiles.

— Je veux bien oublier que nous avons eu cette conversation, conclut le patron. Je vais maintenant aller manger un peu. Et si la situation ici vous paraît intenable, je vous rappelle que nous pouvons tous les deux rompre notre association avec un préavis de quatre semaines. Je vous souhaite une bonne journée.

Le jeune médecin resta quelque peu figé puis il se leva et marcha vers la porte. En sortant, il répondit d'une voix soumise :

— Bonne journée à vous aussi, docteur Caron.

Après tout, son aîné jouissait d'une bonne réputation dans la profession. S'en faire un ennemi pourrait lui nuire.

Chapitre 8

La journée s'achevait au dispensaire des pauvres. Entre deux patients, enfermée dans son box, Thalie avait avalé le sandwich préparé par Gertrude. Un peu avant cinq heures, elle se rendit à l'accueil et reconnut sa première patiente du matin dans la salle d'attente.

— Je peux vous aider ? demanda-t-elle.

— ... Non, non merci.

Les joues en feu, la jeune femme détourna les yeux, affecta de se passionner pour le jeu des mouches sur le mur blanc. Celles-là rappelaient toujours la vocation première de l'édifice. Elles s'entêtaient à rester, malgré tous les nettoyages en profondeur.

Le médecin interrogea sœur Sainte-Sophie du regard. Discrètement, la religieuse pointa l'index vers le box du second médecin œuvrant dans le dispensaire. Thalie secoua la tête de dépit.

— Nous avons assez à faire, et en plus il faut perdre son temps.

La responsable de son mouvement d'humeur ne broncha pas.

— Comme les choses sont entre de bonnes mains, continua-t-elle d'un ton plus amène, je vais rentrer à la maison.

— Je vous souhaite donc une bonne soirée, lui dit sœur Sainte-Sophie.

— De votre côté, allez vous reposer un peu.

La religieuse répondit d'un sourire à tant de sollicitude. La quarantaine à peine entamée, son uniforme ingrat ne suffisait pas à faire oublier qu'elle avait été, et demeurait toujours, une très jolie femme.

Thalie passa la grande porte et s'engagea dans la rue Simard. Bientôt, elle aperçut une jeune fille de dix-huit ans à peine appuyée contre un poteau de téléphone, secouée par une quinte de toux.

— Je vais vous aider, dit-elle en la prenant par les épaules.

— Je vais là, répondit l'autre en pointant le dispensaire.

Thalie remarqua un mouchoir roulé en boule dans la main de la malade. Le début du mois d'août infligeait à plusieurs un vilain rhume.

— Je vais vous guider.

En la tenant sous le coude, elle l'accompagna jusqu'au bureau de la réception.

— Vous n'avez pas été longtemps partie, remarqua la religieuse, un sourire en coin sur les lèvres.

— Voici une nouvelle patiente. Je lui ai proposé de la conduire jusqu'à vous.

Sœur Sainte-Sophie prit une fiche dans une petite boîte en bois et la posa devant elle en remarquant:

— Votre soupe sera froide.

Thalie haussa les épaules, les yeux sur les traits pâles de la nouvelle venue.

— Votre nom? demanda la réceptionniste en trempant sa plume dans l'encrier.

— Jean...

Les syllabes suivantes se perdirent dans une nouvelle quinte de toux. Dans la salle, les autres malades fixèrent sur elle un regard inquiet.

— Oh! Je vous demande pardon, balbutia la jeune fille.

Elle n'avait pas eu le temps de porter son mouchoir devant sa bouche. Une goutte d'un vermillon clair tachait maintenant la fiche.

— Ce n'est rien, répondit sœur Sainte-Sophie en regardant Thalie.

La jeune omnipraticienne examinait les lèvres exsangues de la malade. Un peu de sang les colorait maintenant.

— Nous allons remettre l'inscription à plus tard, décida Thalie. Passons tout de suite à la radiographie.

Des yeux, elle sollicita l'aide de la religieuse. Celle-ci fit disparaître la fiche souillée dans une poubelle, puis quitta son siège pour les accompagner. Luxe bien improbable dans un endroit aussi décrépit, une salle voisine accueillait un appareil de radiographie, équipement essentiel pour diagnostiquer la maladie de la misère que les journaux désignait sous le nom de « peste blanche ».

L'énorme machine ajouta encore un peu au désarroi de la malade.

— Vous allez devoir découvrir votre poitrine, dit Thalie en cherchant son stéthoscope dans son petit sac noir.

Si le docteur Pouliot avait été là, il aurait pu apprécier combien une présence féminine devenait importante pour certaines patientes. Celle-là serait morte de honte à l'idée de se dévêtir devant un homme. Le médecin promena longuement son stéthoscope sur la poitrine juvénile, émue par la maigreur et la fragilité de sa cliente. Sans surprise, elle capta le chuintement caractéristique de son état. Puis, des yeux, elle interrogea la religieuse.

— Nous pouvons y aller, déclara celle-ci en glissant les plaques sensibles dans l'appareil.

— Je vais passer à côté, murmura Thalie. Tout à l'heure je n'ai pas bien compris votre nom.

— Jeannette…

— Eh bien, Jeannette, nous nous reverrons dans une minute.

Le docteur Picard se dissimula derrière une cloison pendant que la religieuse plaçait la jeune fille devant un appareil rappelant vaguement un gros canon. Délicate, nue jusqu'à la taille, elle réprimait un frisson malgré la chaleur de la soirée qui commençait. Dans la pièce attenante, adossée contre le mur et les yeux fermés, la thérapeute entendit le bruit de la prise du premier cliché, puis du second.

À son retour dans la pièce, sœur Sainte-Sophie reposait le lourd tablier en plomb sur une table. Elle prit la camisole abandonnée sur une chaise, aida la jeune fille à l'enfiler et fit la même chose avec le chemisier.

— Nous avons toujours une chambre de disponible? demanda Thalie à l'intention de la religieuse.

— Oui, répondit-elle.

Le dispensaire comptait trois chambres individuelles, un luxe inouï, alors que les vrais hôpitaux entassaient les malades dans de grands dortoirs, à moins d'appartenir à une classe de privilégiés. Cela tenait encore à la vocation première de la bâtisse. Les box des chevaux ne fournissaient pas seulement des bureaux d'une taille acceptable ; un lit, une table de chevet et une chaise y logeaient parfaitement.

— Venez avec moi, dit Thalie. Vous pourrez vous étendre en attendant le développement des films. Ce sera plus confortable que la salle d'attente.

Elle la soutint jusque dans une petite pièce voisine, blanchie à la chaux elle aussi. La jeune femme fixa les yeux sur le grand crucifix noir où figurait un Christ en bronze, pendu juste en face du lit étroit. Cet élément du décor paraissait infiniment morbide à l'omnipraticienne, un avis qu'elle gardait soigneusement pour elle.

— C'est la consomption, bredouilla Jeannette en s'étendant sur la couchette.

Comme le médecin ne desserrait pas les lèvres, elle insista :

— C'est ça, n'est-ce pas ?

— … Il faut attendre le développement des films.

Mal à l'aise, debout près du lit, l'autre posait des yeux fiévreux sur elle. Quand les paupières se fermèrent enfin, Thalie dit dans un souffle :

— Je vais être à côté, à deux pas.

La malade hocha très légèrement la tête. Ce geste valait une autorisation à prendre la fuite. Alors que le médecin se réfugiait dans son bureau, une nouvelle religieuse entra dans le couloir donnant accès aux box.

— Ma consœur m'a avertie. Je vais lui tenir compagnie.

Ses yeux examinèrent le visage défait de la jeune femme, puis elle précisa :

— Je ferme votre porte. Je vais aller demander au docteur Courchesne de la rencontrer tout à l'heure.

Incapable d'émettre un son, Thalie abdiqua. Lorsque le pêne claqua dans son logement, elle éclata en sanglots.

Une heure plus tard, elle occupait toujours son bureau. Sœur Sainte-Sophie était venue lui dire un mot avant de rentrer au couvent. À cette heure, une nouvelle équipe de religieuses prenait le relais. La sœur avait pris la gentille initiative de téléphoner à l'appartement de la rue de la Fabrique pour avertir la mère du retard de sa fille. Marie s'inquiétait au moindre délai.

Un peu avant sept heures, trois petits coups se firent entendre à la porte. Le docteur Courchesne entra dans le bureau, referma derrière lui puis vint s'asseoir sur la chaise réservée aux patients.

— Je viens de le lui dire, souffla-t-il.

— Tuberculose.

L'homme acquiesça d'un signe de la tête.

— Les deux poumons ?

De nouveau, un hochement fit office de réponse.

— Le bruit dans le stéthoscope ne faisait pas l'ombre d'un doute.

L'homme observait attentivement sa collègue. Jolie, la petite brunette offrait un visage tout chiffonné, des yeux rougis par une heure de pleurs. Elle portait une robe foncée et sobre, un peu plus longue que la mode l'autorisait pour une personne de son âge.

— J'ai lamentablement échoué, glissa-t-elle en fixant le bout de ses chaussures.

Elle ressemblait à une élève prise en faute, contrainte de confesser un forfait.

— Tu sais établir le bon diagnostic, répondit-il. Nous en avons la preuve.

Riche de ses cinq ans de pratique professionnelle, Georges-Henri Courchesne assumait volontiers le rôle de mentor auprès d'elle. Pas très grand et replet, le visage orné d'une grosse moustache, il s'agissait d'un homme attachant.

— Je me suis enfuie de sa chambre, je l'ai abandonnée à l'horreur de cette affreuse nouvelle. Elle est restée là, à côté, sans personne pour lui tenir la main.

— Une religieuse est restée près d'elle. C'est le travail de nos infirmières, pas le nôtre.

— Mais je me suis sauvée pour me cacher ici et brailler comme une Madeleine.

— Cela se voit. Tu devrais moucher ton nez.

Elle écarquilla les yeux, puis fit comme on lui disait.

— Tu as même dû aller lui parler à ma place, grommela Thalie. J'ai complètement failli à ma tâche.

— Tu as pensé à t'arracher les cheveux, à te fouetter un peu comme le font les pénitents?

L'homme mima le geste de se donner un grand coup dans le dos avec des lanières plombées.

— Je ne peux pas me dérober à mon devoir, tout de même. Annoncer ce genre de nouvelle fait partie de notre travail.

— Tu as raison. La prochaine fois, et crois-moi les occasions ne manquent pas ici, tu y feras face. Je suis même certain que tu trouveras tout naturellement les mots.

— Tu l'as regardée? Une enfant. En plus, elle est venue toute seule ici.

— Elle travaille dans un atelier de la Basse-Ville depuis juin. Ses parents vivent à la campagne. Les religieuses contacteront le curé ce soir. Il leur annoncera la nouvelle.

Elle hocha la tête, appréciant son efficacité et celle du personnel infirmier.

— Je ne peux accepter de voir une fille si jeune dans cet état... Elle va mourir, n'est-ce pas?

— Sans doute. Les poumons étaient totalement voilés sur les clichés. D'un autre côté, on ne sait jamais. Nos pronostics ne sont pas infaillibles.

— Si je suis totalement anéantie à chaque fois qu'une telle situation se présente, je ne durerai pas un an dans ce métier.

Depuis une heure, la jeune femme se demandait si ses années d'efforts ne constituaient pas un misérable gaspillage. Toutes ses grandes phrases magnifiant la vocation de soigner lui paraissaient soudainement très creuses.

— De mon point de vue, remarqua Courchesne, je suis plutôt heureux de partager ce travail avec une personne compatissante au malheur des autres. Vous êtes humaine, docteur Picard. Bienvenue parmi nous.

Il ne la vouvoyait que sous la mention de son titre. Leurs rapports étaient bien vite devenus familiers. La répartie força Thalie à lui adresser un premier véritable sourire depuis le début de leur entretien.

— Tu me fais du bien, confessa-t-elle, mais je me sens un peu nulle ce soir.

— Voilà le syndrome de la première de classe.

— Pardon?

— Une première de classe souhaite toujours incarner la perfection. Cela finit par être paralysant. De mon côté, comme je n'ai jamais été premier, je n'exige qu'une chose de moi: faire de mon mieux. Cela me donne le droit à l'erreur.

Lui aussi, constata la jeune femme, savait poser un diagnostic exact.

— La prochaine fois, chuchota-t-elle, je risque de nouveau de rester muette devant un malade condamné.

— Si cela se produit, prends-lui la main et ferme-la.

— Et si je me remets à pleurer?

— Si les nouvelles sont franchement mauvaises, vous serez deux à le faire.

Cette fois, elle éclata de rire. Dans une certaine mesure, cet homme lui rappelait son grand frère. Si certains tentaient de lui nuire professionnellement, plusieurs autres adoptaient une attitude protectrice.

— Merci de tes bons mots. Je me sens un peu mieux... beaucoup mieux même.

— Au fond, tu t'en sors très bien pour une première de classe. J'en parlais justement à Gabrielle...

— Tu parles de moi à ta femme?

Sa collègue lui adressait maintenant un regard perplexe.

— En bien seulement, sois rassurée. Tellement qu'elle aimerait te recevoir à souper, un soir où nous serons tous les deux libres.

Cette éventualité ne se produisait pas fréquemment, leurs heures de travail tendant à s'allonger.

— Bien sûr, continua-t-il, tu viendras avec qui bon te semble.

— Ah ! Voilà un autre drame des premières de classe : pas de garçon à l'horizon.

— Si tu comptes faire une vocation du célibat, nos saintes religieuses seraient bien ouvertes à te recruter. Je t'imagine sans mal avec le grand costume noir et blanc. Une novice diplômée en médecine, ce serait merveilleux dans leur nouvel hôpital. Elles sont peut-être toutes en train de prier pour cet heureux dénouement.

Thalie s'amusait d'autant plus de cette proposition qu'elle la savait véridique. Sœur Sainte-Sophie lui paraissait être un sergent recruteur bardé de douceurs.

— Et cet hôpital dont on projette la construction, comment s'appellera-t-il ? demanda-t-elle après une pause.

— Notre-Dame-de-l'Espérance. Nous le verrons l'an prochain, tout neuf, près du chemin Sainte-Foy.

La jeune femme consulta la montre à son poignet, puis elle se leva vivement en disant :

— Je te demande pardon, ta femme doit t'attendre pour souper.

— Je lui ai donné un petit coup de fil pour la prévenir que je rentrerai plus tard. Mais c'est vrai, nous devrions tous les deux aller nous reposer.

La jeune femme récupéra sa veste suspendue à un crochet. En l'endossant, elle demanda encore :

— Et cette jeune fanatique de l'électricité ?

— Je lui ai expliqué que même si elle posait les fesses sur la chaise électrique de nos voisins américains, sa jambe resterait atrophiée, répondit-il, un petit sourire ironique en coin.

— Dans ces mots-là ?

— Pas tout à fait. J'ai évoqué plutôt un poteau de la Quebec Power, et gardé sous silence toute allusion à une partie honteuse de son anatomie.

Un peu avant six heures, Flavie vit arriver un homme élégant dans les bureaux administratifs du magasin PICARD. Elle s'étonna encore une fois de son allure juvénile. À quarante-cinq ans, on lui en aurait volontiers donné dix de moins, peut-être vingt, à cause de sa silhouette mince, de son costume de couleur claire et de son panama élégant De plus près, l'illusion disparaissait : le visage présentait des rides et des fils blancs marquaient la chevelure et même la moustache.

— Bonjour, monsieur Lavergne. Comment allez-vous ?

— La vue d'une personne aussi charmante que vous me place toujours dans les meilleures dispositions.

Le sourire narquois de la jeune femme indiquait combien elle dédaignait les efforts de ce Casanova.

— Je vais avertir monsieur Picard de votre arrivée.

Un instant plus tard, elle pénétrait dans le bureau de son patron en disant :

— Monsieur, votre visiteur est là.

— Faites-le entrer.

La directive ne servait à rien ; Lavergne l'avait suivie dans la pièce en vieil habitué.

— Comme j'ai terminé de dactylographier les lettres, je vais rentrer, dit-elle encore.

— Bien sûr, bien sûr. Bonne soirée.

— Bonne soirée, messieurs, les salua-t-elle en se retournant afin d'adresser son souhait aux deux hommes.

Édouard tendit la main à son vieil ami et lui désigna la chaise en face de son bureau.

— Quelle jolie femme, dit le visiteur en s'asseyant, une fois la porte du bureau fermée.

— Flavie ? Oui, sans doute. C'est curieux, mais avec le temps, je ne la remarque pas plus qu'un vieux meuble.

L'autre ne fut pas dupe. Si le marchand prétendait ne plus la voir, cela tenait au fait que l'employée s'était montrée tout à fait insensible à ses avances.

— C'est l'épouse de ton cousin, je pense. Le vétéran qui paraît si fier d'avoir fait son devoir en risquant sa peau pour le roi d'Angleterre.

L'avocat nationaliste gardait un souvenir désagréable de sa dernière conversation avec Mathieu, cinq ans plus tôt, quand il assurait la défense de Télesphore Gagnon. Un petit peloton de plaideurs libéraux avait entendu les paroles insultantes de celui qui fréquentait encore la faculté de droit.

— Oui, concéda Édouard, tu as raison. Je vis une situation étrange : la femme de mon unique parent travaille pour moi à titre de secrétaire !

— Tout de même, ton unique parent ! Tu as ta sœur, ta mère…

— Tu sais ce que je veux dire.

Dans une province où régnaient les familles nombreuses, chacun avait au moins une dizaine de cousins, et lui, un seul, particulièrement dérangeant.

— Et en quoi le voisinage quotidien d'une parente par alliance te trouble-t-il ?

— ... Elle est au courant de toutes mes affaires.

— Ah !

L'interjection suffisait comme réponse. La situation pouvait vraiment devenir délicate, il en convenait.

— Déjà, continua Édouard, il s'intéresse de trop près à la gestion de ce commerce. À titre de propriétaire de la sixième part héritée de son père, il vient de demander de tenir une réunion des actionnaires.

— En soi, la demande est raisonnable.

— Mais je m'y oppose absolument ! Je ne veux pas lui rendre de comptes.

— Peux-tu te permettre de racheter sa part ?

Le marchand esquissa une mauvaise grimace avant d'admettre :

— Je le lui ai offert des dizaines de fois. Il s'entête à refuser.

— Dans ce cas, j'ai bien peur que tu doives te soumettre à son caprice. Je comprends ta réticence ; juste le croiser parfois à l'église me donne des démangeaisons.

La sympathie de son ami réconforta tout de même un peu Édouard. Résolu à changer de sujet de conversation, il demanda :

— Ton appel m'a pris un peu par surprise. Qu'est-ce qui t'amène dans la Basse-Ville ?

— L'un de mes clients m'a fait venir pour dénoncer un crime contre sa propriété.

— Je ne suis pas un spécialiste du droit, mais le quidam aurait mieux fait d'appeler la police, non ?

— En toute autre circonstance, oui. Dans ce cas, la difficulté tient à l'identité du délinquant. Ce serait ton voisin d'en face.

Le marchand fronça les sourcils, intrigué.

— Je n'ai pas de voisin en face. C'est l'église Saint-Roch.

— Justement, monseigneur Buteau serait le coupable.

Devant la surprise de son interlocuteur, Lavergne éclata d'un grand rire.

— On ne sait plus à qui se fier, n'est-ce pas? dit-il en reprenant son sérieux.

— Raconte-moi cette histoire, et ne viens pas m'embêter avec la notion de secret professionnel.

— Il y a exactement une semaine, en pleine nuit, le digne prélat a stationné sa belle voiture avec chauffeur devant le Palais Royal. Il y a retrouvé un complice et a arraché la jolie poitrine de Renée Adorée. Enfin, l'image de cette poitrine, faute de pouvoir s'en prendre à l'original.

Imaginer la scène fit sourire le marchand.

— Le propriétaire du cinéma t'a raconté cela? demanda-t-il.

— Le pauvre homme tremblait encore de colère, sept jours après les faits.

— Mais comment connaît-il l'identité du fautif?

— Son projectionniste habite juste en face. Comme il aime son métier, il passe ses nuits d'insomnie à la fenêtre pour surveiller l'endroit. Une grosse ampoule électrique surmonte les affiches, il n'a rien manqué du spectacle.

Son interlocuteur hocha la tête. Il connaissait bien la devanture très éclairée du cinéma.

— Que lui as-tu conseillé?

— De mettre sa publicité sous une vitre, désormais, pour protéger les appas des comédiennes de ces catholiques exaltés, et d'oublier son idée de réclamer un dédommagement à son curé.

— Mais ce qu'il a fait est criminel.

— Je sais. Mais honnêtement, si ce bigot lance une pierre dans une vitrine de ton commerce, tu le poursuivrais, toi?

Le marchand demeura songeur un moment. Il admit finalement:

— Non, ce serait me mettre à dos les bonnes dames du quartier, et sans doute aussi celles de toute la ville. Au mieux, j'écrirais à son évêque pour le prier très poliment de mettre une laisse à son chien enragé.

— Moi, je ne peux même pas le faire au nom de mon client. Notre nouvel archevêque a bien des fois affirmé sa haine du cinéma.

Être confiné à un lit d'hôpital n'empêchait nullement Sa Grandeur monseigneur Roy de fustiger tous les dangers de la modernité, depuis les maillots de bain trop révélateurs jusqu'au droit de vote des femmes, en passant par les spectacles immondes dans les salles obscures.

— Tu continues tout de même de défendre les propriétaires des salles de cinéma poursuivis pour avoir pris certaines libertés avec les directives du Bureau de la censure.

— Quelqu'un doit bien se dévouer pour garder aux habitants de cette province un tout petit espace de liberté. Je faisais aussi la même chose au temps de la prohibition, pour défendre les personnes accusées de vendre de l'alcool.

— Le gouvernement a commencé par interdire ce commerce, pour ensuite se donner le monopole de la vente, dit Édouard avec dépit.

L'homme imaginait très bien quel profit il tirerait de la présence d'un comptoir de spiritueux au sous-sol de son commerce. À la place, les consommateurs devaient faire la file dans les débits de la Commission des liqueurs, commander à un petit guichet et recevoir leur précieux nectar dans un sac en papier brun afin de cacher à tous l'objet de leur péché.

— Je ne porterai toutefois pas d'accusation criminelle contre une soutane, conclut le visiteur, et encore moins si elle se teinte de violet.

Le marchand hocha la tête en signe d'assentiment. De nouveau, il orienta la conversation sur un autre sujet.

— Nous aurons des élections le mois prochain. Tu ne m'as pas encore dit pour qui je devrais voter. Non que j'aie la moindre intention de suivre tes conseils, mais je suis tout de même curieux de connaître ton avis sur le sujet.

— N'importe qui vaut mieux que ces maudits libéraux, clama Lavergne avec énergie.

— Comme le Parti progressiste ne présentera personne dans la province, cela ne laisse que le Parti conservateur, celui de la conscription.

— Cette histoire de conscription devient ridicule, commenta l'avocat. D'abord, la loi de Borden contenait de si nombreuses exemptions que la plupart des appelés ont pu échapper au service. Ce sont les émeutes qui l'ont forcé à les lever...

Par cette affirmation, Armand Lavergne changeait radicalement son fusil d'épaule. Son ami ne se gêna pas pour le lui rappeler :

— Des émeutes auxquelles tu as puissamment participé en agitant les foules avec tes discours incendiaires.

L'autre secoua la tête, comme pour nier cet aspect de son passé.

— De toute façon, la guerre est finie depuis des années. Nous avons maintenant un Parti libéral au pouvoir avec la moitié de sa députation venue du Québec. Peux-tu me dire en quoi cela a fait avancer la cause de notre nationalité ?

— Donc, si je comprends bien, tu vas voter conservateur. Dans la province, c'est le parti des soutanes. Ils se font les porte-parole de toutes les directives rétrogrades de nos seigneurs les évêques.

— Les conservateurs vont balayer les autres provinces. Le futur premier ministre Meighen ne devra rien au clergé du Québec, il fera fi de sa volonté.

— Je te vois si enthousiaste… Tiens, tu devrais te présenter pour eux.

Lavergne encaissa mal la raillerie. Finalement, il dut admettre d'une voix mal assurée :

— Il y a déjà une grenouille de bénitier qui a proposé sa candidature dans Montmagny, il est trop tard pour moi… Mais je te le jure, la prochaine fois, je ne me ferai pas prendre de vitesse. Bon, y allons-nous, à ce restaurant ?

En changeant de décor, l'homme espérait être un peu moins sur la sellette.

— Si tu veux, dit Édouard en se levant. Il se trouve tout à côté.

— Dans la Basse-Ville ?

— Oui, dans la Basse-Ville. On peut y manger raisonnablement bien, tu sais. Quel affreux snob tu fais ! Dire qu'il y a dix ans, tu agitais les masses ouvrières contre la conscription.

De nouveau, son interlocuteur grimaça à l'évocation de ce souvenir.

Flavie avait requis les services de Gertrude pour l'après-midi afin de préparer le repas. Occupant toujours son emploi de secrétaire au magasin PICARD, le temps de le faire elle-même lui manquait. Elle parcourut à grandes enjambées la distance entre l'arrêt du tramway et sa demeure. Après avoir longuement félicité la cuisinière de ses préparatifs et s'être excusée auprès d'elle de ne pas être une meilleure femme de maison, elle rejoignit son mari dans le salon.

— C'est tout de même un peu étrange, remarqua-t-elle de nouveau, inviter ton ancien patron alors que sa femme se trouve à la campagne.

— Justement, le pauvre homme est seul. Cela le distraira un peu.

— … Mais j'aimerais aussi la connaître, sa femme.

Mathieu la regarda en souriant, puis répondit :

— Je t'assure, ma belle, tu n'as aucune envie de la connaître. Moi-même, quand je faisais ma cléricature chez Fernand, j'en avais froid dans le dos. Sa seule présence dans la maison me mettait mal à l'aise. J'aimerais mieux recevoir à souper n'importe quel Allemand présent sur les champs de bataille des Flandres en même temps que moi plutôt que cette détestable Eugénie.

Cette affirmation rendit la jeune femme dubitative. Excepté les salutations sur le parvis de la cathédrale, et depuis l'année dernière à l'église Saint-Dominique, jamais elle n'avait eu une conversation avec Eugénie. En ces rares occasions, elle avait pourtant perçu le mépris dans son regard.

— Si elle était à Québec, dit-elle après une courte réflexion, elle refuserait de venir, je suppose. À ses yeux, je ne suis pas respectable. Une petite secrétaire…

— Tu as raison, je ne doute pas un instant qu'elle te voie de cette façon. Mais ce soir, autour de la table, tout le monde saura que tu vaux mieux qu'elle. Même son mari.

Mathieu quitta son siège pour venir près d'elle, posa son bras autour de ses épaules.

— Tu n'en doutes pas, j'espère.

Alors que Flavie s'apprêtait à protester, la sonnette de la porte retentit.

— Il arrive déjà ?

— Non, pas à cette heure. Ce doit être ma petite sœur. Le Jeffrey Hale se trouve tout près.

Afin de ne pas se retrouver trois à table (« Si jamais nous jouons aux cartes », avait précisé le jeune homme), il avait invité Thalie. Il alla lui ouvrir la porte et la reçut avec des bises sonores.

— Me voici, déclara-t-elle, la vieille fille pour tenir compagnie à l'homme marié abandonné par sa légitime.

— Voyons, ne dis pas des choses comme cela, murmura Flavie, un peu troublée.

— Mais je n'avais aucune idée impure derrière la tête, tu le sais bien.

Les deux femmes échangèrent des bises, puis se livrèrent au récit des événements survenus depuis leur dernière rencontre.

— Maintenant, dit la visiteuse, je vais aller voir comment Gertrude se débrouille dans la cuisine.

— Elle m'a chassée il y a quelques minutes à peine.

— Elle me chassera aussi. Notre vieux dragon affiche un comportement très équitable quand il s'agit de vider sa cuisine. Avec une exception : si celui-là allait se fourrer dans ses jambes, elle se ferait toute mielleuse.

De l'index, Thalie désignait son aîné avec une expression moqueuse. Si la vieille domestique aimait les membres de sa maisonnée, elle adorait littéralement le grand garçon.

— Auparavant, glissa Flavie, je veux te poser une question : travailles-tu cette semaine au cabinet du docteur Caron, en soirée ?

— Vendredi. Tu as une raison de t'inquiéter ?

— Plutôt une espérance. Je veux me la faire confirmer et entendre tes conseils.

— Oh ! Je comprends. Vendredi, sans faute. Si tu peux arriver un peu avant sept heures, tu passeras avant les autres. Maintenant, allons nous faire chasser par Gertrude.

Bras dessus bras dessous, elles se dirigèrent vers la cuisine. Dans le couloir, Mathieu regarda la taille de sa femme. Vraiment, il ne constatait aucune différence.

Un peu plus tard en soirée, dans la salle à manger, Fernand leva son verre de vin en disant :

— Je vous souhaite d'être heureux dans votre nouvelle demeure : c'est à la fois un beau logis et un excellent placement.

Un peu plus tôt, de sa voix de basse, le notaire avait expliqué à Flavie en mots simples, mais sans aucune condescendance, combien la décision de Mathieu se révélait sage. Avec la hausse annuelle des loyers, la maison finirait par se payer toute seule.

— Je vous remercie, balbutia-t-elle… Je peux vous servir encore de ce rôti, monsieur Dupire ?

— Vous ne voulez vraiment pas m'appeler par mon prénom ? demanda le notaire. Votre mari et moi avons partagé le même bureau pendant une année complète. Cela crée des liens.

— Je vais essayer, Fernand, mais je me sens un peu intimidée.

Le rose lui montait aux joues, même si elle refusait de tremper ses lèvres dans sa coupe de vin. Un peu plus tôt, Thalie lui avait adressé un « Non » muet alors qu'elle levait son verre. Elle prenait cela comme un conseil formel de son médecin.

— Ce repas est succulent, Flavie, déclara l'invité.

— Je n'y ai aucun mérite, reconnut-elle, de nouveau rougissante. Mais je transmettrai votre compliment à Gertrude.

— Oui, ce soir notre cordon-bleu se terre dans la cuisine, expliqua Thalie, mais elle attend sûrement notre appréciation pour ses efforts.

— Je comprends donc que d'habitude, elle mange à table avec tout le monde, remarqua Fernand.

Ce genre d'arrangement domestique n'aurait jamais cours dans une demeure où régnait Eugénie sans partage. Même à Saint-Michel-de-Bellechasse, les domestiques devaient attendre la fin du repas des maîtres avant de se sustenter à leur tour.

— Chez maman, elle mange avec la famille sans afficher la moindre gêne. Ce soir, elle se tient dans la cuisine pour vous impressionner favorablement.

— Oh ! Je le suis, mais cela ne tient pas à sa présence, ou à son absence, à cette table.

À vrai dire, le notaire se sentait plus jaloux qu'impressionné. Ses hôtes étaient mariés depuis cinq ans et ils se couvaient toujours mutuellement des yeux. Après la même durée, Eugénie lui refusait l'accès à sa couche.

— Et de votre côté, Thalie, les choses se passent-elles bien ? questionna-t-il pour éviter de sombrer dans la morosité.

— Vous savez, on ne connaît pas grand-chose au moment de recevoir un diplôme. J'apprends de mon mieux. Appuyée par les docteurs Caron et Courchesne, je serai peut-être vraiment compétente un jour.

Elle eut momentanément envie d'évoquer les malheurs des premières de classe. Plutôt, elle demanda :

— Mon petit patient a-t-il bien récupéré de sa blessure ?

— Antoine ne doit même plus se souvenir de cet accident. À présent, le seul malheur de son existence, c'est que
l'avoine ne mûrit pas assez vite.

— Est-ce sérieux, son enthousiasme pour l'agriculture ?

— Une passion…

Pendant un petit laps de temps, l'homme évoqua les
travaux de son aîné sur la ferme.

— Que ferez-vous quand il va grandir ? demanda Flavie.
Je sais bien que l'agriculture est un métier respectable, mais
pour votre fils…

Elle aussi trouvait vertigineuse la distance entre la
Haute-Ville et une étable. Elle s'embourgeoisait lentement
sans offrir la moindre résistance.

— Je pensais le voir étudiant au Petit Séminaire un jour.
Ce sera peut-être au Collège de Sainte-Anne-de-la-
Pocatière. Mais je pèserai de tout mon poids pour que ce
soit en tant qu'élève du cours classique, pas de la formation
en agriculture. Qui sait, on le verra peut-être un jour notaire
à la campagne.

À neuf heures, la présence de Thalie démontra toute son
utilité. Cartes à la main, le quatuor était concentré sur le
bridge. Au cours des années précédentes, Élisabeth avait
consacré de nombreuses heures à enseigner divers jeux de
cartes à Flavie. Aujourd'hui, cette dernière plissait le front
et se tirait d'affaire sans mal. Son partenaire, Fernand, la
félicitait de ses bons coups et faisait semblant de ne pas
remarquer les mauvais.

— Je sais bien que ce jeu demande toute notre attention,
remarqua Mathieu. Mais pouvons-nous parler un peu
affaires ?

— Ce n'est pas une ruse pour nous faire perdre ? demanda le notaire avec un air faussement sévère.

— Non, ma sœur et moi sommes bien au-dessus des astuces de ce genre, répondit-il dans un sourire. Mais une petite chose me préoccupe.

Il abattit une carte, provoquant un froncement de sourcils de sa partenaire.

— Il y a quelques jours, mon cousin Édouard m'a invité à assister à une partie de baseball des Bulldogs. Ce mauvais prétexte lui a permis de réitérer sa grande demande.

— L'achat de ta part du magasin ?

— Exactement. Crois-tu que ce serait une bonne décision de vendre ?

— Si c'est pour acheter deux ou trois maisons comme celle-ci, tu ne ferais pas une mauvaise affaire. D'un autre côté, à en juger par les dividendes que reçoit Eugénie tous les mois de janvier, la conserver sera tout aussi rentable.

Fernand se concentra un peu sur son jeu. Quand il reporta son attention sur la conversation, Mathieu dit encore :

— Je lui ai fait une réponse du même genre. Je suppose qu'il harcèle sa sœur de la même façon pour obtenir sa part.

— Eugénie, non. Mais je pense qu'il insiste aussi auprès de ma belle-mère.

Le jeune homme hocha la tête. Il laissa le jeu se poursuivre de longues minutes, puis glissa, mine de rien :

— Édouard possède tout juste la moitié du commerce, mais il se comporte comme s'il était le seul propriétaire. Ne conviendrait-il pas de réunir tous les actionnaires ?

Fernand le regarda d'un œil amusé. Mathieu se montrait un mauvais comédien. Diplômé en droit, il connaissait très bien les usages en la matière.

— Il vous adresse un bilan annuel dûment vérifié par un comptable, avec un chèque, répondit Fernand. Je ne vois rien à redire contre ses procédés.

— Tout de même, nous devrions pouvoir discuter de l'avenir de l'entreprise.

Thalie leva ses yeux sombres pour observer son aîné. Sa petite comédie ne la trompait pas. Il restait attaché au magasin de la rue Saint-Joseph, l'héritage reçu d'Alfred. Maintenant, l'idée de jeter un regard un peu plus attentif sur les affaires d'Édouard Picard cheminait dans sa tête.

Un peu après dix heures, les deux visiteurs mirent leur chapeau et échangèrent des vœux de bonne nuit avec leurs hôtes.

— Flavie, j'ai été très heureux de mieux vous connaître, commença Fernand. Si je peux me permettre…

Sans attendre la réponse, il posa les lèvres sur ses joues.

— Vous recevoir a été un plaisir, je vous assure.

L'envie de s'excuser de ne pas pouvoir leur rendre la pareille traversa l'esprit de l'homme. Mais comment faire? Dire «Vous comprenez, avec Eugénie, ce serait vous imposer une punition.» À la place, il serra la main de Mathieu, se moqua un peu de ses piètres talents de joueur de bridge puis sortit.

— Vendredi? chuchota Thalie à l'oreille de sa belle-sœur.

— Sans faute.

Sur la galerie, le notaire lui demanda:

— Puis-je vous accompagner? À cette heure, le service de tramway est suspendu.

— Êtes-vous venu à pied?

— Ma demeure se trouve tout près. Je ne veux pas insister, mais une petite marche vers la rue de la Fabrique ne me fera pas de mal.

— Alors, pourquoi pas ?

La jeune femme lui offrit son coude. Tout le long du trajet, Fernand évoqua longuement ses premières années dans le notariat, alors que son père le tenait fermement en laisse.

— J'ai copié les actes de papa bien longtemps, je vous assure, alors que je me sentais capable de voler de mes propres ailes. Mais quand celui-ci m'a abandonné son étude, sa présence m'a manqué. Commencer une carrière est toujours difficile.

Thalie s'arrêta sous le cône de lumière d'un lampadaire, leva ses yeux sombres sur lui et énonça avec un sourire amusé :

— Vous savez, Fernand, vous êtes un homme bon.

L'autre leva les sourcils, affectant la surprise.

— Je peux difficilement vous contredire. Mais qu'est-ce qui me vaut ce compliment ?

— Voyons, nous savons bien tous les deux que vous me racontez tout cela pour me rassurer. Je trouve mes débuts un peu éprouvants, je l'ai laissé entendre tout à l'heure.

Ils se remirent en route. Après un long moment, l'homme murmura :

— Je me reconnais un peu en vous, c'est vrai. Nous sommes peut-être tous les deux désemparés, présentement. Mais je ne doute pas que, bientôt, les choses iront bien pour vous.

— Ce n'est pas un souhait de convenance ?

— Pas du tout. Vous verrez, les astres s'aligneront pour vous.

Thalie laissa échapper un petit rire amusé. Elle n'osa pas formuler pour lui une prédiction de même nature. Lors de son année de cléricature, Mathieu l'avait entretenue de la morosité de la vie conjugale de son employeur.

Une demi-heure plus tard, ils se serraient la main devant la porte de la boutique ALFRED.

Chapitre 9

Le vendredi suivant, Flavie descendit du tramway un peu avant son arrêt habituel pour s'engager dans la rue Claire-Fontaine. À six heures et demie, elle se tenait devant Élise et glissait à mi-voix :

— Je dois voir ma belle-sœur... le docteur Picard, se corrigea-t-elle aussitôt.

— Bien sûr, elle m'a avertie. Attendez, je vérifie si elle est prête.

La visiteuse ne se rendait pas en ces lieux pour la première fois, mais le fait de consulter sa parente ajoutait à la solennité de l'événement. Quand elle fut dans son bureau, l'omnipraticienne demanda d'entrée de jeu :

— Tes règles sont en retard de combien de jours ?

Thalie en venait tout de suite au fait. Dans les circonstances, cela tenait moins au désir de mener promptement la consultation qu'à la curiosité.

— Cela me gêne de parler de ces choses-là à ma belle-sœur.

— Ici, tu es avec ton médecin. Quand je tiendrai ton garçon ou ta fille sur mes genoux, je serai de nouveau ta parente.

La patiente esquissa un sourire en imaginant la scène.

— Tiens, si cela peut t'aider, ajouta Thalie, imagine que je suis un monsieur moustachu.

La jeune femme tira une mèche de ses cheveux ondulés et la coinça sous son nez.

— Comme cela, tu vois. Alors combien?

— Quatre bonnes semaines.

— Habituellement, elles sont régulières?

— Elles ont parfois un jour ou deux de retard.

L'omnipraticienne prenait des notes de sa petite écriture serrée. Les futures parturientes constituaient une fraction croissante de sa clientèle.

— Et à part cela, d'autres symptômes?

— Des haut-le-cœur le matin, mais là, cela va mieux.

— Je me sens devenir un peu plus tante gâteau à chaque seconde qui passe. Viens de l'autre côté de ce rideau, je vais t'examiner.

Vingt minutes plus tard, la future maman s'assurait que sa robe tombait bien et remettait ses chaussures. Thalie dit avec un sourire:

— Ne t'inquiète de rien, tu es en parfaite santé, les choses se passeront bien.

La jeune femme marqua une pause avant de continuer:

— Comment Mathieu prend-il ce nouveau développement?

— Très bien. Tu comprends, avant la fin de ses études, il préférait retarder… les choses. Maintenant, il paraît pressé d'avoir une famille. Mais là, je parle à mon médecin ou à ma belle-sœur?

— Le médecin prend un court congé, le temps de te dire de ne pas aborder le sujet auquel tu viens de faire allusion à la légère. La plupart de mes collègues risquent de pousser des hauts cris en entendant parler de contrôle de la famille. Je ne te parle même pas des confesseurs. Cependant, non seulement ta belle-sœur ne condamne rien, mais elle approuve. Surtout, elle se réjouit de la nouvelle. Félicitations à tous les deux.

Elles échangèrent des bises, debout au milieu de la salle de consultation.

— Je téléphonerai ce soir pour dire un mot au futur père... Dis-moi, est-ce qu'il souffre encore de ses insomnies?

— Il dort peu, beaucoup moins que moi. Mais tout de même, les choses vont mieux. En me levant, je le trouve peut-être une fois par semaine déjà absorbé dans ses dossiers.

Le médecin hocha la tête, un peu rassurée, puis reconduisit sa parente à la porte. En saluant Élise, Flavie affichait un tel air de contentement que la réceptionniste se retint pour ne pas lui offrir aussi ses félicitations.

Lorsque le bruit d'une porte ouverte puis refermée lui parvint, un peu après sept heures trente, Mathieu s'apprêtait à retirer la poêle à frire vide de la cuisinière au charbon. À la place, il y posa les deux tranches de viande en criant:

— Je suis dans la cuisine.

Quelques instants plus tard, la jeune femme s'arrêtait à l'entrée de la pièce.

— Tu n'aurais pas dû... Ce n'est pas un travail pour un homme.

— Franchement, tu me prends pour un goujat. Tu as une longue journée dans le corps, alors que je suis revenu tôt.

La veste et la cravate abandonnées dans le petit boudoir transformé en bureau, les manches de sa chemise roulées jusqu'aux coudes, il montrait un corps robuste, énergique. Dans cette tenue, l'absence du majeur droit paraissait plus apparente encore, tout comme le lacis de cicatrices sur l'avant-bras.

Tous les deux restèrent immobiles, les yeux dans les yeux.

— Alors ? demanda-t-il.

— C'est cela. Je suis enceinte.

Il ouvrit très grand les bras et la jeune femme s'y précipita. Après un baiser, il la serra contre sa poitrine très fort, au risque de faire tomber son chapeau. Une odeur de brûlé le rappela à l'ordre.

— Les steaks ! s'écria Flavie.

Mathieu se pencha sur la poêle et contempla la viande un peu noircie.

— Ou bien nous nous risquons à manger cela, ou nous allons au restaurant. Il ne reste plus rien dans la glacière.

Peu compétents devant le gros poêle à charbon, ils avaient pris l'habitude de sortir pour manger, depuis le début de juillet.

— Mangeons à la maison. Maintenant, nous devrons faire attention à nos dépenses. Je ne pourrai pas travailler bien longtemps encore.

Son mari avait beau lui montrer les chiffres, elle avait beau savoir lire les colonnes, la gamine de L'Ancienne-Lorette n'était jamais bien loin de la jeune femme de la Haute-Ville.

— Non seulement tu vas laisser mon cousin Édouard à son triste sort, mais nous allons très bien nous tirer d'affaire. Nous mangerons cette viande un peu carbonisée, mais seulement parce que je n'ai aucune envie de remettre ma veste. La journée a été longue et collante.

Rassurée, Flavie demanda, un peu moqueuse :

— Et les pommes de terre ?

— Si je me fie aux patientes leçons de Gertrude, elles seront juste à point.

— Alors, je vais mettre le couvert.

— … Tu ne ferais pas mieux de t'asseoir un peu ? Dans ton état…

La jeune femme fut touchée de sa sollicitude.

— Je ne suis pas malade. Au contraire, selon Thalie, je me porte comme un charme.

— Et ma sœurette ? Comment l'as-tu trouvée ? Comme médecin, je veux dire.

— Une fois le lien de parenté oublié, elle se montre très compétente, pour autant que je puisse en juger. C'est drôle, j'avais l'impression de me trouver avec une autre personne, sérieuse, efficace, avec des gestes très précis. Tu sais, tu devrais la consulter…

— Ça, jamais. Si le docteur Caron essaie de me faire passer dans sa clientèle, je vais m'acheter une voiture juste pour aller consulter mon ami Davoine.

Au cours des dernières années, Mathieu avait conservé une relation plaisante avec son ancien voisin de la chambre du bas. Au cours du repas, la conversation porta sur la naissance à venir. Ils avaient cessé de prendre des « précautions » au mois de juin, juste après les débuts du jeune professionnel dans une étude bien en vue. Flavie était tombée enceinte peu de temps après. La naissance était donc prévue pour février.

En allant au lit, un peu après dix heures, le jeune homme déclara :

— Avec cette chaleur, je ne vais certainement pas mettre un pyjama. Je te suggère de faire la même chose, sinon tu ne dormiras pas de la nuit.

La suggestion suscita chez elle un mélange de gêne et d'excitation. Dormir nue ! Ce genre d'idée devait venir d'Europe. Jamais un Canadien français ne songerait à une chose pareille ! D'ordinaire, elle aurait exprimé son malaise d'une phrase du genre « Voyons, si jamais nous passions au feu… » Bien sûr, dans la pension de la rue Sainte-Geneviève, pareille initiative était impensable. Mais ici, avec les portes avant et arrière soigneusement fermées, l'idée faisait son chemin dans son esprit...

En revenant dans la chambre à coucher, après un passage prolongé dans la salle de bain, elle se présenta à la porte dans son plus simple appareil, le bras droit replié de façon à dissimuler ses seins, la main gauche sur son sexe.

— Je me sens affreusement intimidée, chuchota-t-elle. Ferme la lumière.

— Tout à l'heure. Viens ici.

Il tendait les mains vers elle. En s'approchant pour les prendre, elle révéla son corps dans sa splendide nudité. En cinq ans de mariage, Mathieu l'avait vue ainsi une demi-douzaine de fois tout au plus.

— Tu es magnifique.

Assis sur le bord du lit, il l'attira jusqu'à pouvoir entourer son corps de ses bras, la tête posée entre les seins. Après avoir embrassé chacun d'eux à quelques reprises, il la força à se reculer un peu, posa sa paume droite sur le ventre, juste au-dessus du triangle noir de son pubis.

— Cela ne se voit pas du tout.

— Oh! Un petit peu, je pense.

L'arrondi de l'abdomen lui paraissait identique à celui des dernières années. Mais certainement, dans quelques semaines, en l'absence de vêtements, son état serait facilement identifiable.

Sa bouche s'affaira sur le nombril de Flavie. Après une caresse du bout de la langue, elle amorça un long voyage vers le sud, l'inconfort de la canicule totalement oublié.

— Mais dans ton état, demanda-t-il en levant les yeux vers sa compagne, est-ce indiqué?

— ... Thalie m'a recommandé de demeurer active, de faire de longues marches. Selon elle, l'activité physique

demeure le meilleur moyen de se préparer à l'accouchement. Mais elle n'a pas parlé de…

Si le sujet avait effleuré l'esprit de la future parturiente,
sa timidité l'avait empêchée de poser la question.

— Mais je suis certaine que si… l'abstinence devenait
nécessaire, elle me l'aurait dit.

La jeune femme, maintenant, souhaitait poursuivre le
petit jeu commencé. Elle posa les mains sur la tête de son
mari et la rapprocha de son ventre.

Arrivée au magasin un peu avant neuf heures, Flavie
commençait toujours sa journée en ouvrant le courrier de
son patron, à moins que l'enveloppe ne portât les mots
« personnel » ou « confidentiel ». Elle allait ensuite déposer
les lettres au centre du sous-main placé sur le bureau du
directeur.

Légèrement nerveuse ce matin-là, elle chercha à s'occuper en attendant l'arrivée de son patron. Celui-ci, comme
son père, dix, vingt ou trente ans plus tôt, parcourait tous
les rayons avant de venir prendre place dans son bureau.
Cette tournée lui permettait de prendre connaissance des
opérations et incitait les chefs des rayons à lui présenter des
comptes impeccables.

Un peu avant dix heures, il se planta devant la secrétaire
pour lui demander :

— Un sujet urgent requiert-il mon attention immédiate ?

Le ton badin enlevait toute dimension dramatique à
l'entrée en matière. À une dizaine de reprises depuis 1919,
elle avait répondu par l'affirmative. Chaque fois, il s'agissait
d'un appel de Fulgence Létourneau, le responsable des

ateliers de confection de la Pointe-aux-Lièvres, catastrophé par le bris d'une machine à coudre.

— La matinée promet d'être paisible. Mais j'aimerais avoir une discussion avec vous.

C'est alors qu'il remarqua le pli soucieux au milieu du front de la jeune femme.

— Oui, bien sûr, venez tout de suite.

Un moment plus tard, elle se tenait assise bien droite sur l'une des chaises réservées aux visiteurs, les genoux serrés et les mains sur le ventre.

— Si vous ne me dites pas ce qui se passe, dit-il après un silence prolongé, je vais commencer à m'inquiéter. Vous n'êtes pas malade, j'espère?

— Oui... Enfin non. Mais je suis obligée de vous donner ma démission.

Le visage de son interlocuteur exprima la plus grande surprise.

— Je ne comprends pas, si vous n'êtes pas malade...

Le sujet d'une maternité prochaine ne se discutait pas avec un homme, surtout pas son employeur. Elle baissa la tête, intimidée.

— Je comprends, formula-t-il après un nouveau silence.

Flavie leva les yeux juste à temps pour voir un sourire sur ses lèvres. Cela pouvait tenir à la joie devant la bonne nouvelle si soigneusement tue. Elle choisit d'y lire sa satisfaction de la voir partir.

— Je vous adresse mes plus sincères félicitations, déclara son employeur avec un entrain factice.

— Je vous remercie. Bien sûr, je resterai le temps que vous me trouviez une remplaçante, et je pourrai aussi assurer sa formation, si vous le voulez.

— Je vous remercie. Cet après-midi, je formulerai le texte d'une annonce à placer dans *Le Soleil*.

Déjà, la jeune femme se levait, prête à reprendre son poste. Édouard fit de même et contourna son bureau en lui tendant la main.

— Encore une fois, je vous félicite. Je suppose que Mathieu est ravi de la nouvelle.

— Oui, bien sûr.

Plus tard, devant la vieille machine à écrire, Flavie repassait la conversation dans son esprit.

— Je ne laisserai pas beaucoup de regrets ici, maugréa-t-elle entre ses dents.

Cela faisait une épitaphe bien négative à toutes ses années de service.

Depuis des années maintenant, Élise et Thalie avaient l'habitude de pique-niquer ensemble sur les plaines d'Abraham. Bien sûr, la situation avait évolué au fil des ans. Pierre Hamelin, du haut de ses quinze ans, préférait ne plus être de la partie. Ses camarades de collège lui paraissaient plus intéressants, un beau dimanche après-midi, que sa mère et son amie. Quant à Estelle, d'un an plus âgée que lui, elle regardait ces deux femmes avec la ferme intention de calquer ses comportements sur les leurs.

Le trio se retrouva sous un arbre, assis en tailleur sur une grande couverture à carreaux. Le gros panier d'osier contenait tout ce dont elles pouvaient rêver pour un dîner sur l'herbe, même une bouteille de vin blanc.

— Nous devons enfreindre une loi, murmura Élise en acceptant un peu de la boisson dans une tasse.

— Certainement. Consommer de l'alcool dehors doit figurer parmi les nombreux interdits imposés par nos sages gouvernants.

La mère jeta un regard sur sa fille. Timide, celle-ci paraissait fascinée par la liberté de ton de cette femme si peu conventionnelle.

— C'est pour cela que je profite du fait que personne ne nous regarde, que j'utilise des tasses à la place de verres, et que la bouteille retournera dans ce grand panier dans une minute sans attirer l'attention, expliqua encore Thalie. Maintenant, puis-je en offrir une petite goutte à cette charmante grande fille?

Des yeux, elle désignait Estelle. En effet, l'adolescente dépassait sa mère d'un pouce. Dans une jolie robe bleue avec un col matelot, elle attirait les regards des jeunes gens passant dans l'allée la plus proche.

— Une toute petite quantité… pour goûter, émit la jeune fille.

Elle goûta et décréta que ce n'était pas très bon.

— Alors voici un Coca-Cola, dit Thalie en décapsulant une petite bouteille verdâtre. Il est encore un peu frais, je l'ai pris dans la glacière tout à l'heure.

Pendant une demi-heure, elles dégustèrent sandwichs et fruits. La conversation porta sur le très beau temps et l'achalandage au cabinet du docteur Caron. Lentement, trop lentement à son gré, Thalie voyait sa clientèle se constituer.

— Bientôt, dit Élise, tu n'auras plus de temps à consacrer au dispensaire des pauvres.

— Je sais que ce travail bénévole me prend bien du temps, mais tu sais, c'est une excellente école. Avec les religieuses et mon collègue Courchesne, j'apprends beaucoup.

— Et avec papa?…

La jeune femme semblait prête à défendre le docteur Caron bec et ongles.

— J'apprends autre chose. Les clientes qui fréquentent le cabinet sont pour la plupart des femmes en bonne santé, bien nourries, bien logées. Une fois de temps en temps, je discute de cas plus compliqués avec ton père. Au dispensaire, je vois défiler toutes les maladies de la misère. Parfois, je me vois dans l'obligation d'annoncer à des gens leur mort prochaine...

— Cela arrive aussi au cabinet, tenta Élise.

— Moi, je n'ai pas eu à le faire encore. Et avec une personne âgée, ce serait autre chose... je crois.

Peut-être que non, se dit-elle. Après tout, même à quatre-vingts ans, le saut vers l'inconnu suscitait sans doute de semblables angoisses.

— Lundi dernier, j'ai reçu une jeune fille atteinte de tuberculose... expliqua-t-elle pour mieux se faire comprendre.

Son regard se porta sur Estelle. L'adolescente avait dû faire face très précocement à la mort, avec le départ de son père.

— Ne crains pas de m'effrayer, Thalie, dit-elle dans un sourire.

La jeune femme tendit la main vers celle de l'adolescente, la serra gentiment.

— C'est vrai, des fois j'oublie que tu es devenue grande.

La conversation porta sur l'impuissance où l'avait plongée le sombre pronostic de la jeune malade.

— J'aime tellement mieux recevoir des patients comme ma belle-sœur, conclut-elle, pour leur annoncer une naissance prochaine.

— Elle semblait tellement heureuse, commenta Élise. Elle avait l'air de planer quand elle est sortie.

Ce sujet de conversation aussi rompait avec les usages. Chez les ursulines, bien des jeunes filles de l'âge d'Estelle gardaient encore une idée bien vague de l'origine des bébés.

Thalie écarta le panier maintenant vide, chassa les miettes de pain de la main puis s'étendit sur le flanc, attentive à placer sa jupe de façon à ne rien révéler aux passants. Les deux autres firent de même. Elles formaient un curieux triangle.

— Remarquez, dit-elle encore, la vieille fille en moi ressent un petit pincement au cœur à chaque fois que j'annonce une naissance.

— Voyons, tu es encore jeune...

— L'âge de coiffer Sainte-Catherine...

Sa compagne ne sut que répondre. Le médecin renchérit :

— Tiens, cela conduit à de drôles de situations. Mathieu a invité Fernand Dupire à souper l'autre soir. Je me suis jointe à eux pour jouer aux cartes. Retenue pour le bridge quand un convive se trouve seul ! Je devrais offrir mes services dans *Le Soleil*. Imagine l'annonce : « Vieille fille à louer pour soirées tranquilles. »

Si la répartie fit glousser Estelle, la mère ne parut guère sensible à cet humour.

— Fernand était seul ? demanda-t-elle.

— D'après mon frère, il ne sort jamais en compagnie de son épouse. Selon lui, elle se montre si désagréable que ce serait cruel d'infliger sa présence... Mais tu la connais, je pense.

— Nous sommes allées au couvent ensemble.

Ce souvenir ne semblait guère heureux. Thalie baissa sa voix d'un ton pour demander :

— Est-elle aussi... difficile que mon frère le laisse entendre ?

— Je ne la vois plus depuis des années. D'un côté, elle savait se comporter en société, de l'autre, elle pouvait se montrer très condescendante, au point de blesser. Et d'autres fois, tout simplement mesquine. Mais je ne sais trop comment a évolué son humeur.

— Mathieu a passé son année de cléricature chez Dupire, partageant très souvent le dîner avec la famille. Il a été très clair : jamais il ne la recevra chez lui, même si Fernand lui inspire une réelle amitié.

Élise se mordit la lèvre inférieure, jeta un regard sur sa fille avant de confier :

— C'est un homme très bien. Au-delà de son air un peu empoté, je le crois très compétent, et très bon.

— Je ne l'ai pas trouvé empoté, seulement réservé. Il comprend les gens à demi-mot et trouve le moyen de dire une parole gentille, de montrer sa délicatesse. Après cette première visite, ma belle-sœur serait prête à le recevoir à sa table toutes les semaines. Quant à sa bonté, je lui ai justement fait remarquer cette qualité, quand il m'a raccompagnée à la maison.

Curieusement, son interlocutrice fut heureuse de ce constat partagé. Les souvenirs de leurs relations, près de vingt ans plus tôt, lui revenaient en mémoire.

— Mais si tout ce que j'entends sur sa femme est vrai, continua Thalie, pourquoi diable ce bon garçon l'a-t-il épousée ?

La mère regarda sa fille avec une telle insistance que celle-ci remarqua, un peu vexée :

— Si ma présence te gêne, je peux aller marcher…

— Non, ma belle. Je ne dirai rien de ce que je sais sur ce mariage, car ce serait indélicat pour une ancienne amie. Même si nous n'avons plus de contact aujourd'hui, je lui dois une certaine discrétion.

— Puis, Élise ne tient pas à ce que tu ailles te promener toute seule dans ce beau parc, renchérit le médecin. Tu vois tous ces garçons qui regardent dans notre direction ? L'un d'eux finirait par trouver l'audace de t'adresser la parole, pour ensuite se rendre rue Claire-Fontaine afin de demander à ton grand-père la permission de venir te visiter les bons soirs.

Estelle se tourna à demi pour voir le va-et-vient dans l'allée la plus proche, puis elle s'assura en rougissant que sa robe couvre bien ses jambes. Elle demanda bientôt :

— Quels sont les bons soirs ?

Les usages des fréquentations à la campagne les occupèrent pendant un bon moment. Si l'adolescente trouvait ces habitants terriblement vieux jeu, elle se réjouissait que ces deux femmes semblent trouver tout naturel que des regards masculins se posent maintenant sur elle.

Trois semaines plus tard exactement, Flavie en était à son dernier jour de travail. Depuis le lundi précédent, elle passait ses journées avec sa remplaçante, Georgette. Édouard avait choisi une personne dotée d'une poitrine abondante, de cheveux courts teints en blond, de lèvres peintes en rouge. Une dernière fois, la secrétaire essayait de lui faire comprendre le mode de classement du courrier, alors que la nouvelle venue demanda :

— Est-ce que le patron met du sucre dans son café ?

Elle se souciait davantage de connaître les préférences personnelles du maître des lieux. Pareille attitude se comprenait : l'homme reprenait auprès d'elle son attitude de séducteur, multipliant les compliments sur sa coiffure, sa tenue.

— Il met un sucre, répondit Flavie, une pointe d'impatience dans la voix.

Des yeux, elle consulta l'horloge sur le mur. Encore une demi-heure ! Ses efforts ne donnaient rien, mais de toute façon, le bon fonctionnement de cette entreprise ne la concernait plus.

— Parlant café, enchaîna-t-elle, croyez-vous que nous ayons le temps d'aller en prendre un au restaurant du dernier étage?

— À cette heure, le personnel s'affaire à fermer, répondit Georgette, mais je peux nous en préparer.

Sotte et gentille : elle offrait toutes les habiletés requises par Édouard Picard.

— Quelle bonne idée! Je vais vous aider.

Quelques minutes plus tard, Georgette se tenait assise sur la chaise derrière le bureau et Flavie sur l'un des sièges destinés aux visiteurs. Mathieu les trouva un peu après six heures devisant gaiement.

— Je suis un peu en retard, excusez-moi, dit-il. Heureusement, on m'a laissé monter.

— Ce n'est pas grave, nous bavardions.

Sur ces mots, Flavie se leva, de nouveau légèrement émue. Une étape de son existence se terminait.

— Nous partons? questionna son époux.

— Je dois tout de même lui dire au revoir.

Des yeux, elle désignait la porte. Elle frappa et entrouvrit pour dire :

— Monsieur Picard, je voulais vous saluer…

— Ah! Oui, bien sûr. Je suppose que Mathieu est arrivé. Entrez, tous les deux.

Le directeur quitta son fauteuil pour venir vers eux, la main tendue.

— Je te félicite pour l'heureux événement, dit-il à son cousin. Dorénavant, cette adorable jeune femme se vouera tout entière à ton service.

— À mon âge, et dans mon état, je ne nécessite tout de même pas de soins continus.

— … Bien sûr, bien sûr. Je voulais dire s'occuper de ta demeure…

Plutôt que de s'engager dans un exposé sur les travaux domestiques, Mathieu préféra écourter cet entretien.

— Je te remercie pour les félicitations.

Après une pause, Édouard se tourna vers son ancienne employée.

— Je vous réitère mes meilleurs vœux, à vous et à votre famille à venir.

— Merci, monsieur. Merci pour les dernières années.

La situation devenait ridicule : elle le remerciait de l'avoir fait travailler de longues heures pour un salaire médiocre. À l'échange succéda un silence embarrassé, puis elle tourna le dos en murmurant « Au revoir ». Au cours des années à venir, ils se croiseraient dans la rue ou sur le parvis de la nouvelle église paroissiale Saint-Dominique. Cependant, jamais plus ils n'auraient de véritable conversation, songea-t-elle.

Mathieu récupéra une boîte en carton sur un classeur du secrétariat.

— Tu n'as rien d'autre ? demanda-t-il.

— Non. Les objets personnels n'ont pas leur place dans un bureau.

Des livres, une paire de chaussures et une tasse remplissaient à moitié le contenant. En partant, Flavie lança à l'intention de sa remplaçante, d'une voix légèrement sarcastique :

— Amusez-vous bien.

Mathieu, quant à lui, la salua d'un signe de la tête.

— Le salaud, il ne m'a même pas remerciée de m'être décarcassée pour lui pendant six ans ! pesta-t-elle une fois dans le couloir.

Dans leur dos, une voix gouailleuse demanda :

— Georgette, venez ici, voulez-vous ?

— Et le voilà prêt à relancer le grand jeu du Casanova de la rue Saint-Joseph, enchaîna la femme.

— Certains hommes ne changent jamais, ricana Mathieu en s'engageant dans l'escalier.

Quand ils passèrent la porte du commerce, Flavie s'arrêta sur le trottoir, regarda derrière elle, puis cligna des yeux pour laisser couler une larme, une seule. Une part de sa vie, le plus souvent satisfaisante, devait-elle en convenir, prenait fin.

— Espérons seulement que le tramway ne sera pas bondé, continua Mathieu, sinon j'aurai l'air fin avec cette boîte.

— À cette heure, l'affluence devrait être passée. Dans une demi-heure, nous serons à la maison.

— Mais nous n'allons pas rentrer tout de suite.

Elle ouvrit de grands yeux, surprise.

— Cela fait des semaines que j'essaie de t'emmener au restaurant *Kerhulu*. Ce soir, nous irons. Te voilà libérée de ce malotru. Cela mérite une petite célébration.

Elle songea à protester, à rappeler qu'à l'avenir, ils devraient se passer de son salaire, mais elle accepta dans un sourire. Comme un passager attentionné lui avait cédé son siège, elle prit la boîte sur ses genoux. Lentement, ils se dirigèrent vers la Haute-Ville.

Récemment ouvert rue de la Fabrique, le restaurant *Kerhulu* attirait les amateurs de cuisine française. Mathieu avait réservé une table près des fenêtres ouvertes. À sept heures, un verre à la main, le couple profitait de l'air doux de cette fin d'août.

Tandis qu'elle montait la côte d'Abraham en tramway, la tristesse de la jeune femme d'abandonner son emploi s'était totalement estompée.

— Je vais m'ennuyer un peu, tout de même, en attendant la naissance, avoua-t-elle.

Elle caressa son ventre de la main. Maintenant, l'arrondi était facilement perceptible. Dans un mois, même avec un vêtement assez lâche, les gens devineraient son état.

— Après, ajouta-t-elle, je suppose que je serai occupée, au moins durant la première année.

— Te reposer un peu ne te fera pas de mal.

— Je ne compte pas demeurer à ne rien faire. Je saisirai l'occasion pour apprendre à faire raisonnablement bien la cuisine.

— Ah ! Voilà la raison de ces nouveaux livres.

La conversation s'interrompit, le temps de passer la commande.

— Mais je ne pense pas apprendre toute seule…, confia-t-elle en souriant. Gertrude a accepté de me donner des leçons.

— Tu as réussi à apprivoiser notre dragon domestique ! répondit l'homme, après avoir laissé échapper un sifflement admiratif.

— Elle est très gentille.

— Je suis certain de cela, elle m'en a donné la preuve à de nombreuses reprises. Tout de même, je crois qu'elle a été élevée dans une famille de porcs-épics.

En mangeant, le couple discuta aussi du prénom de l'enfant à naître. Flavie espérait un garçon, convaincue que ce soit le désir de son mari. Dans les faits, il n'y attachait pas la moindre importance.

— Tu ne me parles pas beaucoup de ton travail, remarqua-t-elle au dessert.

Flavie appuya sa joue contre la paume de la main droite, le coude sur la table, en lui adressant son meilleur sourire.

Mathieu caressa discrètement son mollet du pied, sous la table.

— Depuis des semaines, je cherche des propriétaires de terrains le long de la rivière Saint-Charles et je négocie leur achat.

— De grands terrains ?

— Assez vastes pour qu'on y construise une usine de papier.

— Une autre ? Cela commence à faire beaucoup.

Les papetières se multipliaient depuis le début du siècle dans la province de Québec. Rien ne paraissait entraver la croissance économique.

— Les investisseurs viennent d'Angleterre. Au rythme où ils dépensent, ils paraissent résolument optimistes.

— À qui appartiennent ces terrains ?

— Parfois à des particuliers, mais surtout au gouvernement. À cause de la forte activité portuaire, Ottawa a beaucoup acheté.

Un des avantages insoupçonnés du service militaire de Mathieu avait été l'apprentissage de l'anglais, tant celui des Canadiens de l'autre côté de l'Outaouais que la version déclinée avec plusieurs accents au Royaume-Uni. Dans les circonstances, cela lui donnait un net avantage sur les diplômés de la faculté de droit de sa génération.

— Cela ne durera pas des mois, remarqua-t-elle, un pli au milieu du front.

— Mais ensuite, il y aura un autre industriel soucieux d'agrandir, ou alors une jolie querelle entre entrepreneurs. Ne t'en fais pas, tout va bien pour moi.

— M'inquiéter, c'est dans ma nature.

— Et dans la mienne, de te rassurer.

Leurs mains se rejoignirent sur la table.

Chapitre 10

Le dernier jour d'août, un dimanche, la famille Dupire regagna le grand domicile de la rue Scott. Comme chaque année, la place manquait dans la voiture familiale. Jeanne effectua le trajet en train avec la vieille dame, Antoine et Béatrice. Le cadet des enfants, sa mère et de nombreux bagages profitèrent du confort tout relatif de la Chevrolet.

Pendant le trajet, l'aîné des garçons se plaignit de son sort. Il devait non seulement abandonner les travaux de la ferme, mais, dès le lendemain, intégrer de nouveau l'école des Frères des écoles chrétiennes. Pendant dix mois, sous la férule des sinistres oiseaux noirs, il parcourrait le programme du cours complémentaire.

Le soir venu, même si elle était exténuée après avoir défait et rangé tous les bagages de la famille, Jeanne quitta sa chambre un peu après dix heures pour emprunter l'escalier au fond de la maison. Des chambres de domestiques sous les combles, il conduisait à la cuisine au rez-de-chaussée. Surtout, il lui permettait de rejoindre la garçonnière à l'étage en toute discrétion.

Ses doigts effleurèrent le bois de la porte.

— Te voilà enfin, murmura Fernand lorsqu'il ouvrit.

Jeanne entra, puis se tint au milieu de la pièce. L'homme avait posé deux verres sur le petit guéridon entre les deux fauteuils.

— Viens t'asseoir. Il y a une éternité que je t'ai versé un porto.

Elle le remercia d'un sourire, puis avala une petite gorgée de la boisson.

— Ici, à Québec, tu auras un peu moins de travail et l'occasion de te reposer en soirée.

La précision lui valut une grimace. Le grand lit prenait place au fond de la pièce. La domestique avait le sentiment de payer bien cher les intermèdes dans la couche de son patron.

— Ces dernières semaines, j'ai pu réfléchir longuement. Je ne suis plus capable de vivre sous ce toit.

— Tu n'es pas sérieuse… Notre « arrangement »…

Au cours des dernières années, ils se réunissaient deux ou trois fois par semaine dans cette pièce. Tout le reste du temps, ils devaient affecter la complicité distante de mise entre un patron et son employée.

— Au fil des mois, elle devient de plus en plus méchante. Je n'en dors plus.

— … Je pourrais lui parler, lui faire entendre raison.

— C'est à moi d'entendre raison, pas à elle. C'est ta femme, ce lien est indissoluble. Ni toi ni moi ne pouvons rien y changer.

— Depuis la naissance de Charles, je ne l'ai pas touchée. Tu le sais bien.

— Ça ne change rien à la réalité de votre mariage.

La domestique avait raison. La loi autorisait Fernand à prendre sa femme de force, ou à réclamer une séparation de corps. Mais l'union ne pouvait être scindée à moins d'entamer une procédure complexe, dont le résultat ruinerait sa carrière. Le notaire ne se voyait pas tout recommencer à zéro dans une ville lointaine, sans ses enfants, là où personne ne connaîtrait sa vie antérieure.

Jeanne suivait le cours de ses pensées facilement. Ils tenaient cette conversation pour la dixième fois peut-être.

— Elle peut sans mal obtenir la séparation ; tu abrites une maîtresse sous le toit conjugal.

Au fil des ans, la domestique avait accumulé quelques connaissances en droit.

— Et dans ce cas, insista-t-elle, plus aucun de ces vieux notables ne passera la porte pour venir dans ton cabinet. Notre situation est insupportable, et sans avenir.

Fernand songeait que lui aussi estimait son mode de vie détestable.

— Nous pourrions nous arranger autrement, reconnut-il à la fin. Si je louais un petit appartement quelque part en ville…

— Tu veux faire de moi une femme entretenue. Tu ne me crois pas plus respectable que ça.

Le notaire avait envie de dire que dans cette maison, seule Eugénie ne faisait rien pour assurer son gîte et son couvert. À ce compte, elle seule était entretenue.

— Tu pourrais travailler, si tu le juges préférable. Je peux même demander à Édouard de t'engager dans son magasin. Je lui ai tellement rendu de services, au fil des ans, il ne me le refusera pas.

Bien sûr, le marchand lui ferait payer bien des fois cette faveur en railleries, mais le prix ne lui paraissait pas trop élevé.

— Quelques fois dans la semaine, je te rendrais visite, continua-t-il. Alors, notre vie serait plus facile que maintenant.

Lui aussi rêvait de quitter ces lieux lugubres, ne serait-ce que pour quelques heures toutes les semaines, afin de retrouver un visage agréable.

— Tout le monde le saurait, remarqua Jeanne. Dans notre petite ville, rien ne passe inaperçu.

— Mais personne n'évoquerait la chose à haute voix. Les arrangements de ce genre ne sont pas rares, tu sais.

Jeanne entendait suffisamment de conversations entre des domestiques pour savoir que les bourgeois de la Haute-Ville aménageaient leur vie conjugale de façon bien complaisante. Elle-même devait aussi meubler les échanges de ses collègues, en son absence.

Comme elle ne répondait pas, l'homme insista :

— Ce serait la formule idéale. Tu me promets d'y réfléchir, au moins ?

— … Je vais y penser.

Comme elle vidait son verre, Fernand avala la moitié du sien. Le whisky lui parut particulièrement amer. Un peu plus tard, il tendit la main vers sa compagne pour l'inciter à se lever.

— Pas ce soir, précisa-t-elle, debout à ses côtés. Honnêtement, je n'ai pas la tête à ça.

En fait, sa compagne semblait déterminée à ne plus jamais avoir la tête à « ça ». À la fin, avec son long travail de sape, Eugénie triomphait de la situation.

— Bonne nuit, murmura-t-il en l'embrassant sur la joue. Pense à ma proposition. Elle pourra nous donner satisfaction à tous les deux.

— Promis, je vais y penser.

Jeanne s'engagea dans l'escalier circulaire pour regagner sa chambre sous les toits.

Le premier jour de septembre, Raymond Lavallée commença comme d'habitude sa journée par une visite à l'église de la paroisse Saint-Roch. Un vicaire expédia la basse-messe avec célérité. L'assistance se composait de vieilles dames et d'ouvriers, les unes rêvant qu'un regain de religiosité leur procure la santé, les autres, la prospérité. Tous purent bientôt rejoindre la maison pour le petit déjeuner.

Le jeune garçon fit comme les autres, revêtu d'un nouvel uniforme scolaire acheté d'occasion. À son âge, c'est tout juste si sa croissance lui permettait de conserver le même pendant une année scolaire entière. Un peu après huit heures, il se tenait sur le trottoir de la rue Dorchester, près de l'intersection de la rue Saint-Joseph.

— Il devrait se trouver dans cette voiture, glissa-t-il entre ses dents.

Bien sûr, Raymond avait toutes les chances de se tromper : comment deviner lequel des tramways prendrait un garçon de Limoilou pour arriver à l'heure au rendez-vous de la rentrée scolaire ?

La chance lui sourit. En montant dans la voiture, il aperçut la silhouette élancée de l'un de ses camarades de la classe de Belles-Lettres.

— Je peux m'asseoir ? demanda-t-il en arrivant à sa hauteur.

— … Comme tu peux le voir, la place est libre.

Blond, les cheveux légèrement bouclés, visiblement robuste, Jacques Létourneau regardait l'autre écolier avec un sourire ironique. Près de lui, Raymond Lavallée se sentait gauche, trop court et trop rond. Il s'assit sur le siège en bois, en prenant garde de ne pas trop écraser son voisin contre la fenêtre.

— Je suis heureux de retourner à l'école ce matin, déclara-t-il après un silence.

— Ah ! Le vilain péché d'orgueil. Déjà pressé de jouer au premier de classe !

— … Ce n'est pas ça.

— Tu n'aimes pas être premier de classe ?

L'autre arquait les sourcils de surprise. En effet, le garçon n'arrivait pas à se hisser au premier rang, mais se maintenait sans trop de mal au second ou au troisième. Et bien sûr, il en tirait une énorme fierté.

— Le retour à la routine du Séminaire me fera le plus grand bien. L'été, ou je m'ennuie chez moi, ou je me retrouve chez des parents pour participer aux travaux agricoles.

— Comment cela, les travaux agricoles ?

— Les quatre dernières semaines, j'étais chez un frère de ma mère pour aider à toutes les tâches de la ferme. Comme il nous fournit des légumes pour l'hiver, mon aide est une façon de le payer en retour.

Pour Jacques Létourneau, même penché sur un champ de pommes de terre, une bêche à la main, un séjour à la campagne lui paraissait mieux que ses longues journées à tuer le temps dans Limoilou.

— J'aurais volontiers troqué ma place contre la tienne, confia-t-il quand le tramway arriva au sommet de la côte d'Abraham.

Raymond éternua bruyamment, sortit son mouchoir de sa poche pour souffler dedans.

— Moi aussi, j'aurais pris ta place. Tu vois, j'ai passé ces semaines à renifler, à éternuer et à me moucher. Je suis sûr que tu as trouvé mieux à faire.

— À Limoilou, précisa Létourneau, tous les garçons de notre âge travaillent. Moi, j'ai joué au baseball avec des gamins du quartier.

Il voulait dire des garçons de douze ou treize ans. Du haut de ses seize ans, cela paraissait très jeune. Devant le marché Montcalm, les écoliers montèrent dans un autre tramway pour parcourir la distance jusqu'au Petit Séminaire. Sur le parvis de la cathédrale d'abord, puis dans la cour de l'institution, des centaines de jeunes gens discutaient avec animation, vêtus du « suisse », l'uniforme de leur institution. Il y avait là des externes, les élèves de la ville qui ne payaient que la scolarité, et les internes, les pensionnaires. Encadrés de près vingt-quatre heures sur vingt-quatre, ceux-là formaient l'élite de la clientèle.

— Fais soigner ce rhume, déclara Jacques Létourneau en se séparant de son camarade afin de rejoindre ses amis.

— J'y songerai, si cela ne disparaît pas tout seul, dit l'autre.

Il regarda le grand blond rejoindre avec plaisir une petite coterie d'écoliers un peu turbulents. Puis il se dirigea vers les membres de la congrégation de la Sainte Vierge. Ce genre de société étudiante, encadrée par un prêtre, devait permettre de développer sa piété. Cette année, il se promettait d'être admis dans toutes les associations de l'établissement.

Bientôt, un vieux prêtre âgé de quatre-vingts ans sortit du Séminaire et secoua une énorme cloche en laiton. Docilement, les élèves formèrent des rangs par groupes-classes, les plus petits devant, les plus grands derrière. Raymond se retrouva parmi les premiers de Belles-Lettres, Jacques avec les derniers.

Au fil des semaines, Thalie prenait de l'assurance. Sa journée de service au dispensaire des pauvres lui permettait de voir défiler sous ses yeux toutes les misères humaines, alors que la clientèle du cabinet du docteur Caron se composait de personnes mieux nanties. Pourtant, pour la totalité de ces clients, sa relation avec eux se terminerait invariablement par l'annonce d'un pronostic fatal. Elle se faisait à l'idée, se réconciliait avec l'éventualité d'annoncer de mauvaises nouvelles.

Le 1er septembre, l'arrivée d'un jeune garçon à la porte de son box lui causa une certaine surprise. Excepté le bout du nez un peu rouge et des yeux cernés, celui-là affichait une santé éclatante.

— Oh! Madame, je vous reconnais, déclara-t-il d'entrée de jeu.

Comme elle arquait les sourcils pour exprimer son étonnement, il expliqua :

— Quand monseigneur Bégin était exposé en chapelle ardente, j'étais juste derrière vous dans la file d'attente.

— Je suis désolée, je n'en garde aucun souvenir.

— C'est naturel, vous étiez avec toute votre famille. Comme j'étais seul, juste derrière…

Et surtout, devina le médecin, ce garçon aimait bien espionner la vie de ses semblables.

— Si vous voulez vous asseoir… si vous désirez voir un médecin, bien sûr.

La présence de ce patient paraissait un peu incongrue.

— Oui, prononça-t-il en s'installant.

Un éternuement intempestif le força à sortir de sa poche un mouchoir rouge avec des carreaux noirs. Thalie le regarda souffler dans la pièce de tissu. Le garçon portait le suisse, une jaquette noire et un pantalon gris.

— Le diagnostic me paraît simple : un vilain rhume des foins. Mais cela ne vous fait rien de consulter une femme ?

— Je ne sais pas. Il le faudrait ?

La réponse prit l'omnipraticienne au dépourvu.

— Non, bien sûr que non.

Elle sortit une chemise et quelques feuilles d'un tiroir et demanda, sa plume à la main :

— Vous me donnez votre nom et votre âge ?

— … J'ai dit tout ça à la religieuse, à l'entrée.

— Je sais, mais comme vous êtes un jeune étudiant du cours classique plein d'avenir, vous serez peut-être mon client pour les soixante prochaines années ainsi que toute votre famille.

L'affirmation amena le garçon à pouffer de rire. Cette jolie femme lui était sympathique. La semaine précédente, Thalie avait fini par céder à la dernière mode des cheveux à la garçonne, coupant ses belles boucles brunes.

— Cela ne risque pas de se produire, expliqua-t-il enfin. J'ai entendu l'appel de Dieu.

Le ton trahissait une extrême fierté : visiblement, l'adolescent considérait sa vocation comme l'ultime accomplissement.

— Tout de même, j'aimerais connaître votre nom et votre âge.

— Raymond Lavallée, j'ai seize ans.

— Vous habitez dans la paroisse Saint-Jean-Baptiste ?

— Non, dans Saint-Roch, rue Grant.

Le médecin prit l'information en note.

— Je vais vous mesurer et vous peser.

De la main, elle désigna la balance surmontée d'une toise, dans un coin de la petite pièce. Tout en notant les chiffres, elle commenta :

— Vous avez donc parcouru une bonne distance pour venir ici.

— Pas vraiment. Les cours du Petit Séminaire commençaient aujourd'hui, les externes ont été libérés un peu plus tôt. Cela me fait juste un petit détour en rentrant à la maison.

— Plutôt un long détour. Maintenant, nous allons nous occuper de ce rhume. Enlevez vos vêtements du haut pour que je vous ausculte.

Afin de ménager la pudeur de son jeune patient, elle retourna à sa place et se pencha sur son dossier. De son côté, le garçon hésita un instant, puis défit la ceinture en tissu lui entourant la taille. La jaquette se retrouva pendue à un crochet, la chemise suivit le même chemin. Quand le médecin releva les yeux, il balbutia :

— Le tricot aussi ?

Devant le signe affirmatif, il se retourna, saisit le bas du vêtement et le souleva. Torse nu, il révélait une constitution robuste. Pas très grand, la gourmandise devait être son péché mignon : une légère couche de gras l'enveloppait.

— Parfait, dit-elle en insérant les embouts de son stéthoscope dans ses oreilles. Le tout prendra juste une minute.

Elle promena l'extrémité métallique sur sa poitrine, les yeux posés sur sa montre. Les battements cardiaques se montraient réguliers, un peu rapides peut-être. Cela tenait sans doute à la timidité. Sauf de jeunes enfants, jamais un individu de sexe masculin ne s'était dénudé ainsi dans son bureau.

Avec une certaine appréhension, elle déplaça le petit instrument vers les poumons, s'emmêlant un peu dans un long ruban noir et déplaçant deux rectangles en toile de même couleur. Sur l'un d'eux, une religieuse avait cousu l'image de la Vierge tenant dans ses bras l'Enfant Jésus, et sur l'autre, un Sacré-Cœur. Il s'agissait du fameux scapulaire.

Profitant de cette proximité, Raymond regardait les traits réguliers de Thalie et ses yeux d'un bleu très sombre. En baissant le regard, il apprécia le col en dentelle de la robe, les seins menus. Finalement, contre toute attente, ce fut elle qui baissa les yeux et se recula, un peu embarrassée.

— Comme je le pensais, vous avez un simple rhume. En cette saison, vous devez croiser de nombreux nez rougis sur votre chemin.

— Dans la salle de classe ce matin, nous étions une douzaine au moins à éternuer.

Planté au milieu de la pièce, ses bretelles sur les fesses, le garçon paraissait bien emprunté, maintenant. Elle allait lui dire de remettre ses vêtements quand son regard se posa sur la jambe droite du pantalon. Une tache rougeâtre le marquait, au niveau de la cuisse.

— C'est du sang que je vois là. Avez-vous été blessé?

Cette fois, le garçon parut troublé, au point de rougir un peu.

— Ce n'est rien. Une égratignure.

— Montrez-moi.

— Voyons… Je ne peux pas.

Montrer sa poitrine était une chose, baisser son pantalon, une autre.

— Je suis votre médecin. Montrez-moi.

Les doigts un peu tremblants, il détacha le bouton de sa ceinture, puis les deux premiers de la braguette. Cela suffit pour baisser le vêtement, jusqu'au bas de son caleçon. Thalie, assise sur sa chaise, tendit les doigts pour le soulever. Elle se retint, l'âge de ce garçon ne lui permettait plus ce genre de privauté. Ce n'était plus un enfant, mais un jeune homme: elle en avait une preuve évidente sous les yeux.

— Levez-le un peu.

Hésitant, il saisit le sous-vêtement du bout des doigts, le remonta.

Une pièce de cuir tressée, attachée très serrée par un nœud à l'intérieur, faisait le tour de la cuisse. Ici et là, des pointes en cuivre avaient été insérées dans la courroie. Il portait un cilice!

En divers endroits, la peau percée laissait échapper un peu de sang. Toutes ces blessures étaient bien superficielles, mais le moindre mouvement entraînait probablement une douleur aiguë. Même la plus parfaite immobilité apportait son lot d'inconfort.

— Je sais ce qu'est un cilice, dit-elle, en levant les yeux vers son visage, même si, je dois l'admettre, j'en vois un pour la première fois. Mais que faites-vous avec cela ?

— C'est pour me mortifier.

Raymond ouvrait de grands yeux, surpris de devoir expliquer une évidence.

— Et les deux petits points rouges, un peu plus bas, qu'est-ce que c'est ?

Un examen un peu plus attentif lui permit d'apercevoir huit de ces points. Ils pouvaient tenir à des piqûres de punaises, une occurrence assez fréquente chez les clients du dispensaire. Mais cette vermine ne se donnait pas la peine de dessiner un motif au moment de s'abreuver de sang. Ces points rouges venaient deux par deux, toujours à égale distance l'un de l'autre, soit environ un pouce.

— Ce sont de petits coups de griffe.

— … Il y en a d'autres sur votre corps ?

— Quelques-uns, de l'autre côté.

Si le rhume lui paraissait sans gravité, cet examen suscitait de l'inquiétude chez l'omnipraticienne.

— Remettez vos vêtements, et venez vous asseoir. J'aimerais bavarder un peu.

Dans cette institution, afin de recevoir tous les miséreux s'entassant dans la salle d'attente, les deux médecins limitaient leur temps de consultation. Toutefois, Thalie acceptait de terminer un peu plus tard sa journée de travail afin de mieux comprendre cet étrange personnage.

Quand le garçon, maintenant un peu plus assuré du simple fait d'avoir remis de l'ordre dans sa tenue, occupa de nouveau la chaise des visiteurs, elle commença :

— Pourquoi portez-vous un cilice ?

— Je vous l'ai dit, pour me mortifier. C'est une façon de me rapprocher de Dieu. Vous avez vu, il ressemble à une couronne d'épines, comme celle de Notre-Seigneur. Évidemment, je ne peux pas la porter sur ma tête...

Plutôt que de lui crier d'enlever tout de suite cette horreur, l'omnipraticienne adoptait un ton badin. C'était certainement le seul moyen d'inspirer confiance à ce garçon, de l'amener à se confier.

— Cela ferait une drôle d'impression, au Petit Séminaire, compléta-t-elle.

— Je ne pense pas que les bons pères prendraient la chose à la légère, admit-il en souriant. Sans doute m'accuseraient-ils du péché d'orgueil.

— Porter le cilice leur semblerait déjà un peu exagéré.

— Certainement pas. Personne n'en parle, mais ils doivent être nombreux à en porter un aussi.

Thalie songea que ce pouvait bien être le cas. À l'origine, le cilice prenait la forme d'un vêtement au tissu très rugueux, porté sur la peau pour susciter un inconfort permanent. Les membres des ordres religieux avaient l'habitude de s'en vêtir. Un certain nombre de prêtres du diocèse de Québec devaient aussi recourir à cet expédient pour assurer la domination de leur esprit sur la chair. Parfois, les plus zélés utilisaient une ceinture munie de pointes en acier tournées vers la peau, s'infligeant de la sorte des blessures sérieuses.

— Jésus n'attend pas cela de vous, plaida l'omnipraticienne, j'en suis certaine.

— Mais il exige tout de nous, même la vie. Et je veux tout lui donner.

Sur ces derniers mots, son visage trahit la plus grande ferveur.

— Et les coups de griffe? Vous faites cela de quelle façon?

— Avec mon compas.

Raymond fit le geste de se frapper la cuisse pour lui montrer comment il s'y prenait.

— Seigneur! Mais pourquoi? Porter le cilice ne vous suffit pas?

Le garçon affichait un curieux mélange de gêne et de fierté. Pour la première fois, il parlait de son enthousiasme religieux à une autre personne que son confesseur ou sa famille. Dans cette pièce toute blanche, soigneusement passée à la chaux pour en faire disparaître tous les risques d'infection, et devant cette jolie femme visiblement compréhensive, se confier devenait facile.

— C'est pour tenir Charlot en échec.

De nouveau, le visage de Thalie trahit la plus grande perplexité.

— Qui est Charlot?

— … Le diable. Il m'accompagne partout où je vais, pour m'induire en tentation. Mais surtout, il se tient dans un coin sombre de ma chambre. Quand je me couche, ou je me lève, il s'avance…

Son interlocutrice comprenait quelles tentations pouvaient alors le tenailler. À l'entendre, le diable revêtait une absolue réalité, comme s'il s'agissait d'un être tangible. Les joues du garçon prenaient une teinte cramoisie à cette évocation.

— Vous vous frappez alors avec le compas…, ajouta-t-elle.

— Je me donne un coup de griffe, et Charlot retourne dans son coin sombre.

S'infliger une douleur intense pour oublier la tentation… Cela devait fonctionner pendant quelques minutes, tout au plus. Pour un effet durable, la torture devait être constante.

— Vous en avez parlé à votre conseiller spirituel?

Dans tous les collèges et les séminaires, les adolescents se faisaient fortement recommander de prendre un directeur de conscience, quelqu'un capable de les guider sur le chemin de la sainteté.

— Je n'en ai pas encore... Sauf le curé de ma paroisse, bien sûr.

— Monseigneur Buteau?

— Oui. Vous le connaissez?

— C'est mon oncle.

Raymond posa sur elle un regard un peu jaloux. Sa propre parenté se composait d'ouvriers et de cultivateurs. Il serait le premier ecclésiastique de sa famille.

— Vous devriez renoncer à ces méthodes excessives, enchaîna-t-elle bientôt. Elles finiront par nuire à votre santé.

— Mais je ne peux pas. Charlot...

Comment une jolie jeune femme pouvait-elle raisonner un garçon si déterminé à mettre le péché en échec? Elle changea abruptement de sujet:

— Dormez-vous suffisamment?

Des cernes assez profonds marquaient le dessous de ses yeux.

— Oui, je dors.

— Suffisamment?

— Je ne dois pas traîner au lit quand je ne dors pas. Je me couche assez tard, ou assez fatigué pour m'endormir aussitôt. Et du moment où je suis éveillé, je saute du lit.

La paresse étant la mère de tous les vices, surtout celui d'impureté, cet empressement limitait les tentations.

— Et si vous faites le total de vos heures de sommeil?

— Six, peut-être sept. Je me lève à cinq heures, je me prépare pour l'école, puis je vais à la messe à la paroisse Saint-Roch.

— Essayez de dormir un peu plus. À votre âge, six heures ne suffisent pas.

Le sujet de conversation amena Thalie à regarder sa montre. Cette consultation s'étirait indûment. En se levant, elle afficha un sourire contraint.

— Je dois vous chasser. Les autres malades…

— Bien sûr, dit-il en se mettant sur ses pieds. Mais pour mon rhume ?

— La fièvre des foins… Il n'y a rien à faire, sauf attendre les premiers gels.

Sur ces mots, elle tendit la main, prenant le garçon au dépourvu par ce geste d'adulte. Il présenta la sienne. Avant de la relâcher, l'omnipraticienne dit encore :

— J'aimerais parler de nouveau avec vous. Vous me promettez de revenir ?

— Je ne sais pas…

— Juste pour poursuivre notre conversation, ici, après la classe. C'est un petit détour, avez-vous dit tout à l'heure.

— J'essaierai.

Thalie le raccompagna jusqu'à la réception et le salua de nouveau. Une seule personne occupait encore la salle d'attente.

— Tout à l'heure, sœur Sainte-Sophie, j'aimerais échanger quelques mots avec vous. Si vous avez le temps, bien sûr.

— Ce sera avec plaisir, je vous assure.

Comme la religieuse paraissait se réjouir du tête-à-tête, elle précisa, un ton plus bas :

— Je veux vous entretenir de ferveur religieuse, mais pas de la mienne.

Des yeux, elle désigna la grande porte par laquelle Raymond Lavallée avait quitté les lieux. L'autre acquiesça, amusée. Puis Thalie passa la tête dans la porte de la salle d'attente en disant :

— Madame, je suis toute à vous.

La patiente lui emboîta le pas en maugréant : « Ce n'est pas trop tôt. » Ses jambes variqueuses, visibles sous sa robe difforme, suffisaient à lui faire pardonner sa mauvaise humeur.

Sœur Sainte-Sophie salua la dernière patiente du docteur Picard lorsque celle-ci quitta les lieux. La réceptionniste attendit l'arrivée de sa remplaçante avant de rejoindre l'omnipraticienne dans son box.

— Vous voilà, commença Thalie. Prenez la chaise. Je regrette de ne pas pouvoir vous offrir un thé, car c'est l'heure.

— Dans ce pays, vous avez emprunté cette habitude aux Anglais. De mon côté, si mon habit m'autorisait à un peu de gourmandise, je prendrais plutôt un café.

Elle s'exprimait avec un accent français, marqué parfois des inflexions de son pays d'adoption.

— Je me munirai d'un thermos bientôt, et je vous inciterai au péché. Je ferai un véritable Charlot de moi.

L'autre fronça les sourcils avant de déclarer :

— Je céderai peut-être à la tentation, quitte à me passer de dessert au réfectoire. Mais d'abord, expliquez-moi qui est ce Charlot.

— Le garçon de tout à l'heure m'a expliqué que Charlot, le diable, l'accompagne toute la journée en lui tendant des pièges. Pour se prémunir contre ses interventions, il se promène avec un cilice sur la cuisse.

De la main, elle indiqua l'endroit sur sa propre cuisse, près du sexe.

— Le sang marquait son sous-vêtement, et même le pantalon. La douleur doit être constante et aiguë. Il est venu à pied depuis le Petit Séminaire, il devait rentrer à Saint-Roch de la même façon. Même marcher doit lui être intolérable.

— ... De nombreux membres du clergé font la même chose. Porter ce genre d'instrument, je veux dire. Des laïcs aussi.

— Il fait cela pour maintenir Charlot à distance. Ce garçon a seize ans... Vous savez ce qui hante leur esprit, à cet âge.

Puis, le rouge monta aux joues de la jeune femme.

— Oh! Excusez-moi.

Évoquer les tourments de la chair devant une femme promise à Dieu lui paraissait terriblement déplacé.

— Me croyez-vous née dans un chou, ricana l'autre, épargnée par le péché originel, faite d'une matière différente de celle des autres êtres humains?

Thalie garda le silence. Avoir côtoyé des religieuses au couvent des Ursulines, puis en de rares occasions ensuite, ne changeait rien à son ignorance de la vie des personnes choisissant cette vocation.

— Je suppose que oui, admit-elle. En réalité, je n'y ai jamais vraiment pensé.

— Vous connaissez la congrégation dont je fais partie?

— Les sœurs de l'Espérance?

— Ce n'est pas le nom original de cet ordre, mais celui que nous a donné monseigneur Bruchési à notre arrivée au Canada. Je fais partie des sœurs de la Sainte-Famille de Bordeaux. Comme un groupe s'appelait déjà les sœurs de l'Espérance, qu'une communauté de la Sainte-Famille existait déjà ici...

Le docteur Picard ne se distinguait pas par sa patience. L'histoire de la venue des congrégations religieuses françaises dans la province de Québec lui paraissait bien éloignée du cilice de Raymond Lavallée.

— Oui, oui, prononça-t-elle, un pli au milieu du front.

— Ne vous inquiétez pas, la rassura sa collaboratrice, nous viendrons bientôt à ce qui hante les esprits des garçons, et aussi des filles, à seize ans, et même plus tard. Je faisais partie de cette section des sœurs de l'Espérance. Grâce à Bruchési, ici, on ne nous désigne plus autrement. Là-bas, nous nous consacrions au soin des malades les plus nantis à leur domicile. Vous avez certainement lu des histoires sur la déchristianisation de la France. L'idée était simple : la maladie frappait une famille de mécréants, on nous appelait à cause de notre compétence, et en travaillant à la guérison des corps, doucement nous travaillions à la conversion de la maisonnée.

Elle s'arrêta au terme de son monologue, un sourire narquois sur les lèvres.

— … Cela fonctionnait-il ? demanda Thalie.

— Pas très bien. Oh ! Il y a peut-être eu des conversions, mais l'influence s'exerçait parfois aussi dans l'autre sens.

L'omnipraticienne préféra ne poser aucune question devant le caractère délicat de l'aveu.

— Voyez-vous, placer une jeune religieuse dans une famille prospère et libre d'esprit comporte des risques. Si vous considérez ensuite que le malade peut être jeune, beau, aimable… La nonne peut s'enticher de lui, perdre son âme.

Thalie demeura un long moment interloquée, les yeux rivés dans ceux de son interlocutrice. Pour mettre fin au silence, elle demanda :

— Et dans ce cas, qu'est-il arrivé à la religieuse ?

— On l'a envoyée en exil au Canada. Elle travaille maintenant dans une écurie qui se donne des airs d'hôpital… ou le contraire, je ne sais trop.

La jeune laïque se mit à contempler ses doigts. Parfois, ne pas avoir une tasse de thé pour se donner une contenance se montrait regrettable.

— Raymond Lavallée parle du diable comme s'il se trouvait réellement dans sa chambre. Si Charlot quitte son coin, il se donne un coup de compas dans la cuisse. Quand il se trouve au lit…

— Charlot accourt. Et en plus du compas, il s'astreint au cilice toute la journée. Son monde paraît receler bien des tentations. Cela signifie simplement qu'il est jeune et en bonne santé. Mais comme je le disais tout à l'heure, des gens haut placés dans l'Église lui donnent l'exemple de ce genre… de détermination. Il le fait peut-être même sur les conseils de son confesseur.

C'était bien probable. Pareil enthousiasme religieux ne se développait pas en vase clos, le garçon devait fréquenter assidûment son pasteur.

— Il y a fait allusion. Son curé est mon oncle Buteau.

— Un prélat dans votre famille ? Vous me réservez toutes les surprises.

— Du côté de maman. Du côté de papa, aucune trace de sainteté, seulement du commerce de détail.

— Le mieux serait d'en parler à votre parent, suggéra sœur Sainte-Sophie. Car je devine que vous trouvez la frénésie religieuse de votre patient tout à fait exagérée. Ce prêtre pourra sans doute le raisonner, lui suggérer un peu plus de retenue dans sa lutte contre les tentations.

— Ce garçon risque de nuire gravement à sa santé… pensez juste aux risques d'infection de toutes ces blessures liées au cilice.

Elle resta songeuse un instant, puis se résolut à dire toute la vérité.

— Je sais bien que dans des circonstances normales, je pourrais discuter tout simplement de la chose avec mon oncle. Mais voyez-vous, je n'ai jamais eu de rapport avec cet homme. Je ne me souviens même pas d'une conversation avec lui. Même maman... Il est venu parfois à la boutique et jamais elle ne l'a laissé monter à l'appartement privé.

— Dommage, mais je ne comprends pas encore pourquoi vous avez tenu à me parler de tout cela. Est-ce seulement pour obtenir mon avis ? Dans ce cas, le voilà : je partage votre opinion, pareille pratique chez un enfant me paraît exagérée.

Thalie se redressa sur sa chaise, désolée d'empiéter sur le temps de repos de la pauvre femme devant elle.

— Vous pourriez peut-être parler à mon oncle. Votre statut...

L'autre éclata de rire. De nouveau, le médecin se sentit rougir un peu.

— Je vous apprécie beaucoup, vous savez, confia la religieuse. Généreuse, profondément dévouée aux gens qui défilent ici. Naïve aussi. Cela contribue à votre charme. Je ne parlerai pas à votre oncle. En prenant cet habit, j'ai fait le vœu de chasteté, de pauvreté et d'obéissance. Ma supérieure ne me permettrait pas de me rendre au presbytère Saint-Roch.

— Mais votre habit, justement...

— Mon habit ne rendrait pas monseigneur Buteau plus attentif à mes paroles, vous le savez autant que moi.

À tout le moins, le médecin s'en doutait. Elle leva les yeux, un peu mal à l'aise.

— Je suis désolée d'avoir ainsi abusé de votre temps. Vous aurez bientôt droit à votre tasse de café pour me faire pardonner.

En posant la main sur la poignée de porte, la religieuse se retourna pour demander encore :

— Maintenant, que ferez-vous ?

— Tenter de parler au saint homme de la paroisse Saint-Roch, comme une grande fille.

Dans le regard de sœur Sainte-Sophie, elle lut le plus grand scepticisme. Elle connaissait visiblement sa réputation.

Chapitre 11

Le tramway lui parut progresser trop lentement dans la rue Saint-Jean. Thalie serait une fois de plus en retard pour le souper, et elle se livrerait aux exercices suggérés par madame Hardy-Paquet l'estomac plein. Elle risquait de ressentir encore une furieuse envie de vomir.

Descendue au coin de la rue de la Fabrique, un attroupement l'empêcha de progresser vers la boutique. Deux cents femmes peut-être, les plus jeunes de seize ans à peine, les plus âgées devant aller vers leurs quatre-vingts ans, encombraient l'un des trottoirs. Elles tenaient toutes un chapelet à la main, grommelant des *Je vous salue, Marie* à la dizaine.

Thalie songea à changer de trottoir, mais la curiosité l'emporta.

— Madame, demanda-t-elle à une matrone fermant la procession, de quoi s'agit-il ?

— Nous venons déposer une pétition à l'hôtel de ville. Il y a une réunion du conseil ce soir.

— À quel sujet ? Je n'en ai pas entendu parler.

— … Tous les curés de la ville l'ont abordé dans leur sermon, dimanche.

Un peu plus, et la ménagère accusait son interlocutrice de déserter le rendez-vous dominical à l'église. Un meilleur examen lui permit de deviner la classe sociale de la jeune femme, ce qui l'incita à baisser le ton.

— Nous sommes avec monseigneur Buteau, ajouta-t-elle.

— Mon oncle ? Je vais aller lui parler. Mais vous ne m'avez pas dit l'objet de cette pétition.

— Les affiches immorales posées à la porte des cinémas. Vous les avez certainement remarquées. Aucune femme honnête ne peut tolérer de les voir.

— Mais dans ce cas, comment vous et moi aurions pu les remarquer, si nous ne pouvons les voir ? Nous sommes toutes les deux honnêtes, n'est-ce pas ?

L'autre ne sut que répondre à la saillie. Thalie fendit le contingent de femmes en prière, en se disant : « Le trouver sur mon chemin aujourd'hui est certainement un signe du destin. » Avec cette assurance, elle marcha vers la silhouette noire debout sur la dernière marche de l'escalier donnant accès à l'hôtel de ville.

L'homme était un peu déçu de son maigre effectif. Toutes les associations féminines de la Basse-Ville regroupaient des milliers de membres. Seule une petite fraction s'était donné la peine de se déplacer ce soir. Lors de ses prochains sermons, il devrait associer plus nettement le péché de la luxure, si scandaleusement exposé par le cinéma américain, et les flammes éternelles.

— Oncle Émile, fit une voix à ses côtés. Ou plutôt, monseigneur Buteau… Je ne sais pas comment m'adresser à vous.

Il baissa les yeux sur la petite femme debout sur la première marche, bien droite, une couronne de cheveux noirs sous son chapeau, les yeux d'un bleu très sombre. La ressemblance ne pouvait pas le tromper. Il descendit à la hauteur de son interlocutrice.

— Vous devez être Thalie.

— C'est moi.

— Quand je vous ai vue la dernière fois, vous étiez une petite fille.

— J'ai habité plusieurs années à Montréal.

La distance entre eux ne tenait pas à la géographie, mais aux rapports inexistants entre le frère et la sœur. Le prêtre la regarda encore de la tête aux pieds. Ses yeux rappelaient ceux d'un inquisiteur.

— Je sais. Vous avez fait des études de médecine.

Le mot résonnait comme une accusation, au point que Thalie eut envie de s'en défendre. Pour mettre fin à cet échange étrange, elle murmura :

— Je vois que vous êtes très occupé. Je voulais vous demander une entrevue.

Cette fois, ce fut au tour de l'ecclésiastique d'accuser la surprise.

— Je suppose que vous êtes occupée toute la semaine, dit-il. Que diriez-vous de dimanche, en après-midi ?

— Cela me va tout à fait, mon oncle… monseigneur. Merci.

Plutôt que de bafouiller encore, la jeune femme tourna les talons pour regagner son domicile. Émile Buteau remonta sur la marche la plus élevée de l'escalier pour avoir une meilleure vue de son troupeau.

— Mes sœurs, commença-t-il en levant la main pour attirer leur attention, nous allons chanter un *Ave Maria* pour renforcer notre résolution en attendant le début du conseil.

La résolution du saint homme lui-même ne demandait aucun renforcement, mais il voulait faire en sorte que les élus municipaux, dans leurs bureaux, entendent les voix. Ainsi, ils pourraient mesurer sa capacité de rallier des appuis.

Lorsque la petite armée privée de monseigneur Buteau envahit l'hôtel de ville, la plupart des personnes présentes férues de politique municipale préférèrent lui abandonner les lieux. Les magouilles sur les terrains, les problèmes de collecte des ordures tout comme les insuffisances du système d'égout animaient la soirée. Cet ecclésiastique la transformerait en un étalage de bondieuseries.

Les égéries du catholicisme occupèrent la quasi-totalité des chaises destinées au public, d'autres s'appuyèrent contre les murs. La plupart demeurèrent dans les couloirs à dire leur chapelet, créant un bourdonnement continu un peu étrange.

— Nous avions un ordre du jour un peu chargé, commença le maire Joseph-Octave Samson, mais l'arrivée inopinée de si nombreuses visiteuses nous amènera à le modifier un peu. Car vous voulez sans doute ajouter un sujet de discussion… Comment devrions-nous l'intituler ?

La question, lancée à la volée, laissa la présidente des Dames de Sainte-Anne muette de timidité, malgré son âge et une moustache rivalisant avec celle du chef de police Trudel. La présidente des Enfants de Marie, la fille d'un notaire de la rue Desfossés, réalisa combien il était plus facile de prendre la parole devant ses camarades du couvent de la congrégation Notre-Dame. Dans cette auguste enceinte, les mots s'étranglèrent dans sa gorge. Effrayée de devoir prendre la relève, la responsable des Filles d'Isabelle ressentit une envie soudaine de soulager sa vessie.

— Nous voulons déposer une pétition demandant aux autorités municipales de mettre fin à la campagne de démoralisation de notre jeunesse, rugit le bon ecclésiastique, déterminé à se faire entendre.

L'habitude de s'exprimer devant des centaines de paroissiens le préparait bien mal à une assemblée de ce genre. Les
échevins se faisaient face derrière des bureaux en chêne
répartis sur deux rangées, celui du maire un peu au-dessus
des autres. Penché sur une table, le secrétaire, une plume à
la main, s'apprêtait à dresser le procès-verbal.

— Inscrivez «Dépôt d'une pétition», lui indiqua le
premier magistrat.

Émile Buteau songea à protester devant un intitulé si
modeste mais réprima plutôt sa juste colère.

— Vous voudrez bien nous expliquer ce dont il s'agit,
monseigneur, continua Samson.

— ... Nous avons ici une pétition signée par quatre mille
membres des associations féminines de la ville. Des associations catholiques.

La précision ne servait à rien. Le seul membre protestant
du conseil l'avait deviné lui aussi. Le nombre imposant de
pétitionnaires amena toutefois les élus à adopter une mine
grave, préoccupée.

— Cette pétition demande l'interdiction de tout affichage à la porte des théâtres et des cinémas.

— Les commerces ont le droit de faire de la publicité,
remarqua un échevin, sinon nos concitoyens ne sauront pas
ce qu'ils ont à vendre.

— Nous ne parlons pas ici de maisons désireuses de
vendre des vêtements ou de la viande, mais de salles obscures où les Américains nous débitent le péché, la perver-
sion, pour atteindre les fondements mêmes de la foi
catholique et nous faire disparaître comme peuple.

Le discours n'avait rien de nouveau, la *Semaine religieuse
de Québec*, *L'Action catholique* et les bulletins paroissiaux
comme *La Bonne Parole* le distillaient depuis un quart de
siècle.

— Le cinéma demeure le seul loisir accessible à la classe ouvrière, remarqua l'échevin du quartier Saint-Sauveur.

La tradition voulait que l'un des sièges de la Basse-Ville revienne à des militants du mouvement ouvrier. Membre des syndicats catholiques, cet échevin se ferait passer un savon par son aumônier, l'un des vicaires de la paroisse Saint-Roch.

— Comment peut-on se reposer, caché dans une salle obscure, à contempler un spectacle fétide ?

La situation risquait de s'envenimer. Dans la salle, les journalistes de *L'Événement* et de *L'Action catholique* noircissaient les pages de leur carnet. Même celui du *Soleil*, « l'organe du Parti libéral » pouvait-on lire en première page, devrait rendre compte de cette manifestation. Comme le conseil de ville se composait en majorité de membres de cette organisation politique, le ton de l'article leur donnerait le beau rôle. Le maire entendit toutefois limiter les dégâts.

— Le Conseil municipal donnera à votre pétition toute l'attention qu'elle mérite, soyez-en assuré.

Cela ne ressemblait guère à un engagement d'agir. Le politicien jugea bon d'offrir une tribune au curé, afin de limiter les risques de voir l'ensemble des membres du clergé intervenir dans la prochaine campagne électorale.

— De toute façon, vous évoquiez les affiches, n'est-ce pas ?

— Elles montrent les femmes déshabillées, intervint la présidente des Dames de Sainte-Anne.

La bonne ménagère avait miraculeusement retrouvé la parole.

— Madame, là vous me surprenez, plaida le maire. Les affiches, tout comme les films eux-mêmes, font l'objet d'un examen par le Bureau de la censure.

Cette institution faisait d'ailleurs un travail si efficace que des films se trouvaient parfois projetés dans les salles après avoir été amputés de la moitié de leur contenu. Pareil charcutage conduisait les sociétés de distribution américaines à menacer de ne plus alimenter les cinémas de la province.

— Des gens contournent les avis du Bureau de la censure, tonna Buteau. Nous l'avons bien vu, juste de l'autre côté de la rue.

En janvier 1924, le propriétaire du cinéma Empire avait présenté un film sans avoir reçu le visa du Bureau. Le précédent horrifiait encore les membres du clergé.

— Ce genre d'événement est arrivé une seule fois, plaida encore le maire, et il y a eu condamnation.

— Quelques dollars d'amende. Puis même si le visa est émis, cela n'empêche pas certaines affiches d'être obscènes.

Le prêtre n'en démordait pas : sa ville se trouvait souillée par les images venues des États-Unis. Nouveau croisé, il entendait la purifier avant qu'elle connaisse le sort de Sodome et Gomorrhe, les cités de la Bible détruites par Dieu.

— Le Bureau de la censure ne relève pas de la compétence des autorités municipales, rappela le maire Samson. Je ne peux rien faire à ce sujet.

— Mais la ville peut réglementer l'affichage, contra l'ecclésiastique. Le conseil a toute la latitude pour nettoyer Québec de ces images dégradantes.

Un murmure parcourut l'assemblée de femmes. Heureusement, aucune d'entre elles n'avait le droit de vote, sinon le parti des soutanes dirigerait toutes les institutions politiques de la province.

— Nous allons donner toute notre attention à votre pétition, je vous en ai donné l'assurance tout à l'heure.

Le magistrat présentait maintenant un visage sombre.

— Quel est le prochain point à l'ordre du jour ? demanda-t-il au secrétaire.

— Le contrat du ramassage des ordures.

— C'est vrai. L'entente avec monsieur Demers arrive à son terme.

Debout au milieu de l'enceinte, monseigneur Buteau prit comme une insulte de se voir chasser de la sorte. Déjà, des femmes quittaient les lieux, pressées de regagner la maison à temps pour mettre les enfants au lit. Après avoir posé les yeux sur chacun des échevins l'un après l'autre, lui aussi sortit de la salle.

Tous les jours depuis le mardi matin précédent, Raymond Lavallée, toujours reniflant, ne demandait plus la permission de prendre la seconde place sur la banquette déjà occupée par Jacques Létourneau. Ce vendredi, cependant, son camarade poussa un long soupir de lassitude. Sa compagnie ne le réjouissant pas outre mesure, il songeait déjà à emprunter un autre tramway.

— Nous arrivons un peu trop tard à l'école, glissa Raymond d'une voix un peu déçue.

— En retard pour quoi ? Les cours ne commencent jamais avant huit heures.

— Pour la messe des internes. Nous devrions y assister.

L'autre lui jeta un regard surpris, avant d'opposer :

— Mais tu m'as dit hier assister à la messe tous les matins, dans ta paroisse.

— J'essaie d'arriver à l'église à cinq heures, pour me recueillir. La messe a lieu à six heures.

— Quelle vie passionnante !

Létourneau ne faisait aucun effort pour afficher une religiosité qu'il ne ressentait pas, profitant sans vergogne de l'avantage d'être un externe au Séminaire. La surveillance se trouvait moins obsessionnelle pour les écoliers habitant la ville. Pour lui, les obligations dominicales et la confession mensuelle paraissaient bien suffisantes.

— Mais je pourrais mettre un morceau de pain dans ma poche en me levant, avant de me rendre à l'église Saint-Roch. Si nous partions juste une demi-heure plus tôt, nous pourrions assister à la messe au Petit Séminaire et communier.

Le caractère public de ce sacrement incitait le garçon à s'y soumettre devant ses maîtres.

— Deux fois dans la même journée ! Si tu continues, ton auréole ne passera plus dans les portes.

Le garçon blond leva sa main droite, comme pour se protéger d'un coup accidentel de cet attribut de la sainteté.

— Tu ne devrais pas prendre ces choses-là à la légère, l'admonesta son camarade.

— Je suppose que je suis déjà damné, alors ne t'en fais pas pour moi.

Pareille insouciance troublait Raymond. La proximité physique de son camarade ajoutait à son malaise... Il se tut jusqu'au marché Montcalm. Après avoir changé de voiture, les deux garçons durent demeurer debout, pendus d'une main à des poignées en cuir accrochées au plafond. Heureusement, la distance à parcourir était bien courte. En pénétrant dans la cour intérieure du Séminaire, l'adolescent déclara encore :

— C'est entendu, lundi prochain, nous partirons une demi-heure plus tôt afin d'assister à la messe à la chapelle ?

— Mais tu y tiens vraiment ! On dirait que tu insistes auprès d'une jolie fille pour avoir un rendez-vous galant. Sois prudent, les prêtres ici nous incitent à faire très attention aux amitiés particulières.

Sur ces mots, il tourna les talons pour s'éloigner en riant. Les joues un peu cramoisies de gêne, Raymond se frappa le haut de la cuisse droite avec rage. Les pointes en cuivre s'enfoncèrent dans sa chair. De nouveau, sa mère le disputerait pour les taches de sang sur le sous-vêtement et le pantalon. La sainte femme passait scrupuleusement sous silence les autres souillures.

Présenter toujours une audace un peu crâneuse n'empêchait pas Thalie de se sentir souvent bien impressionnée. Ce dimanche à table, Marie avait appris avec surprise son intention de se rendre au presbytère de la paroisse Saint-Roch. Avec de nombreux sous-entendus destinés à respecter le secret professionnel, l'omnipraticienne rendit compte de son intention.

— Si tu comptes sur son aide, tu seras déçue! déclara la mère comme un mauvais oracle.

— Il a certainement à cœur le bien de son jeune paroissien.

— Émile a à cœur le bien d'Émile. Personne d'autre ne lui importe.

Des souvenirs vieux de bientôt trente ans lui revenaient en mémoire. L'égoïsme de cet homme, alors qu'elle lui annonçait être enceinte de Mathieu, lui avait fait perdre toutes ses illusions.

— Et au passage, ajouta-t-elle, je ne serais pas surprise qu'il saisisse l'occasion pour te dire comment vivre ta vie.

Ces sombres prédictions en mémoire, Thalie frappa à la porte du presbytère un peu après quatorze heures. Comme la réponse tardait, elle se retourna pour contempler le jardin et le Sacré-Cœur érigé au centre. Sur le trottoir, les passants jetaient des yeux à la fois respectueux et craintifs vers la grande bâtisse en pierre. Là habitait celui qui sondait leurs pensées, réglait leurs actions, surveillait leurs comportements pour les amener au salut éternel. Tous ces gens formaient le troupeau dont il était le pasteur.

Un bruit se fit entendre dans son dos, elle se retourna pour voir une religieuse ouvrir la porte. Haute de cinq pieds peut-être, ronde comme un tonneau, elle demanda :

— Mademoiselle… madame ?

À vingt-cinq ans, des gants dissimulant la présence, ou l'absence, d'une alliance, Thalie se voyait de plus en plus souvent interpellée de cette dernière façon.

— Docteur Picard, corrigea-t-elle. Je désire rencontrer mon oncle Émile.

La religieuse haussa les sourcils en entendant le titre professionnel, puis répondit d'une voix sceptique :

— Entrez, je vais aller voir si monseigneur peut vous recevoir.

Si la visiteuse n'eut pas à attendre en plein air, la domestique ne lui offrit cependant pas de s'asseoir. En frappant à la porte de son employeur, elle avait la conviction de devoir bientôt chasser l'intruse.

— Monseigneur, une jeune femme veut vous voir. Elle dit s'appeler… docteur Picard.

À sa grande surprise, l'homme leva les yeux de son travail en admettant :

— J'oubliais… J'ai donné rendez-vous à ma nièce.

Étonnée et à peine un peu plus polie, la religieuse revint à l'entrée chercher la visiteuse. Marchant derrière elle, en voyant le gros derrière dont le mouvement rappelait le dandinement d'un canard, celle-ci songea à l'histoire de sœur Sainte-Sophie. Son guide ne courait guère le risque de soulever la concupiscence de l'un des quelques habitants de ces lieux lugubres. En conséquence, on ne l'enverrait jamais chez les Esquimaux pour expier une faute.

Quand elle pénétra dans le bureau, Émile Buteau quitta sa place pour venir vers elle, la main tendue, la paume tournée vers le sol. «Il me présente son anneau à baiser», songea la visiteuse. Se plier à cet usage lui aurait écorché les lèvres. À la place, elle serra la main en disant :

— C'est si gentil à vous de me recevoir, mon oncle.

Le rappel du lien de parenté devait lui faire pardonner l'accroc au respect dû à Sa Grandeur. L'autre ne se montra pas trop déçu.

— Prends ce fauteuil.

Le passage au tutoiement, chez une autre personne que cet ecclésiastique morose, aurait signifié un désir de rapprochement, un rappel de leurs liens. Le prêtre l'utilisait pour marquer sa supériorité, en particulier dans ses rapports avec une jolie femme. Le mépris servait de barricade à ses sens. Il reprit sa place derrière le lourd bureau encombré de feuilles de papier couvertes d'une écriture serrée.

— Thalie, après toutes ces années, je ne t'aurais pas reconnue, si ce n'était ta ressemblance avec Marie.

— Pourtant, les gens évoquent plus volontiers une ressemblance avec papa.

Monseigneur Buteau se souvenait fort bien de son entretien avec ce mécréant.

— Ici, ici et ici…

De la main, il montrait la mâchoire, le menton, la bouche.

— … C'est vrai, certains de tes traits me rappellent Alfred Picard. Mais les yeux et le front sont tout à fait ceux de ma sœur.

Après l'avoir vu reconnaître ainsi ses liens de parenté avec lui, la jeune femme se sentit un peu rassurée. Cette conversation se déroulerait peut-être sur un ton plus sympathique.

— Maintenant, vas-tu me dire ce qui t'amène ?

— Bien sûr… quoique je doive prendre garde au secret professionnel.

L'ecclésiastique tiqua un peu devant la prétention d'une femme à occuper une profession. Cela tenait de l'hérésie.

— L'un de vos paroissiens, Raymond Lavallée, est venu me voir la semaine dernière pour une consultation.

D'un signe de la tête, Buteau fit un geste d'assentiment.

— Au cours de l'examen, j'ai remarqué qu'il portait un cilice. De plus, son corps montrait quelques blessures. Le garçon se les inflige en guise de mortification.

L'homme posait sur elle des yeux sévères.

— J'entends ce que tu me dis, mais je ne vois pas pourquoi tu me confies tout cela.

— … Il fait cela pour éloigner la tentation.

— Ces sacrifices servent justement cette fin ! Les croyants les acceptent pour se rapprocher de Dieu et éloigner le démon.

Thalie se demanda si son interlocuteur ne portait pas lui-même un cilice. «Non, conclut-elle après réflexion. Sa mine sinistre tient sans doute à la dyspepsie, ou à la mauvaise conscience.»

— Il s'agit encore d'un enfant, insista-t-elle.

— À seize ans, on est peut-être un enfant dans la Haute-Ville. Ici, les garçons et les filles gagnent leur vie, à cet âge.

— Cela n'en fait pas des adultes pour autant. À titre de pasteur, vous pourriez l'inciter à plus de retenue. Il risque de compromettre sa santé.

— Ce garçon est certainement capable de mesurer ses actions. Il a l'âge de raison.

Maintenant, monseigneur Buteau regardait sa nièce avec une certaine curiosité. Elle argumentait avec lui, gardant ses yeux dans les siens, sûre de sa compétence. Pareille prétention chez une femme, devant un homme en plus, lui paraissait scandaleuse. Le sexe faible devait se soumettre au sexe fort : c'était dans l'ordre des choses voulu par Dieu. Celle-là confinait au sacrilège en exposant un membre du clergé à sa morgue. Surtout, il ne s'agissait plus d'une femme, mais de l'un de ces êtres hybrides, monstrueux, nés du féminisme.

— Il parle du diable comme d'une entité réelle, insista Thalie. Il l'appelle Charlot, le voit dans sa chambre. Ce n'est pas le signe d'un esprit équilibré, cela.

— Jean-Marie-Baptiste Vianney, le saint curé d'Ars, affrontait le diable toutes les nuits, dans sa chambre. Il lui livrait des combats à mains nues qui le laissaient épuisé au matin. Il appelait son adversaire démoniaque «Le Grappin». Tu veux dire que, selon ta science, ce saint était bon pour l'asile ?

Thalie eut envie de lancer un «oui» tonitruant. Mais pareille réaction lui aurait valu au moins une interdiction des sacrements, au pire une excommunication pure et simple. Dans une telle éventualité, elle aurait été condamnée à se convertir au protestantisme et à poursuivre sa carrière ailleurs au Canada, ou même aux États-Unis.

— Bien sûr que non, admit-elle en baissant les yeux pour la première fois. Nous parlons ici d'un garçon de seize ans un peu exalté, susceptible de nuire à sa santé. Vous voudrez bien lui parler un peu ?

— Je parle tous les jours à mes paroissiens.

— Je vous remercie, c'est très gentil… Je m'excuse d'avoir pris tellement de votre temps.

Elle fit mine de se lever pour partir, vaincue, soucieuse maintenant de quitter cet endroit. Le prêtre lui fit signe d'attendre.

— Cette question réglée, nous pouvons bien échanger quelques mots, n'est-ce pas ?

— … Bien sûr.

Les fesses sur le bout de sa chaise, elle attendit.

— Tu es née en 1900, je crois.

— Avec le siècle, oui.

— Cela te fait donc vingt-cinq ans.

Elle acquiesça, certaine de ce qui allait suivre.

— Il n'y a pas encore de mariage en vue ?

— Pour tout vous dire, il n'y a pas de prétendant en vue. Encore moins une cérémonie.

— C'est inaccoutumé. Ce vêtement – des mains, il désigna sa robe violette – ne me rend pas aveugle. Tu es une jolie fille.

Thalie songea à le remercier du compliment, mais jugea préférable de présenter un plaidoyer.

— Avec les études, puis maintenant le travail, je ne peux pas dire que j'aie le temps de songer au mariage.

— D'une certaine façon, tu illustres parfaitement le bien-fondé de la position de l'Église. L'accès aux professions empêche les femmes de s'engager dans la seule carrière que Dieu leur destine : la maternité. Leur interdire cet accès leur donne la chance de se réaliser vraiment, au lieu de céder à leur vanité et prétendre occuper une fonction qu'elles n'ont ni la force, ni l'intelligence de mener à bien.

La visiteuse eut envie de répliquer que si Dieu désirait faire des mères de toutes les femmes, il devait nécessairement en aller de même de la paternité et des hommes, sinon les épouses seraient à court d'époux! Mais ce point de vue aussi lui vaudrait les foudres de l'Église.

— Je ne sais pas, plaida-t-elle prudemment. Je côtoie toutes les semaines des sœurs de l'Espérance. Elles me paraissent bien incarner un engagement sincère à la fois envers Dieu et envers leurs semblables, dans le célibat.

Buteau, interdit, demanda:

— Songes-tu à devenir religieuse?

— Je réfléchis souvent à mon engagement. Le célibat me paraît propice à celui-ci.

Sur cette réponse évasive, elle se leva, résolue à quitter les lieux avant de promettre de devenir novice.

— Maman va m'attendre, s'excusa-t-elle, à la façon d'une enfant.

L'ecclésiastique se leva aussi, amusé par le mauvais prétexte.

— Bien sûr, je ne voudrais pas perturber l'horaire de Marie, approuva-t-il en l'accompagnant jusqu'à la porte.

De nouveau, l'homme tendit la main, la paume tournée vers le sol. Thalie eut envie de s'esquiver en faisant semblant de n'avoir rien vu. Finalement, écœurée de sa propre faiblesse, elle capitula et posa les lèvres sur l'anneau.

— J'aurai plaisir à te revoir, conclut-il. Nous pourrions discuter encore de célibat et de vocation.

Comme la visiteuse ne répondit pas, il ajouta:

— Transmets mes meilleures salutations à ta mère.

Pendant que, littéralement, elle prenait la fuite, le prélat souriait de toutes ses dents. Il avait maté l'une de ces féministes.

L'appel téléphonique de monseigneur Buteau eut lieu un peu avant l'heure du souper. Le saint homme n'avait pas l'intention de se priver de son repas, et cette rencontre ne risquait guère de troubler sa digestion. Il fixa un rendez-vous au jeune homme à sept heures trente.

Pour tous les autres paroissiens, pareille invitation aurait été une source de malaise, sinon d'inquiétude. Raymond Lavallée la considéra comme un hommage à sa vertu. Sa très grande assiduité à accomplir ses devoirs religieux ne pouvait passer inaperçue ! En sortant, il ne se gêna pas pour jeter un petit regard triomphant à son père.

L'adolescent fut accueilli par la religieuse faisant office de domestique. Avertie de sa venue, elle le conduisit sans discuter au bureau du curé. Raymond apprécia au passage les nombreux portraits des saints accrochés aux murs du couloir. Si la chose était possible, avoir accès au presbytère accroissait son désir de devenir prêtre. Jusque-là, il avait vu ces hommes dans l'exercice de leur «profession», dans le cadre de cérémonies somptueuses – à ses yeux d'enfant, même la messe déclamée en latin dans les vapeurs d'encens méritait ce qualificatif.

Là, il contemplait le décor de cette grande demeure, les servantes, le mobilier. En plus de la considération dont jouissait le personnel clérical, qui lui valait la place la plus honorable partout et les compliments les plus ampoulés, il profitait aussi d'un niveau de confort inconnu de la totalité des habitants de la paroisse.

— Monseigneur, demanda la religieuse en entrant dans le bureau du prêtre, désirez-vous quelque chose à boire ?

Des yeux, elle désignait le visiteur debout près d'elle, sanglé dans son uniforme d'élève du Petit Séminaire. La pauvre femme se découvrait tardivement une fibre maternelle et aurait aimé préparer un chocolat chaud à cet adolescent intimidé.

— Non merci, ma sœur.

Elle se retira, un peu déçue. Monseigneur Buteau enchaîna :

— Assieds-toi. Il y a quelques semaines, tu avais évoqué le désir d'une conversation, mais je t'ai à peine revu ensuite.

L'homme ne se sentait nullement enclin à donner suite à la démarche de sa nièce Thalie afin d'inciter ce garçon à faire un usage plus modéré de la mortification. Elle avait toutefois éveillé sa curiosité.

— Mes parents m'ont imposé un exil, indiqua Raymond.

Afin de ne pas donner l'impression d'être un mauvais fils, il ajouta avec empressement :

— Je suis allé aider un oncle agriculteur dont le fils aîné est tombé gravement malade.

— C'est un geste très généreux de la part de tes parents, et de la tienne.

— Oui, monseigneur.

Inutile de préciser combien la corvée lui était apparue pesante, ni l'aspect commercial de l'aventure. En octobre, Onézime Tousignant mettrait deux poches de cinquante livres de pommes de terre dans le train, à l'intention de son beau-frère.

— Puis les travaux des champs ont dû te faire le plus grand bien. Quelques semaines de grand air, un travail physique, cela prédispose à l'étude.

— Dès le premier jour, j'ai attrapé le rhume.

Comme pour appuyer ses dires, un éternuement le prit au dépourvu. En s'excusant, il sortit son mouchoir pour souffler bruyamment dedans.

— Tout de même, tu n'as pas l'air trop affecté, soutint le curé, un peu moqueur.

— Depuis que je suis de retour dans la paroisse, je me porte mieux.

Cela tenait peut-être au fait de se rapprocher de son pasteur. Plus vraisemblablement, en s'éloignant de la source du pollen, il avait moins de symptômes.

— Tu penses toujours à devenir prêtre? demanda l'ecclésiastique, soucieux d'en venir au fait.

— Plus que jamais. Ces semaines au milieu d'une famille chrétienne…

Même aux yeux de l'adolescent, ces poncifs faisaient trop éculés pour les répéter encore. Son hôte lui-même trahit un petit agacement:

— J'espère que tu ne veux pas dire que tes propres parents sont moins exemplaires?

— Non. Bien sûr que non.

Le visage de son père traversa l'esprit du garçon. Pouvait-il vraiment le voir comme un bon chrétien? L'homme raillait certains enseignements de l'Église, mettait parfois en doute les directives de son curé. Sa mère était une sainte femme… mais son père!

— Pour devenir prêtre, enchaîna l'ecclésiastique, tu dois te montrer un bon élève. C'est dans l'accomplissement de son devoir d'état que l'on montre le mieux ses bonnes dispositions.

— L'an dernier, je suis arrivé second dans ma classe!

— Second?

L'écolier avait montré tant d'orgueil que le curé n'avait pu maîtriser son ironie.

— Mais j'ai eu plus de prix de fin d'année que le premier, insista le visiteur.

— Ce soir, en te couchant, tu penseras à la vanité.

La remarque lui rabattit le caquet. Ce fut les yeux baissés que l'écolier murmura:

— Oui, monseigneur.

— Il n'y a pas que les notes à l'école, poursuivit-il, mais aussi la pratique de la vertu. À ce sujet, un prêtre doit se révéler irréprochable.

«Ou à tout le moins, songea l'ecclésiastique, paraître tel.» Ce genre de précision ne se formulait pas à haute voix. La rebuffade se montrait d'autant plus facile pour Buteau que sa propre carrière scolaire, dans le même établissement, s'était révélée médiocre.

— Oui, je sais, souffla le garçon, les yeux toujours baissés.

— De ce côté, es-tu second, ou premier?

— J'essaie très fort d'être le premier, mais le diable est tenace.

Avouer ses fautes dans l'obscurité du confessionnal était difficile. Dans cette grande pièce sévère, bien éclairée, avec les yeux de son pasteur rivés sur lui, cela devenait insupportable.

— Et le démon, insista le curé, paraît s'acharner sur les plus vertueux.

Raymond considéra la remarque comme un compliment, cela le rendit plus volubile.

— Il me suit sans cesse, partout, à l'école, à la messe même. Sans arrêt, il pointe ses cornes. Résister est un combat de tous les instants.

De l'autre côté de son bureau, les deux mains jointes sur son ventre, Buteau montrait un visage presque amical.

— Tu connais le saint curé d'Ars?

— Jean-Baptiste Vianney. L'an dernier, le professeur nous a fait lire sa biographie.

— Toutes les nuits, il se battait à mains nues avec le diable.

L'exemple présenté à Thalie quelques heures plus tôt lui revenait spontanément en mémoire.

— Il avait un nom pour le désigner…, continua-t-il.

— Le Grappin.

Toujours bon élève, le garçon ne pouvait se priver de lancer la réponse exacte. Après un premier moment de satisfaction, il baissa les yeux, le mot « vanité » lui revenant en mémoire.

— Toi, tu as un nom pour le diable lancé à tes trousses ?

— Charlot.

— … C'est un nom un peu curieux, familier. D'où te vient-il ?

— Le comédien…

Charles Chaplin, la grande vedette de cinéma, incarnait dans la plupart de ses productions un vagabond affublé de ce sobriquet.

— Et pourquoi donc ?

— Selon les journaux, c'est un grand pécheur.

Pareil jugement pouvait avoir été publié dans n'importe quel périodique québécois plus ou moins contrôlé par l'Église. Les liaisons répétées du petit personnage avec des comédiennes parfois très jeunes et son divorce, survenu en 1920, justifiaient toutes les attaques des bien-pensants.

— À mes yeux, le mot « cinéma » lui-même pourrait être synonyme de démon, grogna le prélat domestique.

Les circonstances et l'âge de son interlocuteur ne prêtaient guère à un long exposé sur cette croisade. Pendant quelques instants, un silence gênant pesa sur eux.

— Devant les attaques de Charlot, comment tentes-tu de lui échapper ?

Le prêtre ne voulait pas évoquer directement les confidences faites lors de la consultation auprès de Thalie Picard. Même si la prétention de la jeune femme d'invoquer le secret professionnel lui paraissait ridicule, il préférait jouer de prudence.

— Avec des coups de griffe.

Le garçon aussi se remémorait le médecin aux grands yeux bleu sombre. En quelques jours, une seconde personne l'interrogeait sur sa façon de faire pénitence. La première lui paraissait avoir affiché plus d'humanité.

— Que veux-tu dire, des coups de griffe ?

Le visiteur fit mine de se frapper la cuisse. Après l'explication de Thalie, demander un complément d'information ne servait à rien.

— Mais tu as dit que Charlot te suit partout. Tu ne peux pas te griffer en classe, quand le maître parle de poésie latine, ou de saint Thomas d'Aquin.

— … J'ai une bande de cuir, ici, répondit-il avec un geste vague.

— Tu portes un cilice ?

— … Oui.

Les reproches implicites du médecin le rendaient un peu inquiet d'avouer cela. Son pasteur le lui reprocherait-il aussi ?

— Présentement, tu l'as sur toi ?

L'aveu prit la forme d'un hochement de la tête.

— Et Charlot, il se trouve aussi dans cette pièce ?

De nouveau, l'acquiescement demeura muet.

— Le diable se trouve donc aussi dans le presbytère de ta paroisse, conclut Buteau.

— Oui. Tout à l'heure, en parlant de mes résultats scolaires, j'ai commis le péché d'orgueil.

Présentée de cette façon, la supposée présence du diable prenait une forme plutôt bénigne. Le prêtre reconnut là un enthousiasme religieux un peu exalté, mièvre aussi, comme celui exprimé par les plus jeunes filles des Enfants de Marie.

La piété masculine, même à seize ans, se voulait un peu plus terre à terre, devenant parfois carrément comptable.

— Est-ce mal? demanda le visiteur, de l'inquiétude dans la voix. Je veux dire, les coups de griffe, le cilice…

— Non, bien sûr que non. La pénitence et la mortification de la chair représentent les meilleurs moyens d'accéder à la vertu. Toutefois, tout cela doit rester dans le domaine du raisonnable. Nuire à ta santé serait tout à fait condamnable.

À sa très grande surprise, monseigneur Buteau constata s'en tenir à la recommandation de Thalie. Cette prise de conscience le troubla fort.

— Surtout, ajouta-t-il pour s'affranchir du souvenir de la jeune femme, ne transforme pas ces mortifications en une occasion de péché particulièrement perverse.

Un certain désarroi se peignait sur les traits de son interlocuteur.

— Tu parais prompt à commettre le péché d'orgueil, expliqua le prêtre. Porter un cilice ne doit pas te conduire à te juger meilleur chrétien que les autres, mais seulement à te garder dans le droit chemin pour la plus grande gloire de Jésus.

À la rougeur sur les joues de son interlocuteur, le pasteur comprit avoir touché juste.

— Mais en prenant garde d'éviter ce piège, je peux continuer?

Monseigneur Buteau acquiesça d'un geste de la tête. Machinalement, son regard se porta sur la petite horloge posée sur le bureau. Cet écolier finissait par lui prendre plus de temps que ses paroissiennes les plus bavardes.

— Au Petit Séminaire, as-tu un directeur de conscience?

— Pas encore. J'avais pensé à l'abbé Dufresne…

« C'est vrai, songea le curé, il est encore là. » Pendant ses propres études, il le trouvait déjà décrépit. Il devait aller sur ses quatre-vingts ans, maintenant. Cela ne le disqualifiait pas vraiment pour un travail de direction spirituelle, mais le prélat le soupçonnait de s'être amolli avec l'âge. La vieillesse conduisait certains à une sévérité maladive, mais elle inspirait à d'autres une grande indulgence, qui confinait souvent à la permissivité.

— Je peux jouer ce rôle auprès de toi. Si tu souhaites venir me rencontrer la semaine prochaine, à la même heure...

— Oui, bien sûr.

Un pareil empressement fit plaisir au curé. Souvent, les jeunes séminaristes, tout à leur engouement pour leurs maîtres, regardaient de haut le clergé paroissial.

— Nous pourrons discuter plus à fond du chemin vers la vertu.

Le prêtre posa les mains sur les bras de sa chaise, s'apprêtant à se lever. Devant la mine déçue de l'écolier, il demanda :

— Il y a autre chose ?

— J'écris mon journal. Cela tient-il aussi de ma vanité ?

La perplexité de son interlocuteur l'amena à préciser :

— Je peux vous le faire lire, si vous voulez.

— Tu l'apporteras la prochaine fois. Maintenant, je dois parler à mes vicaires.

L'homme se leva pour se diriger vers la porte.

— Auparavant, voulez-vous me bénir ?

Prestement, l'adolescent tomba à genoux, la tête baissée. Le prêtre se remémora sa nièce, arrogante et provocatrice par sa seule existence. Comme ce visiteur affichait une attitude plus convenable ! « Celle-là, c'est la championne du péché d'orgueil », songea-t-il.

Il traça une croix dans les airs. Quelque part dans la grande demeure silencieuse, une horloge égrenait les secondes.

Chapitre 12

Les trois enfants du couple Dupire entamaient leur seconde semaine à l'école. Jeanne se donna la permission de quitter la maison une partie de l'après-midi. Si cette absence devait entraîner son congédiement, elle accueillerait la chose comme une bonne nouvelle. Un peu après une heure trente, elle agita le heurtoir en bronze contre la porte de la pension Sainte-Geneviève.

— Bonjour, dit Élisabeth en ouvrant. Je suis heureuse de te revoir.

Depuis plus de dix ans, elles se croisaient très rarement dans la rue, ou alors sur le parvis de la cathédrale, les quelques fois où la femme assistait à la basse-messe.

— Madame, je suis désolée de vous déranger ainsi.

Si la propriétaire de la pension s'en tenait à l'approche familière convenant entre maîtresse de maison et domestique, Jeanne affichait tout aussi naturellement la déférence qu'exigeait sa condition.

— Tu ne me déranges pas, la rassura Élisabeth. Je suis au contraire ravie de me remémorer les années dans la rue Scott. Tu vois, je suis déjà à l'âge de me réjouir des occasions de parler du bon vieux temps. Entre.

Seule une très belle femme pouvait se moquer ainsi du temps qui passe. La domestique resta plantée dans le hall, examinant le comptoir, les casiers vides de leurs clés depuis le départ des touristes, remplacés bien vite par les locataires réguliers, le papier peint un peu vieillot du couloir.

— Nous allons monter chez moi. Des étudiants occupent le salon.

La maîtresse des lieux s'engagea dans l'escalier. À l'étage, elle ouvrit la porte de la suite lui servant de logis privé. Deux fauteuils se trouvaient de part et d'autre d'une petite table.

— J'ai demandé que l'on nous apporte du thé. Prends place.

Une fois assise, Jeanne amorça un mouvement pour verser la boisson dans les tasses, puis elle s'arrêta en disant, le rose aux joues :

— Excusez-moi.

— C'est ce qu'on appelle une déformation professionnelle. Élisabeth prit la théière, les servit toutes les deux.

— Alors, comment vas-tu ? demanda-t-elle.

— Bien… bien.

La domestique s'interrompit, puis un peu désemparée, avoua :

— Non, ça ne va pas du tout.

Dans un instant viendraient les larmes. En parfaite hôtesse, la propriétaire des lieux allongea la main pour la poser sur le poignet de la visiteuse.

— Bois un peu de thé, puis raconte-moi ce qui t'amène aujourd'hui.

Jeanne fit comme on le lui disait, les paupières un peu gonflées, les yeux fixés sur le jardin en contrebas.

— Je ne peux plus rester dans cette maison, confia-t-elle à la fin. Ça va me rendre malade.

— … Les choses ne vont pas mieux avec elle ?

Nul besoin de préciser de qui il s'agissait. Élisabeth avait suffisamment enduré l'humeur délétère d'Eugénie pour savoir que la santé des autres pouvait en être affectée.

— Tous les jours, la situation empire. Elle ne cesse de m'accuser de…

Confesser ses péchés d'impureté la mettait terriblement mal à l'aise. Son hôtesse résolut de l'aider un peu :

— C'est en rapport avec Fernand ?

— Vous savez ?

Des allusions émises au fil des ans, et surtout le malheur inscrit sur le visage du notaire, à l'époque où elle le rencontrait assidûment à la table de Thomas, lui permettaient de se faire une bonne idée de la situation matrimoniale de son gendre. Elle hocha la tête.

— Nous ne devrions pas nous fréquenter...

Le terme paraissait tellement ridicule, dans les circonstances.

— Ce n'est pas bien, continua la visiteuse.

Élisabeth secoua la tête pour exprimer son déplaisir de s'engager dans ces questions de morale. Les prêtres à eux seuls suffisaient amplement à culpabiliser leurs ouailles.

— Elle n'arrête pas de me dire des choses méchantes, de me remettre à ma place. Selon elle, je ne vaux pas mieux qu'une...

La jeune femme n'osa pas aller au bout de sa pensée. Le mot « prostituée » ne pouvait être prononcé devant une personne aussi respectable.

— À ce que je sache, remarqua l'hôtesse, Eugénie ne se distingue pas par sa faculté à juger des personnes et des situations.

— Tout de même, ça ne peut pas continuer. Si ce n'est pas moi qui tombe malade, ce seront les enfants.

Jeanne préféra ne pas épiloguer sur ses craintes. Sa croyance en un Dieu vengeur l'amenait à s'imaginer la mort d'un enfant pour punir le père de ses amours adultères. Que l'idée lui ait été suggérée par Eugénie l'inquiétait encore plus. Sa patronne lui apparaissait comme une sorcière capable de jeter les sorts les plus maléfiques.

— Ne laisse pas ton esprit divaguer de cette façon, conseilla Élisabeth d'une voix ferme. Dieu a certainement mieux à faire que de s'occuper de peccadilles.

— … Pourriez-vous me reprendre à votre service ?

L'hôtesse porta sa tasse à ses lèvres pour se donner une contenance. Dès la demande d'un rendez-vous tôt ce matin-là, elle avait deviné le dénouement de la conversation.

— J'ai tout mon personnel. Une cuisinière, Victoire, et une bonne pour faire le service à la table, de même qu'aux chambres. Une femme de charge me donne aussi quelques heures par semaine.

Le dépit effleura le visage de Jeanne.

— Plusieurs jeunes filles se sont succédé à votre service, depuis cinq ans.

Élisabeth posa sa tasse, souriante. La « corporation » des domestiques, bien inorganisée, profitait tout de même d'un réseau d'information très efficace. Les commentaires sur les mouvements de personnel allaient toujours bon train dans toutes les cuisines de la Haute-Ville.

— Tu le sais, précisa la propriétaire, c'est toujours la même chose. Après quelques mois en ville, ces jeunes filles rencontrent un garçon. Elles me quittent pour se marier. D'autant plus que le travail, ici, est plus difficile que dans une maison privée.

« Le mariage, songea la jeune femme, voilà une éventualité qui ne risque pas de m'arriver. » Coucher avec son patron l'empêchait de rencontrer quiconque « pour le bon motif ». Le statut incertain de maîtresse la condamnait à la solitude.

— Et depuis trois ou quatre ans, la situation est pire, enchaîna son hôtesse. Les grands magasins, les bureaux et même les manufactures proposent de meilleurs salaires que moi.

— ... Donc, vous auriez une place pour moi.

— Pas maintenant. Mais ces emplois que je viens d'évoquer, tu n'y as pas songé?

— Je ne sais rien faire d'autre qu'entretenir une maison. Vous vous souvenez, quand je suis arrivée de Charlevoix? C'est tout juste si je pouvais signer mon nom.

À l'été de 1908, une adolescente maigrichonne était entrée en service dans la grande demeure des Picard, rue Scott. Si la jeune femme s'exprimait maintenant fort bien et offrait aux regards un corps plantureux, elle demeurait peu sûre d'elle. Même le travail dans une manufacture ou un atelier lui paraissait impossible à accomplir.

— Mais tu n'es plus cette adolescente, insista son hôtesse.

— Tout de même, je préférerais le travail domestique. Surtout avec vous.

La gentillesse d'Élisabeth, sa compréhension, lui faisait désirer se rapprocher d'elle. De son côté, la propriétaire des lieux se trouvait un peu lasse de former des jeunes filles venues de la campagne, pour les voir disparaître à la première occasion. Puis il y avait ses projets d'agrandissement...

— Si cela se produisait, insista la visiteuse, je veux dire un départ...

— Je serais heureuse de t'avoir de nouveau à mon service.

Au fond, Élisabeth se sentait toujours un peu coupable d'avoir demandé à sa jeune employée d'entrer au service des Dupire, en 1914. Désireuse d'aider sa belle-fille malheureuse, elle avait nui à cette femme.

— Il ne me reste plus qu'à espérer le mariage rapide de votre dernière employée.

Sur ce souhait, Jeanne avala un peu de thé, la tête bourdonnante d'appréhensions.

Pendant toute la durée du souper, Fernand avait surveillé Jeanne du coin de l'œil. Son visage paraissait préoccupé. Des années de communication muette leur avaient appris à se comprendre sans prononcer un mot.

Ce ne fut qu'à dix heures, après avoir tout rangé et tout nettoyé dans la cuisine, qu'elle put enfin frapper discrètement à la porte de sa chambre.

— Te voilà enfin, murmura-t-il en lui ouvrant.

— Je viens juste de terminer en bas…

— Ce n'est pas un reproche, tu le sais bien. Il faudrait embaucher une autre personne pour le service, mais elle s'oppose radicalement à l'idée.

Eugénie ne se contentait pas de distribuer tous les jours des phrases assassines. Lorsque la vieille domestique de madame Dupire avait cessé ses activités, elle avait voulu inciter sa rivale à partir en l'écrasant de travail. Aussi n'avait-on recruté personne.

— Viens t'asseoir. Je t'ai versé de quoi boire.

Le verre de sherry lui parut bienvenu. La bonne avala une gorgée et appuya la tête sur le dossier du fauteuil, les yeux fermés, exténuée.

— Tu paraissais bien préoccupée, tout à l'heure, remarqua son compagnon.

— … Aujourd'hui, je suis allée chez madame Picard. Ta belle-mère, précisa-t-elle devant son regard intrigué. Je lui ai demandé si elle accepterait de me reprendre à son service.

Un instant, Fernand voulut protester, lui dire de ne pas abandonner la maison. Il jugea pourtant préférable de n'en rien faire. Son affection pour Jeanne le lui interdisait. Il ne pouvait lui demander d'endurer encore les méchancetés de sa femme. Sa santé mentale et physique exigeait un déménagement rapide.

— Puis, accepte-t-elle de t'embaucher ?

— Actuellement, elle a tout son personnel. Mais elle m'a laissé entendre que cela pourrait changer bientôt.

La nouvelle amena l'homme à avaler la moitié de son whisky. Avec un peu de chance, il leur restait encore quelques mois à vivre sous le même toit. Sa maîtresse brisa ses toutes dernières illusions.

— La situation doit prendre fin bientôt, je n'en peux plus.

— Le jour où tu me donneras ton accord, je vais trouver un petit appartement en ville. Je peux me le permettre, tu sais.

L'offre réitérée lui valut un sourire de reconnaissance.

— Je ne veux pas me faire entretenir. Je gagne mon pain depuis que j'ai douze ans.

— Cela pourrait être temporaire, le temps de te trouver un emploi... dans un autre domaine que le travail domestique.

— As-tu honte de ma situation ?

Fernand se plaisait à penser que cette jeune personne, par le biais de leur relation, avait appris à lire, à parler, à se comporter comme une femme de bonne condition. Évidemment, ramasser les saletés des autres ne paraissait pas une occupation convenable pour celle qu'il respectait.

— Ce n'est pas cela. Que vas-tu penser ? Mais si tu vas travailler chez Élisabeth, tu vivras sous les combles de la maison de chambres. Je ne pourrai plus te visiter. Si tu avais un chez-toi...

La nature de leur relation méritait un minimum d'intimité et de discrétion.

— Tu le sais bien, je ne connais rien d'autre que le travail domestique. Cela signifie vivre chez son employeur.

«Elle ne paraît pas vraiment désireuse de créer un nid d'amour», sentit-il. Depuis la migration vers Saint-Michel-de-Bellechasse en juin dernier, aucun rapprochement physique n'avait eu lieu. La surcharge de travail, la tension inhérente à sa relation avec Eugénie lui paraissaient des motifs suffisants de se dérober. Peut-être cette explication était-elle trop simpliste. Il souhaita s'en assurer :

— Les deux ne sont pas nécessairement incompatibles. Tu pourrais travailler chez Élisabeth toute la journée, et habiter un petit appartement à peu de distance. Le journal contient de nombreuses petites annonces offrant des logements en location.

— … Tu es gentil, mais ce n'est pas possible. Tu le sais bien en voyant mon travail ici, ce n'est jamais fini, depuis le feu à allumer dans la cuisinière le matin jusqu'au rangement en soirée. À toutes ces heures, il me faudrait ajouter le trajet deux fois par jour jusqu'à ce logement, la préparation de mes repas…

«En plus de la corvée de me recevoir pour me faire des gentillesses», songea le notaire.

— Bref, en habitant chez ma patronne, je m'épargnerai quelques heures d'effort.

— Tu as sans doute raison. Au fond, mes motifs de te louer un logis demeurent absolument égoïstes.

Elle ne saisit pas l'occasion de le contredire. Ce soir-là, décida Fernand, il ne lui offrirait pas de passer par son lit avant de regagner sa chambre. De toute façon, les refus sans cesse répétés commençaient à lui peser.

Le 13 septembre, imbu d'une toute nouvelle importance, Raymond Lavallée se dirigea vers le presbytère Saint-Roch pour sa seconde rencontre avec son directeur spirituel. Si la nouvelle avait fait sourciller au Petit Séminaire, car l'homme n'avait aucune expérience auprès des jeunes, personne ne s'était opposé à cette initiative.

La religieuse l'accueillit comme un habitué, et l'escorta au bureau de son curé.

— Vous prendrez quelque chose, monseigneur? demanda-t-elle avant de regagner sa cuisine.

L'homme hésita avant de répondre par la négative. Déjà, son nouveau rôle lui pesait un peu. Le sujet placé à l'ordre du jour de cette rencontre ne l'autorisait pas à réclamer une nouvelle part de l'excellent gâteau servi au souper.

— Comment s'est déroulée la semaine au Petit Séminaire? demanda-t-il dès que la domestique se fut esquivée.

— Très bien. Au début de l'année, les choses sont toujours un peu lentes à se mettre en place. Puis nous avons une retraite fermée la semaine prochaine. Nous nous mettrons définitivement à l'ouvrage ensuite.

— Tu es en Belles-Lettres. Je suppose que la retraite portera en particulier sur la vocation sacerdotale.

L'écolier acquiesça d'un mouvement de la tête. Ceux qui commençaient la cinquième année du cours classique deviendraient vraisemblablement des « professionnels ». Il convenait de leur permettre de réfléchir à leur avenir dans une atmosphère recueillie, tout en soulignant à gros traits la plus noble des professions.

— Tu écouteras tes maîtres avec la plus grande attention. C'est important.

L'adolescent hocha gravement la tête.

— Et tu as là ton journal?

Raymond le tenait à la main. Le prêtre le récupéra pour en parcourir les pages en vitesse. L'écriture ronde, nette, trahissait une grande attention. Dans le pli, près de la reliure, les déchets de gomme à effacer témoignaient d'une relecture, et même d'une réécriture appliquée. Au passage, l'homme lut « Sermon de monseigneur Buteau », suivi d'une date. Un examen rapide lui permit de constater que ses prêches dominicaux se trouvaient studieusement résumés.

— Cela paraît être un beau travail. Je le regarderai attentivement.

La voix trahissait sa satisfaction. Cette première rencontre de direction spirituelle était de bon augure pour les deux parties. Le visiteur se sentit peut-être un peu trop rassuré. Le cheminement vers la vertu allait tout de même se révéler un tantinet désagréable.

— Je te regarde, Raymond, et tu me parais un peu… enveloppé. Tu aimes bien manger, je crois.

— … Oui, monseigneur.

Dans d'autres circonstances, il aurait pu répondre : « Je ne suis pas plus enveloppé que vous. » Mais une telle réaction aurait entraîné la fin abrupte de leur belle relation naissante.

— Apprendre à dominer son appétit lors du repas, c'est aussi fondamental que d'apprendre l'alphabet.

— Ma mère met toutes sortes de bonnes choses sur la table.

Un peu plus, et il l'accuserait de jouer au Charlot culinaire avec lui.

— Mais si rien de bon ne se trouvait à ta portée, tu n'aurais aucun mérite à t'en passer. Les gens très pauvres ne jeûnent pas, ils crèvent de faim. Cela ne les aide en rien à faire leur salut. C'est en sacrifiant ce qui te procure du plaisir que tu pratiques la mortification.

— Je ne peux pas refuser la nourriture que mes parents offrent à la famille. Ils travaillent si fort pour l'obtenir. Ce serait... insultant, ne croyez-vous pas?

Le garçon semblait déterminé à défendre ses petits plaisirs. Buteau ne se souvenait guère d'avoir vécu un dilemme de ce genre, enfant. Il comptait plutôt parmi ceux qui crevaient de faim, à la fin du siècle précédent.

— Je suis certain que tu trouveras le moyen de te sanctifier sans heurter la sensibilité des autres. Imaginons quelques petits scénarios. Au déjeuner, ne pas mettre de sucre dans le gruau, ou dans le thé ou le café. Car tu aimes le sucre, n'est-ce pas?

— Oui...

L'aveu coûtait au jeune garçon. Au terme de cette rencontre, il le devinait maintenant, sa vie prendrait un chemin plus difficile.

— Au souper, pourquoi ne pas prendre un peu plus de ce que tu détestes et un peu moins de ce que tu aimes?

— Mais si j'aime tout, dans le repas...

— Alors avale tout, très vite, sans goûter.

De la part d'un ecclésiastique un peu adipeux, tous ces conseils confinaient à l'absurde. Le sujet des collations entre les repas les occupa longtemps. Quand vint l'heure de rentrer chez lui, Raymond se disait qu'après tout, le port d'un cilice ne représentait pas le moyen le plus difficile de se sanctifier.

Quand on fréquentait une institution comme le Petit Séminaire de Québec, les jours de retraite fermée ne paraissaient pas tellement différents des autres: les mêmes phrases pieuses sans cesse répétées, les mêmes abbés monopolisant les échanges.

Penché sur son cahier, Raymond Lavallée écrivait des phrases éparses. Toutes lui fourniraient des heures de méditation.

«Le plus grand obstacle à la prêtrise demeure l'impureté.»

Le bon abbé ayant prononcé ces mots le matin même présentait un visage dur, émacié. Aucun de ces jeunes ne pouvait l'imaginer en pleine nuit, couché sur le dos dans un lit, une érection solide et, semblait-il, éternelle au bas du ventre. Éternelle, à moins de faire quelque chose, bien sûr.

«Je veux voir en mes mains des mains de prêtre.»

Bien sûr, après vous être…, comment offrir l'hostie aux croyants? Mais comment ne pas succomber, avec Charlot toujours tapi dans un coin de la chambre?

«Je suis pur et je veux rester pur. Sainte Vierge, priez pour moi», griffonna l'adolescent.

Deux jours à entendre parler de toutes les qualités exigées par la vocation sacerdotale, dont le jugement, la volonté, l'énergie, la bonne humeur, l'amabilité, l'humilité. Pour chacune d'entre elles, Raymond écrivait: «Cela s'acquiert.» Au fond, parmi tous les traits de personnalité évoqués, seule la pureté le laissait tenaillé d'inquiétude… Heureusement, aucun de ces dignes ecclésiastiques n'évoqua la diète sévère comme une exigence absolue. Dans le cas contraire, cela lui aurait fait deux bons motifs d'invoquer le secours de la Vierge Marie.

À la fin de l'exercice, le garçon entendait joindre sans tarder la congrégation de la Sainte Vierge. La décision appartiendrait bien sûr aux professeurs de l'établissement, mais il ne doutait pas une seconde d'y être reçu à grands renforts de cantiques. Par la suite, il compterait sur sa «mère des cieux» pour le guider sur le chemin de la vertu.

De retour à la maison, penché sur son journal, la dernière de ses inscriptions suscita une longue réflexion : «Celui qui aime son père ou sa mère plus que moi, dit Jésus-Christ, n'est pas digne de moi.»

Raymond voulait à tout prix être digne de Jésus. Il contempla longtemps le corps nu en bronze accroché à la croix pendue au mur. Il chercha un passage précis dans les premières pages de son cahier, écrites à la mort du cardinal Bégin : «Dans mon cœur, la première place doit être à ma mère, qui m'a comblé de tant de soins jusqu'à aujourd'hui. C'est à elle que je dois tout ce que je possède de piété, de vertu. C'est grâce à elle que je me suis conservé en état de grâce. C'est grâce à ses prières, à ses sacrifices que le péché s'est écarté de moi et que Dieu m'a rempli de ses grâces...»

Cette femme devait l'offrir à son Créateur, lui permettre de se faire père blanc et de consacrer sa vie à sauver les Nègres du paganisme... Mais le chemin de la sainteté se révélait long et difficile. Au moment où Raymond allait se coucher, Charlot montra ses cornes.

Si le prix de la scolarité demeurait somme toute modeste dans les séminaires et les collèges, cela tenait au fait que de nombreux étudiants en théologie payaient leur formation en donnant des cours aux écoliers. Pour eux, ces années représentaient une première forme du travail pastoral. Pour les élèves, cet usage participait aussi à leur édification. Ces jeunes gens voyaient leurs professeurs marcher vers le sacerdoce.

— Je n'ai pas le choix, expliquait Raymond en ajustant sa cravate. Tous les élèves de la classe de Belles-Lettres doivent assister à la cérémonie en groupe.

— Bien sûr, mon grand. Dépêche-toi, si tu veux arriver à temps.

Onézime le regardait à la dérobée. Depuis le début des rencontres hebdomadaires avec monseigneur Buteau, le pauvre homme n'osait plus le reprendre sur aucun sujet. Ce garçon appartenait à l'Église, il devait en convenir maintenant, même si l'Église n'investissait pas un sou dans sa formation.

Le garçon s'esquiva sans un mot de plus. Au coin de la rue de la Couronne, il sauta dans un tramway. Il arriva à la basilique Notre-Dame largement avant dix heures, assez tôt pour atteindre discrètement la place réservée à sa classe, dans le jubé. De ce perchoir, les jeunes gens auraient une vue imprenable sur toute la cérémonie.

Planté à côté de l'orgue, Raymond regarda ses camarades déjà assemblés, reconnut de dos la haute silhouette et la chevelure blonde de Jacques Létourneau. En se glissant près de lui, il formula une curieuse salutation.

— Quand serai-je enfin digne de compter parmi les privilégiés du Seigneur?

— Comment se fait-il que j'aie tout de suite deviné que c'était toi? grommela l'autre.

La voix trahissait une certaine lassitude. Raymond profitait de chacune des occasions pour s'asseoir près de lui, amorcer une conversation. Si, au début, Jacques pouvait expliquer cette attitude par la similarité de leur expérience, deux élèves externes venus de la Basse-Ville, à la longue, des motifs moins nets s'imposaient à lui. Cela tenait en partie aux remarques amusées de ses camarades sur son «ami».

— Es-tu arrivé depuis longtemps? demanda Lavallée.

— Quelques minutes avant toi.

— Je suis heureux pour l'abbé Renaud. Ce doit être le plus beau jour de sa vie.

L'affirmation ne méritait pas d'autre commentaire.

— Les personnes à l'avant, dans l'allée centrale, continua-t-il, doivent être ses parents.

Un homme et une femme habillés pour aller à la noce se tenaient dans le banc juste derrière celui des marguilliers. Une adolescente et un garçon dans la jeune vingtaine se trouvaient avec eux.

— Je ne sais pas, je n'ai pas eu le plaisir de leur être présenté.

Au grand soulagement de Létourneau, un prêtre du Séminaire parcourut le jubé en incitant tous les jeunes gens au silence. Bientôt, la cérémonie put commencer. Monseigneur Roy, toujours alité, ne pouvait la présider lui-même. L'honneur revenait à son auxiliaire, monseigneur Langlois. Le candidat au sacerdoce se trouvait étendu de tout son long devant l'autel, les bras en croix. Un peu plus tard, l'évêque posa son étole et sa main droite sur sa tête afin qu'il reçoive le don du Saint-Esprit.

— Mon Dieu, je souhaite tellement être à sa place un jour, murmura Raymond.

La petite pointe d'envie l'empêcha de se joindre à l'assemblée pour prononcer *Axios!* – il est digne. Les rites complémentaires se déroulèrent ensuite : l'onction des mains qui permettrait de célébrer l'eucharistie, la porrection, soit le toucher de la patène et du calice. Le moment où le nouveau prêtre revêtit l'étole et la chasuble, l'uniforme de sa fonction, fut le plus émouvant.

— C'était si beau, monseigneur. Depuis ce matin, je me trouve comme sur un nuage. Rien d'autre ne m'intéresse dans la vie, je ne désire rien d'autre. Tous les jours qui me séparent de mon ordination vont me sembler une éternité.

Buteau laissa échapper un soupir un peu lassé. Ce garçon devrait attendre au moins huit ans avant d'en arriver à ce jour béni. Au bout du compte, cela ferait des milliers d'éternités mises bout à bout.

— Nous en étions à parler de te mortifier dans tes paroles. La langue est un univers de péchés. Tu devrais y songer tout de suite, et mettre un frein à ce flot de mots.

Les joues du garçon rosirent un peu sous la rebuffade, il baissa les yeux.

— Te tourner la langue sept fois avant de parler, ne parler de toi que lorsqu'on te le demandera, voilà de bons principes. Car tous ces propos sur ta vocation, ce n'est rien d'autre que de l'orgueil, ou de la jalousie. Deux péchés capitaux.

— … Oui, monseigneur, j'essaierai de me retenir, dorénavant.

Au cours des trente minutes suivantes, le curé amena son paroissien à s'engager à moins parler de lui, à endurer patiemment les moqueries, sans jamais offrir la moindre réplique à celles-ci. Les piques de Jacques Létourneau lui revinrent en mémoire. Ce serait un engagement difficile.

Alors qu'il rentrait chez lui, Raymond se sentait plus morose que quand il avait fait le trajet dans l'autre sens.

Chapitre 13

Mathieu travaillait depuis le matin à établir la succession des titres de propriété d'un petit terrain enclavé le long de la rivière Saint-Charles. Les dernières semaines lui permettaient de suivre les magouilles de quelques amis éminents du Parti libéral, dont Thomas Picard. Le commerçant avait acquis la parcelle à vil prix, peu après les élections de 1896, pour la revendre avec un profit considérable un an plus tard à la Commission du port.

— Le vieux scélérat. Voilà son motif de travailler si fort à l'élection de sir Wilfrid Laurier.

Savoir que ce gain avait sombré au creux du fleuve Saint-Laurent en 1907 avec le premier pont de Québec l'aurait sans doute rendu un peu plus indulgent envers une telle pratique. Le téléphone le détourna de sa lecture.

— Mathieu, dit une voix féminine au bout du fil, j'aimerais rencontrer mon nouveau notaire dans un délai assez bref. Une occasion s'offre à moi, je voudrais la saisir.

— Oh! Élisabeth, comment allez-vous?

— Je vais bien... Sauf que l'excitation du moment me fait oublier les règles les plus élémentaires de politesse. Comment vas-tu? Et la future maman?

— Je vais bien, la future maman aussi. Elle passe toutes ses journées à découvrir les mystères de l'art culinaire avec Gertrude.

Cela présentait l'essentiel des occupations de Flavie, en plus de ses longues marches. Cet enthousiasme pour la cuisine amusait son mari. Surtout, il redécouvrait le plaisir de manger après des semaines d'une alimentation frugale.

— Pour revenir à vos affaires, vous comprenez que je ne peux pas recevoir de clients privés ici.

Ni recevoir d'appel de ses connaissances... Cela expliquait le vouvoiement à sens unique.

— ... Mais j'aimerais vraiment te parler. Peut-être pourrais-tu me recevoir ce soir ?

— À une condition : vous venez souper avec nous.

— Je ne veux pas m'imposer.

Le jeune homme laissa échapper un rire bref, comme si la prétention était un peu ridicule.

— Ma tante, dit-il en baissant la voix, nous parlerons du sujet de ton excitation un verre de porto à la main.

Ils raccrochèrent après avoir convenu de l'heure de son arrivée.

Un peu avant sept heures, le trio faisait honneur au repas préparé par Flavie.

— C'est vraiment succulent, dit la visiteuse.

— Oh ! C'est de la cuisine bien ordinaire, répondit la jeune épouse en rougissant. Tu as reçu Wilfrid Laurier à ta table.

Entre eux, sans oreille indiscrète, ils utilisaient le tutoiement sans hésiter. Ils avaient pris l'habitude de ces changements rapides de niveau de langage à la pension Sainte-Geneviève.

— Comme le pauvre homme est mort, tu ne risques pas de devoir l'inviter. Mais si c'était possible, il dirait que ta nourriture est très bonne.

— Tu disais succulente, tout à l'heure, déclara la jeune femme, des plis joyeux à la commissure des yeux.

— Mais je ne suis pas Laurier, je n'ai pas mangé à la table de la reine Victoria. J'aime la cuisine de tous les jours.

Cette fois, la jeune hôtesse rit franchement, tout à fait rassurée sur ses progrès.

— Je découvre la petite épicerie Bardou, précisa-t-elle. Gertrude se moque de moi et soutient que l'établissement de Moisan suffit très bien à gâter les occupants de l'appartement de la rue de la Fabrique.

— Pourtant, Bardou est tout près du logis de tes beaux-parents, coin Couillard et Sainte-Famille. Dommage de penser qu'ils se privent de ces trouvailles. Moi, je me donne la peine d'y aller toutes les semaines.

Rassurée sur son bon goût, Flavie se sentit plus confiante. La conversation porta ensuite sur l'intérieur confortable de la maison et la naissance à venir. Élisabeth ressentait un pincement au cœur, le regret de ne pas avoir eu d'enfant. Elle se promettait de jouer à la grand-tante généreuse auprès de celui-là.

À neuf heures, l'invitée se retira avec Mathieu dans le boudoir aménagé en bureau.

— Te voilà bien installé.

— Ce n'est pas aussi imposant que chez Fernand, j'en ai bien peur.

— Mais ce n'est pas aussi sinistre. L'un compense l'autre.

Mathieu songea que la morosité chez les Dupire tenait moins au décor qu'à la présence d'Eugénie.

Après quelques commentaires sur la décoration inté-rieure, la visiteuse entra dans le vif du sujet :

— Une maison semble disponible dans la rue parallèle à la mienne, la rue Saint-Denis. Je crois avoir déjà abordé mon projet avec toi. J'aimerais agrandir.

— La rue voisine ? Ce sera un curieux agrandissement.

— La façade de cette demeure donne sur la rue voisine, mais l'arrière, sur mon petit jardin. Ce serait très bien pour mes projets.

— Je comprends. Cela pourrait même ajouter un certain charme à ta pension.

Mathieu se souvenait très bien du jardin pour l'avoir eu sous ses fenêtres pendant des années. La maison située à l'arrière lui paraissait elle-même solide, bien construite, dotée aussi de son petit carré de verdure. Des tables permettraient aux locataires de profiter des mois d'été.

— As-tu parlé au propriétaire de la maison à vendre de ton projet ?

— Pas un mot. Je me demande même si la demeure se trouve déjà sur le marché.

— Alors, comment sais-tu qu'elle le sera ?

— Les ragots de domestiques.

Mathieu plissa le front, soudainement inquiet de la fiabilité des sources de sa cliente. Celle-ci, bien installée dans son fauteuil, eut un rire amusé.

— Ne t'inquiète pas, je suis plutôt confiante. Vois-tu, le propriétaire a renvoyé son personnel dès la mort de son épouse. Cela a suscité un petit émoi chez mes employées.

— Dans ce cas, je veux bien te croire. Je servirai d'intermédiaire, si tu le désires. Autrement, si ces gens savent que tu es intéressée, ils monteront leur prix.

— Je comprends.

Elle se redressa sur son siège, soudainement un peu mal à l'aise.

— Pour payer cette acquisition, je devrai me défaire de ma part du magasin PICARD.

— Comme j'en ai une aussi, je suis en mesure de t'assurer que le montant sera suffisant.

Ce fut au tour de Mathieu de trahir son malaise. Il continua, après un silence embarrassé :

— Tu sais que je meurs d'envie de l'acheter.

— Je sais.

— De son côté, Édouard...

— Il a dû me la demander une centaine de fois depuis 1919.

L'homme hocha la tête. « Entre son neveu et un fils, le choix sera facile à faire », songea-t-il.

— Je comprends, admit-il après une pause inconfortable.

— Je ne lui ai jamais répondu par l'affirmative. En réalité, je serais disposée à te la céder, si bien sûr tu peux te le permettre, après l'achat de cette demeure. Je tiens à recevoir la valeur réelle de cette part.

La plus grande surprise se peignit sur le visage du jeune homme.

— Tu sais bien que je me suis prise d'affection pour toi et Flavie, au fil des ans, expliqua-t-elle.

— Une affection réciproque, je t'assure.

De la main, elle lui fit signe de se taire. Le moment ne prêtait pas à une surenchère d'épanchements.

— Il y a aussi une autre raison. Thomas s'est très mal comporté avec Marie, et en conséquence avec toi. Si je peux réparer un peu le tort de cette façon, j'espère que cela vaudra un meilleur sort à son âme, dans l'au-delà.

Si la vente d'actions permettait d'abréger un séjour dans le purgatoire, les bons prêtres du Petit Séminaire n'en avaient pas glissé un mot à Mathieu. Il murmura :

— Je crois que je pourrais me le permettre, Élisabeth. Évidemment, je devrai emprunter. Je n'en aurai donc pas la certitude avant quelques jours.

— De toute façon, le mieux serait de t'assurer d'abord que cette maison est bien à vendre. Pourras-tu t'en charger ?

— Je passerai demain soir en rentrant du bureau.

Ils se regardèrent sans dire un mot, un peu troublés.

— Je ne sais pas quoi dire, confia le jeune homme.

— Mon vieux manuel de civilités recommande, dans ces cas-là, de se taire.

— Il permet certainement de formuler des remerciements sincères.

Elle acquiesça d'un signe de la tête, un sourire aux lèvres.

— Maintenant, allons rejoindre Flavie, déclara-t-elle. La pauvre doit attendre mon départ pour aller au lit.

— Selon ma sœur, le mieux pour une femme enceinte est de demeurer active, répondit Mathieu en se levant. Et elle obéit à son médecin à la lettre.

La jeune femme les attendait, une revue américaine à la main. Elle leur offrit un alcool, se contentant pour sa part d'un peu d'eau. Après une heure de conversation plaisante, Élisabeth déclara devoir rentrer chez elle. En lui faisant la bise, le maître des lieux lui chuchota :

— Merci encore. Tu es très généreuse.

— C'est à moi de vous remercier tous les deux pour cette charmante soirée.

En prenant Flavie dans ses bras, elle continua :

— Ma belle, continue de nous tricoter un bébé en bonne santé.

— Tu vas rentrer toute seule ? Mathieu peut te raccompagner.

— Je suis venue avec ma belle Chevrolet. Elle roule si peu, alors je lui fais faire de l'exercice. Je vais retourner à la maison comme une grande fille. Merci encore.

Sur un souhait de bonne nuit, elle les quitta. Lorsque l'homme s'apprêta à rapporter les verres vides dans la cuisine, sa femme demanda :

— À quoi tenaient ces remerciements ?

— Ça, j'en aurai pour une partie de la nuit à te l'expliquer.

Sur ces mots, il remit d'abord de l'ordre dans la maison.

En arrivant au bureau le lendemain matin, le premier souci de Mathieu fut de prendre rendez-vous avec Fernand pour le soir même, afin d'obtenir à la fois ses conseils et son soutien. Le jeune homme patienta longtemps sur la galerie après avoir frappé à la porte de l'étude de la rue Scott.

— Excuse-moi, déclara le notaire en ouvrant lui-même. Nous avons toujours des problèmes de personnel domestique.

Au cours de l'année de cléricature passée ici, le jeune homme en avait appris plus qu'il ne le désirait sur la vie de ce ménage. «Problèmes domestiques» lui aurait paru une expression plus juste.

— C'est plutôt à moi de m'excuser de venir à une heure tardive.

— Tu sais bien que, dans ce métier, recevoir des clients le soir est inévitable.

Les deux hommes pénétrèrent dans le grand bureau. Comme Mathieu examinait les lieux, son hôte déclara :

— Si tu veux revenir, comme collègue cette fois, tu es le bienvenu. Dans quelques années, tu deviendrais mon associé.

— Je te remercie, mais ma position actuelle me semble idéale. Faire du droit sans fréquenter de criminels me comble tout à fait.

Fernand lui désigna une chaise, puis prit sa place derrière son bureau. Après avoir échangé brièvement quelques mots sur le climat maussade de ce début d'automne, le notaire demanda :

— Parle-moi donc de cet achat que tu caresses.

— Auparavant, une question : as-tu toujours des clients désireux de placer de l'argent ? Je serais présentement disposé à emprunter une forte somme.

Ce genre d'éventualité survenait souvent dans une étude de notaire. Une personne se retrouvait avec un héritage et désirait le faire fructifier, sans oser cependant s'aventurer à la Bourse. Quand son hôte hocha la tête, Mathieu enchaîna :

— Élisabeth Picard m'a exprimé le désir de se départir de sa part du magasin héritée de son défunt mari. Je voudrais l'acheter, mais comme tu dois t'en douter, je ne dispose pas de liquidités aussi importantes.

— Cela représente une sérieuse somme, en effet. Tu n'as pas pensé à une banque ?

— S'il y a moyen de faire autrement, autant l'éviter.

L'homme pensait réduire un peu le taux d'intérêt en s'adressant à un prêteur privé.

— Comme ta maison porte une hypothèque, précisa le notaire, elle ne peut suffire comme garantie. La personne qui misera sur toi voudra connaître ta solvabilité.

— J'ai l'autre part du magasin, et bien sûr mon salaire.

Cela laissa Fernand Dupire songeur. Qu'un jeune professionnel veuille investir ne le surprenait guère. Toutefois, ce projet avait un côté trouble. Élisabeth aurait dû permettre à son fils de consolider sa propriété sur le magasin, plutôt que d'avantager un neveu. La situation le laissait perplexe.

— Je te le disais l'autre soir, il me semble que l'achat des maisons voisines de la tienne constituerait un investissement sûr. Tu pourrais d'ailleurs liquider ta part du magasin et la consacrer à cela. Ce serait un levier pour toi et la banque te fournirait le reste. Même si tu as travaillé dans la boutique familiale pendant ta jeunesse, tu ne peux prétendre connaître très bien le commerce de détail.

Remplie de sagesse, la remarque n'eut cependant pas l'effet désiré.

— Je suis un Picard, le petit-fils de Théodule. Quand je vois des pages complètes d'annonces de ce commerce dans *Le Soleil*, je me sens interpellé.

— Comme c'est romantique! déclara le notaire avec un brin d'ironie. Mais même avec le tiers des parts, ce dont tu bénéficierais avec l'achat de celle de ta tante, cela ne te donnerait pas la majorité. Tu disais il y a quelques semaines vouloir participer à la prise de décisions. Là, tu risques de t'endetter, tout en laissant à un autre la gestion de ton patrimoine. Ton avenir, comme celui de tes enfants, sera entre les mains d'Édouard. Tu ne me parais pourtant pas du genre à abandonner le gouvernail de ta vie à un autre.

— Le magasin est prospère, l'investissement rapportera.

— Depuis quelques années, les affaires vont bien. C'est dans l'adversité que l'on reconnaît les bons gestionnaires. Rappelle-toi les crises de 1913 et de 1919. Dans des circonstances de ce genre, les profits annuels sont bien différents.

Ces deux années-là, le magasin PICARD avait fort peu rapporté, en effet. Mathieu se rappelait le chèque portant un montant anémique reçu en janvier 1920.

— Édouard ne te paraît pas un capitaine bien fiable, remarqua Mathieu.

— Il a toujours suivi la mode, en toute chose. Maintenant, elle est à la spéculation sur les actions. Ta tante me paraît plus sage: un terrain, de la brique et du mortier, ce sont des valeurs tangibles.

— Les cours de la Bourse montent sans cesse.

— Alors achète des actions. À ta naissance, Théodule était décédé depuis plus de cinq ans. Tu ne lui dois aucune fidélité filiale.

Si de nombreuses grandes familles de la Haute-Ville tenaient en haute estime les compétences du notaire Dupire, c'était pour la sagesse de tels conseils. Dans les circonstances, Mathieu devait se faire plus explicite.

— Si tu n'as jamais compté les mois entre le mariage de mes parents et ma naissance, tes parents ont dû le faire. Thomas était mon père.

— … Nom de Dieu !

La surprise paraissait sincère sur les traits du professionnel. Malgré des années à traiter avec discrétion des secrets de famille, Fernand ne soupçonnait pas du tout celui-là.

— Cela explique qu'Élisabeth accepte de te vendre sa part, remarqua-t-il, plutôt que de céder à l'insistance de son fils.

— Édouard n'est pas son fils naturel, précisa Mathieu. Cela lui rend sans doute les choses plus faciles. Elle a l'impression de réparer ainsi une injustice du testament de Thomas.

— Je vois. La situation ne favorisera pas le maintien d'excellents rapports avec ton cousin… ton demi-frère si tu préfères. Mais, c'est un autre problème.

Le notaire gardait un souvenir ému de sa dernière rencontre avec Élisabeth. Comme Eugénie refusait obstinément de la voir, il ne risquait plus guère de la rencontrer, dorénavant.

— Tu comprends maintenant mieux mon intérêt pour le magasin PICARD, précisa Mathieu. Il me semble avoir autant droit au fauteuil de directeur que mon demi-frère, comme tu as dit.

— Selon toi, il sait ?

— Je ne pense pas. Dans l'affirmative, ce serait un excellent comédien.

Même si au fil des ans, leur relation ne s'était pas révélée cordiale, Édouard n'avait aucune raison d'attribuer cela à un secret de famille.

— Tu crois que tu pourras me mettre en contact avec un investisseur ? insista Mathieu.

— Sans doute, si tu mets ta propre part en garantie. Je continue de penser que tu te laisses guider par les sentiments, une mauvaise influence en affaires.

— Les profits réalisés sur ces deux parts effaceront la dette, à la longue. En attendant, je vivrai très bien de mes honoraires professionnels.

— Mais tu seras toujours tributaire des décisions, bonnes ou mauvaises, d'Édouard. Si cet éternel gamin se mettait à faire des sottises, tu pourrais te retrouver avec deux parts sans valeur, et une énorme dette à rembourser.

Le notaire lut dans les yeux de son visiteur la résolution d'aller de l'avant. Aussi accepta-t-il de taire tous ses conseils.

— Je suppose que tu voudras agir très vite, conclut-il.

— Bien sûr. Le jour où Élisabeth réglera la transaction sur une nouvelle maison, je devrai être en mesure de la payer.

— Donc je ferai quelques appels dès demain matin.

La conversation se poursuivit quelques minutes encore, puis le visiteur regagna son domicile.

Lorsqu'elle pénétra dans la maison de la rue Saint-Denis, Élisabeth ressentit une certaine fierté en songeant au chemin parcouru depuis 1919. Autant cette année-là elle avait réglé l'achat d'une première propriété avec une peur morbide au ventre, autant elle se lançait cette fois dans l'aventure avec la conviction de prendre une bonne décision. Depuis le mardi précédent, les événements se bousculaient toutefois à une vitesse folle.

Mathieu vint lui ouvrir, un sourire de satisfaction sur les lèvres.

— As-tu trouvé le rapport d'inspection satisfaisant ? demanda-t-il en lui serrant la main.

— Selon lui, tout est solide et bien construit.

— Tu demeures donc disposée à passer chez le notaire vendredi prochain ?

— Comme convenu. Ce sera une signature de contrats multiples, si j'ai bien compris.

La conduite des affaires recelait tout de même encore pour elle de petits mystères.

— Oui, dit le jeune homme. D'abord, je signerai un emprunt avec mon créancier, mais je ne toucherai pas au chèque, il sera fait au nom de Fernand Dupire. Celui-ci te remettra la différence entre la valeur de la part du magasin et celle de cette grande demeure. Le reste ira au vendeur de la maison.

En réalité, personne ne manipulerait le moindre billet de banque. Tout en l'écoutant, Élisabeth regardait le vesti-bule, un pli au milieu du front.

— Bien sûr, précisa Mathieu, tout cela se concrétisera si tu sors satisfaite de cette visite.

Comme le jeune homme lui avait servi d'intermédiaire, elle visitait les lieux convoités pour la première fois.

— Le propriétaire n'est pas là ?

— Depuis la mort de sa femme, il s'est réfugié chez l'une de ses filles. C'est pour cette raison que les domestiques ont reçu leurs « huit jours ». Il se dit incapable de vivre encore dans cette maison. Tu le verras, l'entretien a été négligé dernièrement, mais cela ne change rien aux qualités de la bâtisse.

Au fond, de tous les protagonistes de cette série de transactions, Mathieu demeurait le plus inquiet de voir un obstacle tout faire achopper. Il en arrivait à parler comme s'il était le vendeur.

Du même âge que la pension de la rue Sainte-Geneviève, cette demeure présentait à peu près la même configuration. Un salon au rez-de-chaussée donnait sur la rue, et à l'arrière, une grande salle à manger complétée par un boudoir jouissait d'une vue sur le jardin.

— Ici, précisa le jeune homme, la cuisine se trouve au sous-sol. Comme la rue est fortement inclinée, des fenêtres permettent d'en éclairer une section.

— Le personnel montait les plats par l'escalier ?

— Non, regarde.

Son guide alla vers une sorte de garde-robe, dont la présence paraissait tout à fait saugrenue à cet endroit. Derrière la porte apparut un large monte-plat.

— En tirant sur cette corde, nous pouvons faire monter les assiettes, les plats de service, n'importe quoi, en fait.

— Je ne suis pas certaine que ce soit si pratique, remarqua la femme.

— Les maisons bourgeoises construites à cette époque comportent souvent des aménagements semblables. Cela permettait d'isoler les bruits de la cuisine et le personnel domestique, du reste de la maison.

— Je verrai si une meilleure organisation ne serait pas possible. Nous montons, ou nous descendons ?

Ils choisirent de visiter les étages supérieurs d'abord. Au premier et au second, des chambres se répartissaient de part et d'autre d'un couloir, certaines assez vastes, les autres plus modestes.

— Les lieux se prêtent à un aménagement identique à celui de l'autre côté, expliqua Mathieu, pour une clientèle d'étudiants et de notables.

— D'abord, il faudra décrotter la maison, repeindre les murs et mettre un nouveau papier peint là où ce sera nécessaire.

Sous les combles, sans surprise, ils découvrirent les humbles quartiers des domestiques. Ils gardèrent l'exploration du sous-sol pour la fin. Une cuisine équipée à l'ancienne en occupait une section. Le reste de l'espace ne servait à rien d'autre qu'à entreposer le bric-à-brac des propriétaires.

— Ce sont là les trésors de deux ou trois générations, remarqua Mathieu. Une fois vidée, la pièce pourrait être utilisée de manière profitable. Les fenêtres permettent même de voir la rue et je peux sans mal me tenir debout.

Comme il mesurait six pieds, cela signifiait que tout le monde pourrait y circuler sans se frapper la tête contre les poutres soutenant le plancher. En s'approchant d'une fenêtre, la femme remarqua, gouailleuse :

— Une vue parfaite pour des étudiants, tu veux dire : les jambes des femmes en contre-plongée et les pneus des voitures.

Le jeune homme s'inquiéta de nouveau de voir tous ses projets partir en fumée. De retour au rez-de-chaussée, il formula, un peu d'inquiétude dans la voix :

— Alors ?

Pour le faire languir un peu, Élisabeth revint dans le salon, fit mine de s'intéresser aux fenêtres. Puis elle se retourna, un sourire moqueur sur les lèvres.

— L'endroit me paraît plein de promesses… si le propriétaire accepte de réduire un peu son prix. Car je devrai procéder à de nombreux aménagements. Si l'inspecteur en bâtiments consent à me sacrifier son dimanche demain, j'aimerais bien revenir avec lui et vérifier le réalisme de certaines idées qui me sont venues au gré de la visite.

— Il acceptera, sans aucun doute. Je peux même le contacter et lui demander de se présenter cet après-midi. Je vais te laisser les clés, le vendeur ne m'en voudra certainement pas.

La femme songea à taquiner son compagnon pour son dévouement intéressé. Elle le remercia plutôt et partit avec un nouveau trousseau de clés en poche.

Depuis le début de leurs rencontres hebdomadaires, jamais Buteau n'avait abordé de nouveau le sujet du cilice et des coups de griffe. À ce garçon qui confessait être sans cesse harcelé par le démon, qui trouvait tous les jours sur son chemin de multiples tentations, il donnait des directives, un mode d'emploi de la vie, en quelque sorte.

Chaque fois, la rencontre s'ouvrait sur une généralité.

— La mortification des yeux est la garde du cœur. Tu comprends ce que cela veut dire ?

— … Les yeux fermés, je ne verrai pas les occasions de péché ?

— Les yeux fermés, tu ne feras pas cent pieds sans te casser une jambe.

La voix contenait une ironie suffisante pour devenir un peu blessante. Raymond se souvint d'une recommandation formulée lors de l'un de leurs rendez-vous précédents : châtier sa langue, ne pas répondre aux moqueries.

— Les tenir baissés en tout temps me semblerait plus prudent, poursuivit l'ecclésiastique.

— Oui, vous avez raison.

La démarche de l'adolescent vers la sainteté consistait essentiellement en un renoncement. Renoncer aux plaisirs, renoncer à sa fierté, renoncer à sa propre liberté, en fait, pour qu'une autre personne dirige sa vie. Le garçon croyait que c'était s'abandonner à Jésus. En réalité, des porteurs de soutane réglaient les moindres détails de son existence.

— Tu comprends, insista son hôte, les yeux baissés, tu ne verras pas les affiches de cinéma, les objets de luxe dans les vitrines des magasins, les menus dans celles des restaurants.

— Bien sûr.

— En classe, tu ne dois jamais regarder vers les fenêtres.

Certains écoliers n'assistaient aux leçons que de manière passive, leur esprit gambadant dans les rues de la ville, ou alors dans les champs de leur enfance, dans le cas de pensionnaires venus de la campagne.

— Il faut aussi garder les yeux baissés pour ne pas voir certains écrits. Quels journaux entrent dans la maison de tes parents ?

Le changement brusque vers la forme interrogative surprit le visiteur.

— *L'Action catholique*… mais mon père reçoit aussi *Le Soleil*.

— Ne regarde jamais ce torchon.

— Je ne peux pas demander à mon père de cesser de l'acheter.

— Mais tu peux tenir tes yeux baissés.

Monseigneur Buteau se promettait bien, le dimanche prochain en chaire, de rappeler à tous les paroissiens de ne pas laisser de mauvais journaux pénétrer dans leur maison. Certains, comme Onézime Lavallée, mériteraient une directive plus précise encore dans l'intimité du confessionnal.

— Tu feuillettes parfois des livres où se trouvent des images ?

Les voyageurs avaient la fâcheuse habitude de publier des récits où figuraient des photographies de contrées, et surtout de peuplades exotiques. Pour le bon abbé, ce dernier mot devenait un synonyme de «peu vêtues». Comment fermer les frontières de la province au périodique *National Geographic*? Ce projet valait une nouvelle croisade.

— Cela m'arrive, concéda le séminariste.

— Ne le fais plus. Tu aimes lire?

— … Oui.

L'aveu lui vaudrait un nouvel interdit.

— Ne lis que les ouvrages figurant au programme du Séminaire, ou alors les livres que je vais te recommander. J'ai mis une petite liste dans la marge de ton journal.

En arrivant, Buteau avait remis à son auteur son premier cahier généreusement annoté, pour réclamer le second. Le garçon hocha la tête en guise d'assentiment.

— Tu te souviens de ce que j'ai dit tout à l'heure, à ton arrivée?

— La mortification des yeux est la sauvegarde du cœur.

— Cela devrait te procurer un sujet de méditation pour la semaine. Comme tu l'as sans doute compris, l'ensemble de nos conversations, jusqu'à maintenant, représente le début d'un code de vie.

La conclusion équivalait à un congédiement. Au cours des prochains jours, Raymond noircirait des pages édifiantes sur ses efforts pour discipliner ses yeux. En allant ouvrir la porte donnant sur le jardin, le prélat demanda encore:

— Quand tu te promènes dans la rue, ton regard doit aussi se poser sur les jeunes filles de ton âge, ou les femmes un peu plus âgées.

— Non, pas vraiment.

— Voyons, avec cette nouvelle mode de montrer ses jambes, ses bras, sa gorge même, ton regard doit être attiré.

Il y en a même qui se présentent pour communier avec un bouton détaché ici.

De la main, le prêtre désigna la naissance de son cou. Dans de pareilles circonstances, l'officiant refusait tout simplement de donner l'eucharistie.

— Non, vraiment, mes yeux ne se portent pas sur elles.

— Oh ! Dans ce cas, ce sont les garçons. Aucune amitié particulière ? Au Petit Séminaire, cela arrive.

Raymond rougit violemment. Cela comptait pour un aveu. Monseigneur Buteau déclara :

— Dimanche prochain, nous parlerons de la pureté. D'ici là, applique-toi bien.

En se dirigeant vers son domicile de la rue Grant, le garçon résolut de réviser un peu le second cahier de son journal avant de le livrer en pâture à cet inquisiteur.

Chapitre 14

Comme tous les dimanches, Jeanne assista à la messe basse à l'église Saint-Dominique. Elle revint à la maison un peu avant huit heures. À voir ses yeux rougis, on pouvait croire que le sermon avait été d'une tristesse infinie. Heureusement, le rez-de-chaussée était quasi désert. Les enfants demeureraient dans leur chambre jusqu'au moment de se mettre en route pour l'église, excepté Charles. N'ayant pas encore fait sa première communion, nul ne songeait à lui imposer de privations. Il accepta une tartine avec plaisir.

Passé neuf heures, la maisonnée commença à s'activer. Quand elle émergea de sa chambre après de lents préparatifs, la vieille madame Dupire se fit joyeusement interpeller par sa petite-fille :

— Grand-maman, tu as vu, il y a une tempête de neige.

— Un 11 octobre ! Cela tient à toutes ces nouvelles machines qu'ils lancent dans le ciel. Ces grosses baudruches...

— Ce sont des zeppelins, grand-maman, précisa Antoine tout en replaçant un peu sa cravate, debout devant le miroir de l'entrée.

— ... Ça trouble le climat, continua l'aïeule, imperturbable.

Elle ne commencerait pas à apprendre des mots allemands, à son âge. Fernand arriva dans le couloir sur ces entrefaites. Quand il jeta un coup d'œil en direction de la cuisine, Jeanne saisit l'occasion pour rejoindre la famille. Elle commença par attacher la curieuse casquette en cuir de Charles, qui lui donnait l'air d'un aviateur de la Grande Guerre.

— Tu vas me promettre de faire très attention à toi, lui dit-elle en saisissant ses mains, la voix étranglée par une profonde émotion.

— C'est juste un peu de neige mouillée. Cet après-midi, je vais faire un bonhomme. Tu voudras me donner une carotte pour le nez?

L'enfant prit le grognement étouffé de la bonne pour un oui. De toute façon, elle ne lui refusait jamais rien. Elle se redressa ensuite pour prendre le visage de Béatrice entre ses paumes.

— Tu es une très jolie jeune fille, ne laisse jamais personne te dire le contraire.

Déjà, à son âge, son tour de taille commençait à l'inquiéter. Les moqueries bien cruelles de quelques camarades de classe ne l'aidaient en rien. Ne sachant trop quoi répondre, émue pour une raison qui lui échappait, Béatrice laissa les larmes lui monter aux yeux.

— Et toi, mon grand, tu promets de devenir un homme aussi bien que ton père?

Elle ne put se retenir de déposer un baiser sur la joue d'Antoine. Puis elle regagna la cuisine, le regard vers le sol, laissant les enfants désemparés. La vieille madame Dupire regarda son fils dans les yeux, puis se dirigea vers la porte sans rien dire.

Devant la glace de l'entrée, Eugénie replaçait ses boucles blondes. Elle déclara, quand elle fut satisfaite du résultat:

— Allons-y. Être en avance permettra à certains d'entre nous de se confesser avant le début de la messe.

La remarque s'adressait bien sûr à son mari, l'un des deux seuls véritables pécheurs habitant cette maison. Les enfants sortirent les premiers. Pendant que Fernand fermait la porte derrière lui, elle se retourna pour dire :

— Qu'est-ce qui se passe, ce matin ? La bonne sent sa dernière heure venir ?

— Si parfois tu pouvais juste fermer ta gueule, notre misérable vie serait un peu plus douce, répliqua sèchement Fernand.

Elle demeura interloquée, debout sur la galerie. La veuve Dupire, témoin de la scène, eut un petit sourire de satisfaction.

Compte tenu de la taille de la famille, et de celle de l'automobile, le trajet vers l'église prenait des allures d'expédition. Antoine ouvrait déjà le coffre arrière afin de révéler le *rumble seat*, un siège dissimulé, pour aider ensuite son frère Charles à y monter. L'instant d'après, les deux garçons s'y serraient l'un contre l'autre.

L'habitacle recevait les femmes de la famille en plus du conducteur. Madame Dupire s'asseyait à côté de son fils. La vieille domestique, Béatrice et Eugénie s'entassaient à l'arrière. Très court, le trajet se fit dans un silence complet.

La toute nouvelle église Saint-Dominique se dressait dans la Grande Allée. Fernand s'arrêta devant les portes, descendit pour aller aider sa mère à sortir du véhicule. L'opération se compliquait à cause des rhumatismes de la vieille dame. Quant à sa femme, au lieu de lui présenter son bras comme l'exigeaient les convenances, Fernand déclara :

— Je dois retourner à la maison. Une petite urgence à régler. Je reviendrai vous prendre ici à la fin de la messe.

Eugénie eut envie de faire une remarque, mais se rappela de justesse le conseil de son mari, lancé juste avant de quitter la maison. « Voilà qu'il rate la messe du dimanche pour aller faire des cochonneries avec elle», songea-t-elle. Dès le lendemain, elle en aurait de belles à raconter à son confesseur.

En faisant le tour de la voiture, l'homme fit disparaître le *rumble seat*, puis il se mit au volant. L'instant d'après, malgré la neige lourde et collante réduisant la visibilité, il effectua un virage en «U» pour retourner à la maison.

Jeanne se tenait à l'extérieur, debout dans l'allée permettant de stationner la voiture, une valise au bout de chaque bras. Les yeux fermés tournés vers le ciel, elle laissait la neige se déposer sur ses traits, fondre bientôt en effaçant les larmes. Le bruit du moteur la força à ouvrir les paupières. Fernand descendit et prit les bagages de ses mains, toutes ses possessions accumulées en dix-sept ans de travail domestique, pour les poser sur la banquette arrière.

Puis, revenu derrière le volant, il eut envie de se tourner vers sa compagne pour lui demander de nouveau «Tu es certaine?» comme il l'avait fait au cours des jours précédents. Une pensée le retint: s'il aimait cette femme au point de vouloir son bien, il devait l'aider à quitter la maison. Eugénie avait réussi à lui créer un enfer.

Malgré le temps qui se dégradait rapidement, le trajet jusqu'à la pension Sainte-Geneviève ne prit que quelques trop courtes minutes. En mettant le frein à main, il murmura comme dans une prière:

— Dis-moi que nous continuerons à nous voir.

— Bien sûr, c'est ce que nous avons convenu, n'est-ce pas?

Le ton ne paraissait pas vraiment convaincant. Afin de s'en assurer, en quelque sorte, Fernand se pencha vers elle pour l'embrasser sur la bouche. Elle l'arrêta de la main, le corps soudainement rigide.

— Non, pas dans la rue. Quelqu'un pourrait nous voir.

— Oui, bien sûr, fit-il en se redressant.

La neige tombait de plus en plus fort, pas une âme ne se promenait à cette heure. Ceux qui n'assistaient pas à la messe se gardaient d'affronter le mauvais temps. Comme elle ouvrait la portière, il proposa :

— Je m'occupe des valises.

Alors que la jeune femme déverrouillait la porte de la pension, il les récupéra à l'arrière, puis entra dans la bâtisse à sa suite.

— Le mieux est de les poser là, dit Jeanne en lui montrant l'espace libre devant le petit comptoir. Je les monterai tout à l'heure.

Fernand fit comme on le lui disait, se pencha encore pour l'embrasser. Un bruit leur parvint de la cuisine.

— Il y a quelqu'un.

Toute insistance serait déplacée. Un long moment, ils se regardèrent, puis l'homme prononça à voix basse :

— À bientôt, Jeanne.

— Au revoir.

Les mots sonnaient comme un adieu. Il sortit sans rien ajouter.

Fernand revint devant l'église Saint-Dominique juste à temps pour voir les paroissiens sortir du temple. La neige tombait toujours, de plus en plus dense. Octobre prenait, cette journée-là, des allures de décembre.

Quand les membres de sa famille se montrèrent sur le parvis, le notaire descendit pour aller au-devant de sa mère et lui offrir son bras. Un regard rapidement échangé entre eux suffit pour faire comprendre à la vieille dame que les événements suivaient leur cours. L'homme l'aida à monter dans la voiture, ferma la portière, puis passa à l'arrière pour soulever Charles et lui permettre de prendre place dans le *rumble seat*.

— Je vais finir par partager l'avis de grand-maman, déclara Antoine. Cette température est un peu étonnante, pour un 11 octobre.

— Demain, toute cette neige aura sans doute fondu à l'heure du midi, dit le notaire. Un caprice de notre pays.

«Un linceul, plutôt», songea-t-il en prenant le volant. Une fois rue Scott, l'homme assista de nouveau sa mère pour entrer dans la grande demeure, laissant les autres se débrouiller seuls. La vieille dame et sa domestique s'esquivèrent bien vite dans la pièce réservée à la première, au fond de la maison. Quand chacun eut enlevé son manteau et ses couvre-chaussures, Fernand déclara :

— Les enfants, nous allons dîner un peu plus tard, aujourd'hui. Jeanne n'est plus là. Votre mère devra s'occuper de préparer le repas.

Il planta ses yeux durs, haineux même, dans ceux de sa femme.

— Quand va-t-elle revenir ? ronchonna Charles. J'ai faim, moi.

Le gamin ne pouvait imaginer sa mère préparant un repas. Elle ne se donnait même pas la peine de faire son propre thé.

— Elle ne reviendra pas, expliqua Antoine d'une voix placide.

La scène du matin prenait tout son sens à ses yeux. À la fois émue et empruntée, la domestique leur avait fait ses adieux. Béatrice fut la première à enregistrer l'information.

En pleurs, elle grimpa l'escalier dans un vacarme de talons heurtant brutalement les marches.

— Je veux Jeanne, cria Charles, je veux manger.

— Monte avec moi, dit Antoine en tendant la main. Jeanne n'habite plus ici, elle l'a chassée.

L'aîné garda un long moment ses yeux rivés sur sa mère, puis il s'esquiva lui aussi.

Un sourire effleura les lèvres d'Eugénie. Fernand serra les poings, réprima une envie de la frapper. À la place, il grogna:

— Au lieu de rester à te réjouir, va préparer le repas. Tu as trois enfants à nourrir. Essaie de ressembler un peu à une mère, si tu en es capable.

Cette pensée parvint à lui tirer un rictus.

À la pension de la rue Sainte-Geneviève, les locataires revinrent de la messe en commentant l'affreuse température. Les yeux gonflés, Jeanne effectua son premier travail dans la maison, celui d'essuyer les grandes flaques d'eau laissées par la neige fondue transportée par leurs chaussures. Ensuite, timide et empruntée, elle fit le service à table. En quittant la salle à manger, Élisabeth lui glissa à l'oreille:

— Vers trois heures, je t'attendrai chez moi.

Ces mots désignaient depuis des années la suite de deux pièces à l'étage. La domestique acquiesça. À l'heure dite, elle cogna doucement à la porte, attendit avant de frapper encore, juste un peu plus fort.

— Désolée, dit la propriétaire en ouvrant, je suis au téléphone. Entre.

Mal à l'aise, Jeanne se tint au milieu du petit salon. La maîtresse des lieux réappliqua le cornet de bakélite contre son oreille et prit dans sa main la colonne en laiton sur-montée de l'émetteur.

— Maintenant, je dois te laisser, Hector. N'insiste pas, je ne me promènerai certainement pas sur la terrasse Dufferin aujourd'hui, même avec toi. Tu as vu cette neige !

Jeanne perdit la réponse, entendit encore sa patronne dire :

— Je suis sûre que nous aurons une autre occasion. À bientôt.

Elle raccrocha ensuite, puis posa le téléphone sur son petit bureau.

— Les hommes sont des êtres étranges. Un ami voulait se balader avec moi après le souper… Je ne me sens pas d'humeur à faire de la raquette aujourd'hui.

Tout de même, son sourire indiquait que cet « ami » pourrait encore tenter sa chance sans risquer d'être repoussé.

— Assieds-toi.

Élisabeth occupa l'autre fauteuil, croisa les jambes et tâta du bout des doigts la théière sur le guéridon pour la trouver froide.

— Tu as vu tout à l'heure une part de ton travail ici : servir à table et aider ensuite à faire la vaisselle. À cela, il faut ajouter le ménage des espaces communs, et même des chambres de messieurs les députés.

— Et les étudiants ?

— Ils doivent s'occuper eux-mêmes de mettre un peu d'ordre dans leur petit espace. Nous n'avons pas encore eu d'infestation de vermine.

Un rire bref souligna ce constat. Soucieux de payer le moins possible pour leur logis, ces jeunes hommes ne gri-maçaient pas trop à l'idée d'entretenir un habitat de cent pieds carrés.

— Tout de même, toutes les semaines, il convient de changer les lits. Heureusement, nous faisons laver les draps à l'extérieur.

— Ça ira, je vous assure.

— La situation changera toutefois dans quelques mois.

— … Mais je voudrais un emploi pour les années à venir.

Jeanne avait eu envie de dire « pour le reste de ma vie ». Pourtant, elle avait eu l'impression d'avoir été très claire, quelques semaines plus tôt.

— Bien sûr, viens voir.

La propriétaire se leva pour s'approcher de la fenêtre. En écartant le rideau, elle expliqua :

— Vois-tu la maison, de l'autre côté ?

La neige réduisait la visibilité, mais le grand mur en brique restait bien discernable.

— Je suis en voie de l'acheter, pour y loger une autre douzaine de personnes. Cela nécessitera d'augmenter le personnel. Comme tu as une longue expérience, je compterai sur toi pour encadrer deux jeunes filles.

La domesticité actuelle de la maison ne suffirait plus. Élisabeth entendait s'appuyer sur une personne alliant compétence et reconnaissance pour l'épauler dans cette nouvelle entreprise.

— Je pourrai compter sur toi pour quelques années, donc ?

Le sourire en coin amena un peu de rose sur les joues de Jeanne.

— Je serai là pour vous.

Ces mots scellaient leur entente pour une nouvelle période de leur vie.

Au dîner, la famille Dupire avait dû se contenter de sandwichs au jambon. Même si les tranches de pain se révélaient d'une épaisseur inégale, Eugénie ne risquait pas de gâcher la recette. Pour le souper, elle avait couru de plus grands risques en préparant une omelette.

— Je veux Jeanne, répéta Charles pour la dixième fois.

— Voyons, Jeanne a préféré aller travailler ailleurs, dit sa mère. Mais tu vas voir, nous allons très bien nous débrouiller sans elle.

De l'autre côté de la table, Béatrice renifla bruyamment.

— C'est mauvais, conclut Charles en repoussant son assiette, pour ensuite croiser les bras.

— Mange un peu, dit Eugénie. Personne ne peut rater une omelette.

— Oh! Mais si, toi, tu peux, bredouilla Antoine.

Les deux se livrèrent un autre duel des yeux. Finalement, ce fut l'adulte qui céda. Après une bouchée, elle dit encore :

— Dans la Basse-Ville, il y a une nouvelle œuvre catholique destinée au placement des jeunes filles qui arrivent de la campagne. J'irai demain afin d'embaucher une cuisinière et une bonne.

Mieux valait faire vite. Il ne restait plus un œuf dans la glacière, et la maîtresse de la maison n'avait jamais fait de courses au marché. Sans renfort, sous peu la famille vivrait une diète sévère.

— Tiens, tu as besoin de deux personnes, maintenant, grommela Fernand.

— Si la domestique de ta mère faisait sa part du travail, seule une cuisinière suffirait.

— Comme tu ne la paies pas, et moi non plus d'ailleurs, cela ne regarde que ma mère.

Aujourd'hui, l'aïeule avait décidé de prendre ses repas dans sa chambre avec sa « dame de compagnie ». Les Dupire n'avaient pas à mesurer leurs paroles. Au décès de son mari, la veuve avait hérité de la moitié de son avoir. Cela lui permettait de contribuer financièrement aux dépenses de la maison et de s'offrir une domestique aux tâches limitées.

— Une maisonnée comme la nôtre nécessite l'emploi d'une cuisinière et d'une bonne, articula Eugénie avec colère. En deçà de ça, tu feras jaser tous tes voisins.

Seule la mine malheureuse de ses enfants décida le notaire à abandonner cet affrontement.

Après un déjeuner morose composé de tartines et de thé, Eugénie ajourna un peu sa recherche de personnel domestique pour se rendre auprès de son conseiller spirituel, un vieux chanoine de la cathédrale de Québec.

— Enfin, cette femme impure a quitté la maison, maugréa-t-elle entre ses dents après avoir accepté un siège.

Le regard de l'ecclésiastique l'amena à chuchoter :

— Excusez-moi, mon père, mais je suis si heureuse qu'elle ait quitté les lieux. Voilà des années que mon mari maintenait sa maîtresse sous notre toit.

Même si les Dupire appartenaient à la paroisse Saint-Dominique depuis deux ans, la jeune femme continuait de fréquenter la basilique. Raconter les avatars de sa vie conjugale à une nouvelle personne était au-dessus de ses forces, plaidait-elle pour garder ses vieilles habitudes.

— Maintenant, que ferez-vous ? demanda le prêtre.

— … Embaucher de nouvelles personnes. Je me dirigeais justement vers l'Œuvre Notre-Dame-du-Bon-Conseil…

— Ce n'est pas ce que je veux dire. Vous ne venez pas ici pour discuter de votre personnel. Que ferez-vous en regard de votre mariage ?

La jeune femme garda un long silence.

— J'ignore ce que vous voulez savoir…, mentit-elle.

— Nous n'allons pas jouer à ce genre de petit jeu, n'est-ce pas ? Toute cette histoire a commencé par votre décision de chasser votre mari du lit conjugal. C'est beaucoup plus tard qu'une autre femme est apparue dans le décor.

— Nous avons pris nos distances sur la recommandation de mon médecin, je vous l'ai déjà expliqué. Je sortais de trois grossesses difficiles, aussi le docteur Hamelin…

— Il y a bien sept ans de cela, si je compte bien. Vous avez eu tout le temps de vous refaire une santé, depuis.

Eugénie baissa les yeux, incapable de trouver un bon argument.

— Pendant des années, il a eu une maîtresse…

— Vous ne pouvez être certaine de ce qui se passait entre eux.

La jeune femme préféra ignorer la remarque.

— Je ne peux tout de même pas le recevoir maintenant dans mon lit et lui ouvrir les bras. Pas après un pareil affront.

Cette seule idée lui donnait envie de vomir. Assise bien droite, les genoux collés l'un contre l'autre et tenant son sac à main sur son giron, elle regrettait maintenant d'être venue.

— L'affront, comme vous dites, ne change rien à votre devoir. Car en réalité, à la suite de votre mariage, votre époux vous témoignait son… intérêt. Vos trois grossesses rapprochées en sont la preuve. Si, au début de cette période d'abstinence, votre santé justifiait votre attitude, vous refuser maintenant à lui serait pécher gravement contre le sacrement du mariage.

« Devrai-je retrouver cette garce et la faire revenir à la maison ? » se demanda l'épouse. Entre deux maux, subir le gros corps de Fernand sur le sien lui paraissait être le pire.

— Je ne pense pas qu'il voudra se rapprocher de moi, émit-elle dans un souffle.

— Votre devoir est de lui signifier votre désir que cela se produise.

Même si l'idée la révulsait, elle hocha la tête en bonne chrétienne.

L'Œuvre Notre-Dame-du-Bon-Conseil se trouvait dans la paroisse Saint-Roch, juste en face de la gare du Canadien Pacifique. Monseigneur Buteau avait souhaité encadrer les jeunes femmes des campagnes de tout l'est de la province de Québec désireuses de venir gagner leur vie en ville. Autrement, celles-ci risquaient de loger dans de mauvais lieux ou de travailler dans des entreprises délétères pour leur âme.

Eugénie Dupire descendit vers la Basse-Ville en tramway, repéra sans trop de mal le grand édifice gris de la rue Saint-Paul, au coin de la rue Lacroix. Une religieuse la reçut dans un petit bureau du rez-de-chaussée. Les sœurs de la Charité trouvaient ici une nouvelle mission où faire valoir leur générosité.

— Vous cherchez à la fois une cuisinière et une bonne ? Avez-vous congédié tout votre personnel ?

La voix trahissait de sombres soupçons.

— Non, ce n'est pas cela. Nous avions une domestique, elle nous a quittés. Nous en avons une autre trop vieille pour travailler. En fait, elle tient maintenant compagnie à ma belle-mère. Comme elle se trouve dans la maison depuis cinquante ans, impossible de lui demander de partir.

— Oh! C'est très généreux de votre part.

Cette sorte d'arrangement n'était pas si rare. La visiteuse baissa les yeux avec modestie. Jamais elle n'hésitait à se targuer des bonnes actions des autres.

— Comment recrutez-vous les jeunes filles? demanda-t-elle.

— Nous nous faisons connaître grâce à des articles dans *L'Action catholique*, ou à une correspondance avec les presbytères. Si une femme de la campagne fait part à son curé de son intention de venir travailler à Québec, celui-ci lui donne notre adresse. Tous les jours, on frappe à notre porte.

— Vous êtes en mesure de les loger ici?

— Une nuit, deux tout au plus, ou encore nous leur recommandons une maison de chambres bien tenue. Normalement, ces femmes ne sont pas longues à trouver un emploi.

De toute façon, les moins chanceuses, sans un sou en poche, devaient bien vite rentrer chez elles, un peu honteuses. La crainte de cette éventualité suffisait à convaincre la plupart d'accepter la première position offerte.

— … Et en ce qui concerne mes besoins?

— La recherche d'une bonne ne posera aucune difficulté. Les filles de quinze à vingt ans sont les plus nombreuses à descendre à la gare. Mais dans le cas de la cuisinière…

À moins de tomber sur l'idiote du village, toutes les jeunes filles savaient chasser la poussière, faire les lits et curer les planchers. Servir à table se montrait juste un peu plus exigeant. Mais préparer un repas pour une famille bourgeoise représentait un tout autre niveau de difficulté.

— Ce genre de compétence devient une denrée rare…

— Mais j'ai trois enfants, sans compter les adultes de la maison!

La religieuse contempla la visiteuse un moment. Qu'une femme de trente-cinq ans ne sache pas se débrouiller dans une cuisine lui paraissait une hérésie.

— Nous avons bien une dame ici depuis trois ou quatre jours. Son époux est mort le mois dernier, elle a dû quitter sa paroisse, sans argent.

— Elle est capable de faire à manger ?

— Elle a conduit ses enfants à l'âge adulte. Enfin, la moitié d'entre eux. Et les autres ne sont pas morts de faim.

Sœur Sainte-Rita s'apprêtait à demander à cette pauvre femme de quitter les lieux pour retourner dans sa paroisse d'origine avec l'espoir de voir quelqu'un de sa famille lui offrir le gîte et le couvert. Tous les commerces de la rue Saint-Joseph avaient refusé de l'engager.

— Je suis prête à la prendre.

L'autre hocha la tête, un sourire aux lèvres. Voilà une famille de la Haute-Ville qui connaîtrait un changement draconien de sa diète. Cette Gaspésienne devait avoir mis de la morue sur la table des siens tous les jours de la semaine.

— Et en ce qui concerne la bonne ?

— Ce sera le plus facile. Une jeune fille arrivée hier...

— Est-elle jolie ?

La religieuse observa sa visiteuse, sans un mot. Si Eugénie ressentit un sentiment de honte, l'autre lui adressa finalement un sourire chargé de sympathie. Souvent, ses clientes s'inquiétaient du charme de leurs futures employées, jamais pour retenir les plus belles.

— Elle vient de la Beauce. Je leur demande de descendre tout de suite, à elle et à la cuisinière.

Après s'être absentée une minute ou deux, sœur Sainte-Rita revint avec deux femmes en remorque, le plus dissemblable possible l'une de l'autre. Dans la cinquantaine, la plus âgée mesurait cinq pieds à peine, et son tour de taille devait représenter une longueur équivalente. La plus jeune, âgée de vingt ans peut-être, frôlait les six pieds pour un poids de moins de cent livres. Sa robe en laine ne montrait pas l'ombre de seins ou de fesses. Avec l'uniforme noir des domestiques, elle paraîtrait tout à fait lugubre.

— Je suppose que vous avez toutes les deux un certificat de moralité de votre curé, s'enquit Eugénie.

— Oui, madame, répondit la religieuse à leur place.

Pendant quelques minutes, la conversation porta sur les gages des deux femmes. La bonne recevrait quelques dollars par mois, la cuisinière un peu plus. Toutes les deux se montrèrent satisfaites, mais la négociation fut menée par la religieuse. Ses attributions ne semblaient connaître aucune limite.

— Venez avec moi, conclut la bourgeoise. Nous trouverons un taxi de l'autre côté de la rue.

Avant de quitter les lieux, Eugénie demanda :

— Ma sœur, combien vous dois-je pour vos services ?

Après tout, cette institution jouait un peu le rôle d'une agence de placement.

— Nous ne demandons rien, c'est une œuvre charitable. Bien sûr, il faut compter le loyer de cette grande maison, les repas de nos pensionnaires et les nôtres… Si vous voulez faire une donation, elle nous serait très utile, croyez-le.

La visiteuse fouilla dans son sac, quelques dollars changèrent de main. Finalement, elle versa le double de la commission d'une agence. Mais aucune agence ne se portait garante de la moralité de ses recrues.

Les deux employées à sa suite, elle se rendit ensuite à la gare pour trouver un taxi.

Chapitre 15

Le personnel de la pension Sainte-Geneviève prenait congé le dimanche après-midi. En conséquence, ce jour-là, les locataires devaient trouver eux-mêmes le moyen de se sustenter pour le repas du soir. Si les députés en profitaient pour fréquenter l'un ou l'autre des quelques restaurants ouverts le jour du Seigneur, les étudiants se contentaient d'un morceau de pain et d'une tranche de fromage.

Ce fut avec la relative assurance de trouver Jeanne à la pension que Fernand vint sonner à la porte. Depuis son départ de la grande demeure de la rue Scott, il lui avait adressé quelques lettres, sans obtenir de réponse. Ce silence ne l'avait pas trop inquiété : la domestique devait avoir peu de temps à elle, ou encore les missives avaient été interceptées par Eugénie.

Il tourna la petite clé actionnant la sonnette à trois reprises avant qu'Élisabeth ne vienne répondre elle-même.

— Je suis désolé de vous déranger, madame, dit-il en enlevant son feutre. Je souhaite voir Jeanne.

— … Je suis désolée, elle ne se trouve pas à la maison.

— Pouvez-vous me dire où elle est ?

Le désarroi sur le visage du pauvre homme incita Élisabeth à se mêler de cette histoire. Après tout, elle avait reçu ce gendre à sa table deux fois par mois pendant des années.

— Venez, je vais vous faire du thé et nous discuterons un peu.

Elle s'effaça pour le laisser entrer, ferma la porte puis se dirigea vers la cuisine. Ne sachant trop où se mettre, il la suivit. Lorsqu'elle versa de l'eau dans la bouilloire, elle fut un peu agacée de le voir planté au milieu de la pièce, le chapeau entre les mains. Il gardait encore la mine empruntée et maladroite de ses dix-huit ans.

— Allez pendre votre paletot dans l'entrée, puis attendez-moi dans le salon. Je vous rejoindrai dans quelques minutes.

Docilement, il lui obéit. Pour se donner une contenance, il fit semblant de s'intéresser à une revue américaine. Élisabeth revint enfin dans l'embrasure de la porte, un plateau dans les mains.

— Nous allons monter chez moi. Ici, des locataires peuvent arriver à tout moment.

— Alors, laissez-moi porter cela pour vous.

L'homme prit le plateau des mains de son hôtesse, la suivit dans l'escalier. En montant, il apprécia la taille toujours mince, les fesses rondes. Cette femme vieillissait sans réellement perdre son charme.

Dans la suite, elle lui désigna le fauteuil occupé par Jeanne exactement une semaine plus tôt. Elle versa le thé, pour ensuite prendre sa tasse et la porter à ses lèvres. En la reposant, elle déclara enfin :

— Je vous ai menti, je vous en demande pardon. Mais c'était à la demande de votre amie.

Fernand ouvrit de grands yeux désemparés.

— Elle est en haut. Elle m'a demandé de vous répondre avec cette histoire d'absence.

Le visiteur fit mine de se lever.

— Les quartiers des domestiques se trouvent sous les combles ? demanda-t-il.

— Attendez un instant, je vous en prie.

Son hôtesse s'était penchée pour mettre la main sur son avant-bras. L'homme se cala dans son fauteuil, la regardant droit dans les yeux.

— Vous savez que j'ai beaucoup de respect pour vous. Beaucoup d'affection aussi. Nous nous connaissons depuis plus de vingt-cinq ans.

L'homme hocha la tête. Édouard s'était lié d'amitié avec ce voisin débonnaire dès son admission au Petit Séminaire. En conséquence, Fernand avait fréquenté leur demeure avec une belle régularité depuis l'adolescence.

— Jeanne ne veut plus vous voir, continua-t-elle.

— ... Mais je l'aime.

— Et elle aussi, n'en doutez pas. Toutefois, si elle veut se donner une chance d'être heureuse, elle doit prendre ses distances.

Depuis son arrivée, la domestique avait profité du bon accueil de sa patronne pour se confier à elle. Élisabeth ne se sentait pas la force de renvoyer cet homme chez lui à chacune de ses visites sous de faux prétextes, jusqu'à ce qu'il se lasse de venir. Prendre l'initiative de clarifier la situation lui semblait préférable.

— Vous comprenez, elle ne peut rien attendre de vous. Vous êtes marié. Un avenir composé de rendez-vous clandestins, ce n'est pas pour elle.

Il se tut, son visage devenait un masque de tristesse.

— Mais je l'aime, répéta-t-il.

— Je sais. Toutefois, votre amie ne veut plus s'occuper de l'homme d'une autre, des enfants d'une autre. Elle mérite mieux de l'existence. Aujourd'hui, la meilleure façon de l'aimer, c'est de la laisser s'éloigner, n'est-ce pas ?

L'homme baissa les yeux, réfléchit à la situation. Si sa raison admettait le bien-fondé des arguments de son hôtesse, son cœur se révoltait.

— La première fois où elle a évoqué la nécessité de partir, confia-t-il, je me suis imaginé menant une double vie. Le professionnel sérieux et le mari négligé à la maison, l'amant attentif lors d'escapades.

— Pour vous, ce genre d'arrangement serait peut-être satisfaisant. Mais pour elle ? Si Jeanne veut un jour avoir une famille...

À son âge, le temps commençait à presser si elle rêvait d'avoir ses propres enfants.

— Que vais-je faire ? questionna Fernand. Vous connaissez ma situation à la maison.

Inutile de décrire à l'hôtesse l'abstinence imposée par sa femme. Eugénie n'hésitait pas à y faire allusion lors des repas dominicaux partagés dans la rue Scott. Cependant, Élisabeth ne se voyait guère lui conseiller de fréquenter un bordel de la Basse-Ville.

— Si vous saviez combien j'aimerais monter..., confia-t-il ensuite.

Donc, il renonçait déjà.

— Pour la convaincre de changer d'idée ? Vous réussiriez sans doute. Vous y gagneriez une maîtresse pour quelques semaines, peut-être plus longtemps. Ce serait au détriment de Jeanne, n'est-ce pas ? Et peut-être même du vôtre.

Le visiteur appuya la tête sur le dossier du fauteuil et ferma les yeux. Cette femme ne le voyait pas pour la première fois dans un état proche du désespoir. Elle connaissait sa désastreuse vie amoureuse. Tout de même, il ne voulait pas verser une larme devant elle.

Il trouva finalement la force de se lever pour marcher vers la porte. Sans se tourner vers elle, il laissa échapper avant d'ouvrir :

— Élisabeth, je vous remercie. Dans tous vos rapports avec moi, vous avez toujours affiché le même respect.

— Mais c'est la seule attitude convenable envers un homme comme vous. Et tout le monde affiche le même respect à votre égard, j'en suis certaine.

— Pas tous, vous le savez. J'ai épousé l'exception.

Sur ces mots, il quitta les lieux. Son chapeau enfoncé bas sur ses yeux, il s'engagea dans une longue marche à travers les rues de la ville. Pendant ce temps, dans sa petite chambre, Jeanne pleurait toutes les larmes de son corps.

Depuis le début de la décennie, le cinéma l'emportait en popularité sur tous les autres loisirs, sauf peut-être les marches bras dessus bras dessous dans les lieux publics. Cela tenait en partie au coût relativement modeste des billets, mais aussi à la fascination à l'égard du monde fantasmatique présenté par les producteurs, en particulier ceux d'Hollywood.

Ainsi, le plus modeste ouvrier voyait se mouvoir sur un écran des vedettes des deux sexes. Les hommes interprétaient le plus souvent les riches et les puissants de ce monde, coiffés d'un haut-de-forme ou d'un melon, souvent un cocktail à la main. Quant aux actrices, il s'agissait des plus belles femmes de la terre avec des cheveux frisés et des lèvres en cœur rehaussées de rouge, selon les canons de la dernière mode. Elles alimentaient les rêves de millions de spectateurs.

Comme les autres, en sortant de la salle obscure du cinéma Empire, le couple formé par Amélie et David cligna des yeux un long moment.

— Aimerais-tu venir prendre un thé chez moi ? demanda la jeune femme tout en indiquant de la main la boutique ALFRED, à quelques pas de là. Un thé, ou une autre boisson.

— Aujourd'hui, c'est le jour de visite de ta sœur aînée, je pense.

— Oui, elle est venue pour le souper.

— Dans ce cas, autant nous rendre au café, de l'autre côté de la rue.

Elle le regarda un peu de travers, surprise du motif invoqué. Lors de rencontres précédentes, Françoise, Gérard et lui avaient paru s'entendre plutôt bien. Elle s'abstint pourtant de la moindre remarque.

Le *Café du Nouveau Monde* s'emplissait des jeunes gens habituels, des étudiants pour la plupart désireux de refaire le monde devant une tasse de café. Depuis septembre, le grand sujet de conversation était le gouvernement fédéral minoritaire.

— Nous devrons aller au fond, commenta David.

Il restait une table libre près de la cuisine. Ils devraient composer avec le va-et-vient des serveurs et les bruits de vaisselle. Pendant qu'ils se rendaient à la place disponible, la jolie blonde suscita des regards appuyés, parfois des saluts de la tête. Elle était sortie une fois ou deux avec certains de ces clients. Chacune de ces salutations suscitait chez son compagnon un petit pincement au cœur.

— Peux-tu me dire pourquoi voir ma famille te rebute, aujourd'hui ? demanda Amélie une fois assise.

Comme le serveur se présentait pour prendre la commande, son compagnon en profita pour bien peser sa réponse.

— Ta famille ne me rebute pas du tout, ne va pas croire cela. Toutefois, je me sens un peu mal à l'aise, tu le sais.

Les yeux de la jeune femme passèrent bien vite sur la veste de tweed un peu déformée par un usage intensif. Le tissu en coton de la chemise paraissait si usé que les fils se cassaient.

— Tout le monde te trouve absolument charmant.

— Bien sûr.

La lassitude marquait sa voix. La difficulté ne tenait pas à sa méconnaissance des usages de la vie en société. Il savait sourire, donner les bonnes réponses quand on lui posait une question, montrer combien son esprit était vif. Mais à une époque où les chantiers de construction se multipliaient dans la province, sa recherche d'un emploi véritablement intéressant ne se déroulait pas aussi bien que prévu.

La petite théière en porcelaine et les tasses apparurent bientôt entre eux sans qu'il ne s'étende davantage sur le sujet.

— Alors, pourrais-tu me dire exactement ce qui te vaut cet état d'âme ? questionna Amélie.

— Ma situation professionnelle me met sur les nerfs, tout simplement. Puis Gérard...

L'homme s'arrêta juste assez longtemps pour qu'elle insiste :

— Gérard ?

— Avec sa nouvelle maison dans Limoilou, ses deux enfants parfaits... Il y a juste sa femme que je ne lui envie pas. Des deux sœurs, tu es la plus séduisante, à tous les points de vue. Cela valait bien la peine pour moi de faire de si longues études, en accumulant les dettes ! Un cours commercial chez les Frères des écoles chrétiennes, quelques années de travail de commis, et te voilà établi.

— Tu sais bien que quelqu'un te recrutera bientôt. Tu as obtenu ton diplôme il y a à peine quelques mois.

— Six mois, cela fait plusieurs, pas quelques.

Né dans une famille de débardeurs de langue anglaise, mais élevé à Québec, le jeune homme gardait un accent adorable et un souci d'utiliser le mot juste.

— Si tu acceptais l'aide de papa...

— Mon orgueil est peut-être un peu ridicule, mais j'aimerais ne pas devoir mon emploi au père de la jolie personne que je fréquente.

— Il a dit un mot au président de la Banque nationale pour Gérard, et tu vois…

Devant l'agacement bien visible dans les yeux de son compagnon, elle s'arrêta. Pourtant, les choses fonctionnaient toujours de cette façon. Comme le gouvernement libéral s'était mêlé du sauvetage de la Banque nationale et de sa fusion avec la Banque provinciale, afin de permettre la création de la Banque nationale du Canada, un mot de la part d'un député influent faisait toujours office de «sésame».

— Il y a des ingénieurs au service de différents ministères, insista-t-elle.

— Tu sais, la vie de fonctionnaire ne me conviendrait pas vraiment. Prends juste le salaire… De toute façon, tu le sais bien, je rêve de grands chantiers.

— Je suis certaine que tu trouveras bientôt.

Même si elle n'avait aucune connaissance des mouvements de l'emploi dans les grandes entreprises susceptibles d'embaucher un ingénieur, la sympathie dans sa voix le toucha. L'homme allongea la main pour prendre la sienne.

— Je suis un compagnon bien désagréable, aujourd'hui. Encore une fois, excuse-moi. Mais tu comprends maintenant pourquoi je n'avais pas envie de monter chez toi. Tu n'as pas de chance, je te réserve l'exclusivité de ma morosité.

Son sourire la rasséréna tout de même un peu. La conversation porta ensuite sur le film qu'ils avaient vu un peu plus tôt. Puis David revint abruptement au premier sujet:

— Je n'ai rien contre Gérard, ses enfants ou sa femme, mais je l'envie. Si je veux me marier un jour, je dois d'abord m'établir. Je suis même allé rôder dans sa rue un soir du mois dernier. Il me faudrait pouvoir offrir au moins une maison comme la sienne à ma femme.

Amélie fit semblant de se passionner pour le contenu de sa tasse de café. Il n'avait pas dit « me marier un jour avec toi ». D'un autre côté, il se confiait à elle. Elle pesa la situation, puis déclara :

— Avant d'avoir cette maison, ils ont logé des années dans un appartement de la paroisse Saint-Jean-Baptiste. Leurs enfants sont nés là.

— Mais je n'en suis même pas à ce niveau. Je vis encore dans une chambre chez mes parents. J'ai des cousins qui me proposent de les rejoindre sur les quais, pour décharger les navires. Tu imagines ? En plus, l'hiver arrive et dans cinq semaines, la navigation sera bloquée. Alors, je ne pourrai même pas envisager cette option.

Le voir dans cet état excitait la fibre maternelle de sa compagne. Un grand garçon robuste de près de six pieds s'inquiétait d'avoir sacrifié des années à des études, en vain. Surtout, son orgueil en souffrait. Tout un clan familial avait contribué au paiement de ses quatre années d'études à McGill. Il avait l'impression de les trahir.

Un peu plus tard, David O'Neill cherchait des pièces de monnaie au fond de sa poche afin de régler l'addition. Amélie résista à l'envie de lui offrir de payer. Aujourd'hui, sa fierté n'aurait pas survécu à l'affront.

En plus des cours, des lectures pieuses et de la direction spirituelle, le Petit Séminaire offrait à ses élèves la participation à diverses associations pour accroître leur piété. Quelques semaines plus tôt, Raymond Lavallée avait demandé son admission à la congrégation de la Sainte

Vierge. Ses professeurs s'étaient concertés, l'un d'eux l'avait longuement interrogé sur la profondeur de sa foi et son désir d'embrasser le sacerdoce, puis la réponse positive était venue.

Pendant la récréation du midi, le 2 novembre, le garçon assistait à sa première réunion en tant que congréganiste. En guise de bienvenue, ses confrères entamèrent un chant pieux. Puis un prêtre d'une cinquantaine d'années prit la parole à l'intention du petit cénacle.

— Vous êtes réunis ici parce que vous désirez faire de la Vierge Marie votre protectrice, votre guide, votre rempart contre les tentations du démon…

Ces prétentions se trouvaient sans cesse répétées dans toutes les écoles catholiques de la province de Québec. Pour les filles, la mère de Jésus servait de modèle. La situation offrait un paradoxe que tous les pédagogues en soutane ne paraissaient pas saisir : cette Vierge devait entre autres leur inspirer… la maternité.

Pour les garçons, cela devenait plus étrange encore :

— Deux femmes détermineront tout le cours de votre existence. D'abord, votre mère terrestre, celle qui vous a donné la vie. Elle vous a porté, vous a nourri. Surtout, elle vous a éveillé à la religion, vous a montré vos premières prières. Près d'elle, vous vous êtes agenouillé pour invoquer « le petit Jésus qui est au ciel ». Tous, vous vous rappelez ces mots.

Et, réellement, tous les garçons rassemblés là où dominait une statue de Marie en plâtre, le cœur transpercé de sept poignards, pouvaient convenir de la véracité de l'assertion. La voix maternelle avait pu paraître aimante ou cassante, le geste doux et enveloppant, ou alors brusque et sans tendresse sincère, mais les paroles avaient été celles-là.

— Vous avez une autre maman, continua l'abbé Verville, plus importante que celle de vos premiers pas, de vos premières paroles, une mère céleste celle-là : la Vierge qui a donné son amour au petit Jésus, et qui nous fait la grâce, à chacun d'entre nous, de nous offrir la même affection.

Dans toutes les chambres des prêtres des Petit et Grand Séminaires, la présence d'une image ou d'une statue de Marie semblait à la fois étrange et touchante. Ces célibataires voués à la chasteté retrouvaient des mots d'enfants pour s'adresser à leur mère du ciel.

La vingtaine de garçons âgés entre douze et vingt ans fixaient de grands yeux sur le prédicateur. Tous avaient exprimé, certains avec plus de conviction que d'autres, leur intérêt pour la vocation sacerdotale. Les corps immobiles et les regards attentifs n'empêchaient pas toujours les esprits de vagabonder.

Juste devant Raymond se trouvait un « petit » pensionnaire de Syntaxe, la seconde année du programme des humanités. Louis, le fils d'un notable de la campagne, offrait à ses yeux, sans le savoir, sa nuque nette, fraîche. La coupe des cheveux des écoliers figurait parmi les tâches diverses du portier de l'établissement. L'exercice n'était pas trop exigeant : il se contentait de passer la tondeuse sur toute la surface du crâne.

En conséquence, une toison fine et blonde laissait entrevoir la peau. La lumière venue d'une fenêtre donnait à la nacre des oreilles une teinte rosée. Pendant que le professeur disait « À cette maman céleste, vous pouvez tout demander, elle intercédera pour vous auprès du petit Jésus », l'adolescent songeait combien glisser sa paume sur ces cheveux très courts serait agréable. Un très bref instant, il imagina s'incliner pour y appuyer son visage, déposer un léger baiser sur le haut du cou.

Puis il se ressaisit, serra très fort la main sur le haut de sa cuisse, forçant les pointes en cuivre à s'enfoncer dans sa chair.

— À deux femmes, continuait le prêtre, vous devez la vie naturelle et la vie spirituelle. Toutes les autres femmes peuvent vous apporter la mort. Celle du corps peut-être, avec toutes les maladies hideuses que transportent les marchandes de plaisirs immondes, et certainement celle de l'âme. Pour tous les garçons, la menace des autres femmes plane sans cesse. Mais pour ceux qui ressentent le désir de se consacrer à Dieu, elle prend une dimension particulière. Imaginez la satisfaction du démon incarné dans la première Ève, puis dans toutes les filles de la première femme, quand il arrive à priver notre Créateur de l'un de ses serviteurs.

L'esprit de Raymond allait sans cesse du danger de damnation éternelle à la nuque d'un blond doré devant lui.

— Mes enfants, pour vous garder de ce fléau, mettez-vous à genoux et sortez votre chapelet.

Ils firent comme on le leur demandait. Avant le début des leçons de l'après-midi, ils avaient le temps de réciter dix *Je vous salue, Marie*.

Après avoir consacré la récréation à la prière et à l'édification de leur âme, les congréganistes éprouvèrent un peu de difficulté à se concentrer pendant les deux heures de leçon. La pause fut donc la bienvenue. Même si elle ne durait qu'une quinzaine de minutes, plusieurs sortirent afin de se dégourdir un peu les jambes.

En mettant les pieds dehors, Raymond reconnut la petite silhouette sous le grand chêne, le seul arbre de la cour.

— L'abbé Verville prêche très bien, déclara l'adolescent alors qu'il rejoignait son confrère.

— Tu as raison, nous avons de la chance de l'avoir parmi nous.

Le visage de Louis rougit. Faire partie des plus jeunes l'exposait à subir les brimades des plus âgés… ou alors à devenir l'objet d'un intérêt plus trouble. Son allure d'angelot tiré d'une peinture ancienne lui méritait plus que sa part d'attention.

— Si je n'en avais pas déjà un, je lui demanderais de devenir mon conseiller spirituel, ajouta Raymond.

Quel pieux mensonge ! Le corps émacié du prêtre et son visage trahissant une dyspepsie perpétuelle le rendaient plus lugubre encore que le curé de la paroisse Saint-Roch.

— Vois-tu un professeur du Séminaire ? demanda Louis.

— Non. Comme je suis un externe, revenir ici en soirée serait peu pratique. Monseigneur Buteau me guide depuis quelque temps.

Le titre devait en imposer un peu à ce garçon. Les professeurs de collège ne pouvaient l'emporter en prestige sur un prélat, fût-il domestique.

— Nous devons y retourner, la classe commencera sous peu, murmura Louis.

Déjà, des écoliers pénétraient dans la grande bâtisse. Le duo leur emboîta le pas.

« Oui, j'allais laisser passer inaperçue cette grande journée, écrivit Raymond dans son journal ce soir-là. Quelques lignes, du moins pour fixer cette date. Ce midi, j'ai été reçu congréganiste. »

Un moment, il demeura immobile, le crayon levé, tenaillé par l'envie d'évoquer la présence de Louis, la conversation sous l'arbre solitaire. Impossible, ses cahiers d'écolier noircis de son écriture ronde ne devaient pas se confondre avec les journaux intimes des jeunes filles de son âge. Y étaler ses émois ne servirait les intérêts de personne, surtout pas les siens.

«Je suis à jamais consacré à Marie, continua-t-il, je l'ai choisie comme patronne et Mère, je lui ai promis de lui être fidèle. Puissé-je toujours bien remplir cette promesse.»

Ce paragraphe serait du meilleur effet. Raymond éteignit la lumière électrique pendue au plafond et entreprit de se dévêtir dans l'obscurité. Puis, étendu sous le drap et la couverture, les bras le long du corps, il tenta de se remémorer le sermon de l'abbé Verville. L'exercice lui était familier, il résumait de mémoire la plupart des prédications de monseigneur Buteau. Tout alla bien jusqu'à «cette maman céleste». Alors, la nuque de Louis prit forme dans son esprit, une image très nette, plus nette peut-être que dans la réalité.

De nouveau, il eut envie de s'incliner vers l'avant. Dans son rêve éveillé, sa tête allait la rejoindre la chair rose, il sentait sur ses lèvres la caresse des cheveux blonds. Dans l'obscurité, la bouche de l'adolescent s'agitait un peu, comme dans de doux baisers. Son visage se déplaçait, comme s'il atteignait l'oreille de l'enfant imaginaire, et ses dents firent le mouvement de mordre légèrement.

Lorsque la langue pointa un peu, Raymond tenait sa main droite serrée sur son sexe turgide jusqu'à lui faire mal, une douleur mariée à celle, lancinante, de la cuisse marquée par les pointes en cuivre. La semence gicla dans la paume de sa main gauche, posée sur le gland.

Le garçon, occupé à faire disparaître les traces de son péché, constata que Charlot n'avait pas pointé ses cornes. Au contraire, son petit scénario lui apparaissait très tendre. Presque beau et pur. Son sentiment ne relevait pas du domaine du diable.

«Décidément, se dit-il en se recouchant, je dois être un terrible pervers.»

Au lieu de retourner sous le drap, il s'allongea sur le sol, face contre terre. Plutôt que dans une oreille nacrée, la langue se promena sur des planches souillées. De toute la nuit, il ne regagna pas son lit.

Chapitre 16

Novembre dénudait les arbres, déversait ses orages froids sur la ville, transformait la terre en boue. Malgré ce temps peu clément, des centaines de personnes se tenaient dans la cour de l'Hôtel-Dieu. Toutes les institutions d'enseignement de garçons de la ville avaient libéré leur clientèle pour la grande cérémonie. Les jeunes filles, quant à elles, se recueilleraient dans la chaleur de leur classe. Les exposer aux intempéries aurait semblé inhumain.

Les écoliers étaient réunis par classe, revêtus de leur uniforme et encadrés par leur professeur. Ceux du Petit Séminaire, chanceux, se massaient juste devant l'autel dressé dehors, surmonté d'un dais pour protéger les prêtres. Et parmi eux, la classe de Belles-Lettres jouissait de la plus belle vue.

— Je veux mourir comme eux, je vais mourir comme eux, clama Raymond avec ferveur, attirant les regards de ses compagnons.

Si tous les élèves se plaçaient l'un derrière l'autre, en fonction de leur taille, ce garçon bravait maintenant les usages et regagnait invariablement le dernier rang pour se tenir près de Jacques Létourneau.

— Tu seras déçu. Les Iroquois ont changé leurs habitudes. Au lieu de faire frire leurs prisonniers avant de les manger, maintenant ils vendent des paniers tressés et des poupées en maïs dans les environs de Caughnawaga.

— ... Pour toi, tout devient un motif de dérision, répliqua Raymond.

La moue boudeuse sur son visage fit espérer à Létourneau qu'il retourne à sa place, au premier rang. Lavallée ne se laissait toutefois pas décourager aussi facilement.

— Plus personne ne va évangéliser les Sauvages de nos jours, ajouta Raymond, ils ont tous été convertis. Mais en Afrique...

— Tu as raison, là, il y a encore des cannibales pour manger les missionnaires. Je te souhaite bien du succès dans ton entreprise. Assaisonné d'une petite sauce au poivre, ils se délecteront de toi...

Le garçon fit un bruit avec sa bouche, comme s'il salivait devant un bon repas.

— Je vais souvent voir les pères blancs, dit Raymond, résolu à ignorer la raillerie. Comme tu le sais, ils ont un couvent en ville.

Personne ne pouvait l'ignorer. L'un des leurs allait régulièrement parler des missions dans tous les établissements d'enseignement de la ville, afin de gagner des vocations. Ensuite, il tendait naturellement la main pour obtenir une obole. Pour mousser leur cause, ces religieux présentaient aux élèves des sagaies, des boucliers en peau de léopard ou de lion, et même des sculptures taillées dans des défenses d'éléphant. Et des photos, des centaines de photos.

— Certains d'entre eux sont devenus des amis, ajouta Raymond. Ils m'ont donné cela.

Le garçon extirpa quelques photographies de la poche de sa jaquette pour les lui montrer. Toutes représentaient un missionnaire au milieu d'une bande de négrillons.

— Vous deux, annonça l'abbé Renaud en s'approchant, je vous ai à l'œil. Commettez-vous le sacrilège d'échanger des images cochonnes en ce jour béni?

L'ordination, survenue quelques semaines plus tôt, ne rendait pas ce jeune abbé plus tolérant pour certains intérêts trop... terre à terre des jeunes gens lui étant confiés.

— Qu'allez-vous penser là ? ricana Létourneau. Mon camarade me faisait part de son intention de devenir missionnaire, comme nos saints martyrs canadiens.

En disant ces mots, il mit sous le nez de son professeur le portrait d'un père blanc hilare au milieu de sa classe.

— ... C'est bon. Mais tout de même, restez silencieux. L'endroit ne prête pas aux conversations.

Alors que le jeune prêtre s'éloignait, le grand blond dit dans un souffle :

— Ce gars-là doit porter un cilice autour des couilles, pour montrer toujours cette mine de déterré.

La réflexion troubla un peu son compagnon ; il fit porter son poids sur sa jambe droite, douloureuse. Jacques Létourneau ne paraissait jamais intimidé devant ses maîtres. Même si son attitude frôlait sans cesse l'insubordination, elle ne l'exposait jamais à de véritables punitions. Entre eux, les professeurs évoquaient une forte tête, mais sur le bulletin, son comportement tout comme son attitude demeuraient somme toute bien évalués.

La cérémonie de translation des restes des saints martyrs se déroulait dans les murs de l'Hôtel-Dieu. La petite chapelle des hospitalières était encombrée de membres du clergé et des politiciens les plus éminents de la ville. Le maire Samson, le premier ministre Louis-Alexandre Taschereau et le ministre fédéral Ernest Lapointe formaient un trio particulièrement recueilli. À deux heures quarante, tout le monde entonna l'*Hymne des martyrs* pendant que messeigneurs Langlois et Hallé agitaient leur encensoir en tournant autour d'une grande châsse dorée.

À la fin, Olivier Maurault, sulpicien, l'abbé Lapointe, aumônier de l'Hôtel-Dieu, le révérend père Eustache, franciscain, et l'abbé Vachon, directeur spirituel du Petit Séminaire, portèrent le reliquaire sur leurs épaules. Avec ce fardeau, les ecclésiastiques présents et les notables firent le tour des salles communes de l'hôpital. *L'Action catholique* rendrait compte en termes émus des ferventes prières de tous les malades des deux sexes. Les plus gravement atteints affichaient la plus grande dévotion.

La procession se poursuivit devant l'édifice, pour un arrêt des saintes reliques face à l'autel improvisé dans la cour. Avec l'encens généreusement répandu de nouveau, les chants et les prières montèrent vers le ciel gris. Un millier de personnes se rassemblaient maintenant près de l'hôpital, pour former une interminable procession.

— Dans ce reliquaire doré, murmura Raymond, repose le crâne du père Jean de Brébeuf.

Létourneau reconnaissait à son camarade une totale compétence en ce genre de chose, aussi il ne contredit pas l'information. La cérémonie devait se dérouler rapidement, car tout ce beau monde avait un horaire chargé. Les quatre ecclésiastiques se chargèrent encore de leur précieux fardeau pour se mettre au bout d'un long cortège.

— La religion va nous faire perdre une demi-journée de chiffre d'affaires, grommela Marie, plantée devant l'une des vitrines.

Des yeux, elle s'assura que sa belle-fille, Amélie, ne se scandalise pas de sa remarque. Au contraire, celle-ci renchérit :

— La religion et le nationalisme. Deux des missionnaires de la Nouvelle-France sont bien engagés sur le chemin de la sainteté. Bon, dans leur cas on ne peut pas en parler comme de nos ancêtres, mais tout de même...

Jean de Brébeuf et Gabriel Lalemant figuraient maintenant au panthéon des bienheureux. Personne au Québec ne doutait de leur sainteté. L'Église confirmerait plus tard cette conviction par leur canonisation.

— Église catholique et nation canadienne-française se confondent maintenant totalement, conclut Marie.

Depuis un instant, les cloches de toutes les églises de Québec et de Lévis sonnaient à l'unisson. Le défilé qui apparut sous leurs yeux, peu après trois heures, donna tout à fait raison à la marchande. Un bruit de fanfare incita les deux femmes à s'approcher un peu plus de la vitrine. Dans la rue de la Fabrique, la police montée municipale, dirigée par le capitaine Trudel et le lieutenant Bigaouette, ouvrait la marche. Tout de suite après les constables venait la fanfare du 22e régiment. L'hymne religieux formait une curieuse cacophonie avec les cloches. Les zouaves, grands et petits – les écoles comptaient leurs propres recrues –, la garde Jacques-Cartier, les chevaliers de Lauzon, les pompiers, la garde Dollard-des-Ormeaux incarnaient diverses dimensions de la virilité martiale canadienne-française.

La jeunesse de la ville venait ensuite, figurée par les élèves de l'École normale Laval, du Collège de Lévis, du Petit Séminaire et des pères maristes. Les adultes laïcs étaient représentés par des membres de la société Saint-Jean-Baptiste et celle des Hiberniens, une organisation irlandaise.

L'Église de demain alignait un long contingent de soutanes: les étudiants du Grand Séminaire, les novices des Frères des écoles chrétiennes, des capucins, des franciscains et des pères blancs devaient faire une grande impression sur les gens de Québec, massés par dizaines de milliers sur les trottoirs. Pour au moins une génération encore, la population demeurerait étroitement encadrée par la religion.

Les membres du clergé de la ville paradèrent ensuite, un véritable escadron de prêtres. En passant devant la boutique ALFRED, monseigneur Buteau tourna la tête vers la gauche. Comme le cortège devait s'engager dans la rue Buade, sa progression fut un peu ralentie. Cela fournit au frère et à la sœur l'occasion de verrouiller leurs regards l'un dans l'autre. La procession se remit bientôt en marche. Monseigneur Langlois passa devant la vitrine dans ses plus beaux atours. Immédiatement derrière lui suivait le reliquaire, vers lequel des prêtres agitaient sans cesse leur encensoir.

Les membres du personnel politique des trois niveaux de gouvernement venaient ensuite. Marie salua son mari d'une inclinaison de la tête, celui-ci souleva son chapeau. Amélie, quant à elle, agita la main.

— Maintenant, fit cette dernière en se retournant, même si la majeure partie de ces curieux va emboîter le pas au cortège, il y aura bien quelques femmes désireuses d'acheter des mouchoirs, après une heure sous cette bruine froide.

— À chaque jour qui passe, tu deviens une marchande de plus en plus avertie.

— Ah! Si personne ne me demande en mariage, je vais racheter ce magasin un jour.

Dans sa bouche, le mot « personne » désignait un individu très précis.

Le long cortège se dirigeait chez les ursulines. Les religieuses n'avaient pas l'habitude d'ouvrir leurs murs à une pareille multitude masculine, même si la moitié portait une soutane. Elle resterait donc dehors. Dès trois heures, monseigneur Hallé, évêque de Hearst, le révérend père Lecourtois, eudiste, et l'abbé Maguire, curé de Sillery, encensèrent les reliques contenues dans la chapelle. Après les Augustines, cette congrégation sacrifiait une partie de sa provision de vieux os, en particulier ceux du père Gabriel Lalemant, mais aussi des fragments des squelettes de Brébeuf et de Garnier.

Quinze minutes plus tard, pendant que la foule se massait dans les jardins de l'institution, un reliquaire fut placé sur les épaules de l'abbé Gelly, aumônier des Ursulines, d'Arthur Belleau, vicaire de la basilique de Québec, ainsi que des révérends pères Placide et Duprat, un capucin et un dominicain.

Alors que le quatuor chargé de la châsse dorée sortait de l'édifice, Raymond Lavallée chuchota encore à l'adresse de son camarade :

— Tu te rends compte ? Ces deux reliquaires contiennent ensemble les os les plus importants de nos premiers saints.

— Oh ! Quant à moi, je suis plus sensible au charme de ce bouquet de roses.

En disant ces mots, l'adolescent contemplait les élèves du couvent réunies dans un coin des grands jardins. Les plus jeunes, âgées de six ou sept ans, figuraient au premier rang. Les plus âgées, à l'arrière, offraient toute la beauté de leurs dix-huit ans. L'une en particulier, une brunette, paraissait particulièrement intéressée par le grand jeune homme blond. Il lui adressa un clin d'œil.

— Ce n'est pas le moment, gronda son compagnon. Devant les reliques de ces saints hommes.

— Je ne pense pas que cela les dérange le moins du monde.

La lente procession se remit en marche dans le même ordre que précédemment. Cette fois, deux châsses en bois doré portées chacune par quatre religieux recevaient les volutes d'encens. Le trajet les mena par les rues du Parloir, Sainte-Ursule, Saint-Louis et finalement Dauphine. La chapelle des Jésuites se trouvait là, destination des saintes reliques.

L'endroit ne permettait guère d'accueillir tout ce monde. Le lendemain, les journaux prétendraient que trente mille personnes avaient participé à la translation des restes des saints martyrs. La grande majorité se tenait sur les trottoirs et adressait des prières émues au ciel.

Seulement quelques douzaines de personnes purent entrer dans le temple, pour la plupart des ecclésiastiques, mais aussi quelques notables laïcs. À l'intérieur, monseigneur Buteau cligna plusieurs fois des yeux, porta une main à ses paupières pour les protéger. Des centaines de lumières électriques brillaient toutes ensemble plus fort que le soleil d'été, tout en émettant autant de chaleur.

En levant les yeux, il aperçut un diadème pourpre et or pendu à la voûte. Au-dessus du maître-autel, un tableau de la révérende mère Marie de l'Eucharistie montrait le martyre des huit bienheureux pères jésuites. D'autres peintures placées ici et là dans la chapelle reprenaient le même thème.

La chorale du Grand Séminaire entonna quelques hymnes religieux. Puis l'évêque auxiliaire du diocèse, monseigneur Langlois, occupa la chaire afin d'évoquer les tortures endurées par les martyrs canadiens.

— Mais il se trouve à peu de distance d'ici une autre personne qui souffre pour le service de Dieu, notre évêque, monseigneur Roy, enchaîna-t-il.

« Et en chantant les louanges de notre évêque, ce drôle prêche sa propre cause », songea monseigneur Buteau. Le prélat eut un peu de mal à retrouver le cours de sa prière.

Pendant quelques minutes encore, monseigneur Langlois poursuivit les éloges envers les saints du XVIIe siècle et ceux d'aujourd'hui, les religieux et les religieuses engagés dans le service de l'Église.

Lorsque monseigneur Buteau sortit de la chapelle des Jésuites, des centaines de personnes étaient toujours en prière devant l'édifice. La foule débordait dans la rue, interrompant totalement la circulation. Au cours des trois prochains jours, les fidèles pourraient entrer et entendre des religieux clamer le panégyrique des Saints Martyrs.

Saint-Roch ne se trouvait pas très loin, mieux valait faire le trajet à pied. Dans la rue de la Fabrique, monseigneur Buteau remarqua les vitrines éclairées de la boutique ALFRED. L'ombre de Marie se découpa dans la vitre de la porte, facilement reconnaissable.

Une étrange pulsion l'incita à entrer. Quatre femmes se retournèrent pour regarder la sombre silhouette drapée de violet. Deux clientes affichèrent des mines coupables, comme si acheter un jupon devenait un péché mortel devant ses yeux inquisiteurs.

— Mesdames, commença-t-il, ne vous dérangez pas pour moi. Je veux juste dire un mot à ma sœur.

Ces paroles les rassurèrent à peine. Elles semblaient tentées de prendre la fuite.

— Suis-moi, invita Marie d'une voix glaciale.

Derrière elle, le prélat gagna la petite pièce réservée au repos des employées, au fond du commerce. La marchande s'effaça pour le laisser passer, puis ferma la porte derrière elle.

— Comme je crois te l'avoir déjà dit, tes visites ne sont pas bonnes pour mes affaires. Ce serait gentil de ne pas récidiver.

— Mais si tu m'invitais à venir dans ton logis, je n'aurais pas à me présenter ici pendant les heures d'ouverture.

— Ah! Voilà que tu te découvres un esprit de famille. Cela vient avec l'âge et les grands honneurs ecclésiastiques, je suppose.

L'ironie de sa sœur ne le surprit pas vraiment.

— Je t'ai toujours été très attaché, protesta-t-il.

— C'est curieux. Il y aura bientôt trente ans, je me suis trouvée dans une situation délicate. Je me suis présentée devant le vicaire de la paroisse Saint-Roch pour demander de l'aide. Te souviens-tu de ta réaction? Tu as eu tellement peur que mon péché n'entache ta jolie carrière! Cette rencontre a été déterminante dans mon éducation. Après, je n'ai jamais plus été la même.

— J'étais alors jeune, sans expérience...

— Tu veux dire qu'aujourd'hui, si une gamine enceinte se présentait dans ton presbytère, tu lui porterais secours?

Les deux se tenaient maintenant assis de part et d'autre de la petite table. Émile Buteau se montra bien vite incapable de soutenir le regard de sa sœur.

— Tu fais bien de rester silencieux, dit-elle. Me mentir ne te servirait à rien, car je te connais. Je suis peut-être la seule sur terre à savoir que tu es un être lâche, égoïste, incapable de la moindre bonne action. Tu te caches derrière une soutane, derrière les règles étriquées de ton Église, car sans cela tu serais nu devant tout le monde. Tu montrerais le monstre hideux en toi.

— Je viens te visiter, je suis ton seul parent, et tu me lances des horreurs au visage, formula-t-il d'une voix blanche.

— Tu n'as aucun parent. Tu es seul au monde depuis la visite que je t'ai faite en 1897. De mon côté, j'ai des parents qui me sont très chers.

— … Je suis ton frère.

Le pauvre évêque semblait s'apitoyer sur son sort.

— Oh non ! Tu es un mauvais souvenir pour moi, rien de plus.

L'homme fit mine de se lever pour quitter les lieux.

— Non, trancha-t-elle, je n'en ai pas fini, alors pose ton cul sur cette chaise.

La surprise l'emporta sur la colère. Sans un mot, il reprit sa place.

— Thalie m'a parlé de son rendez-vous dans ton antre. Ne t'avise pas de lui faire du mal. Tu m'as comprise ? N'aie même pas une mauvaise pensée contre elle !

— Jamais je n'ai eu l'intention….

Marie frappa du poing sur la table pour le faire taire, si fort que la douleur irradia dans son poignet.

— Ne me mens pas, vipère. Si tu lui fais quoi que ce soit, tu auras affaire à une mère. Tu n'as aucune idée de ce qu'est la maternité, malgré tous tes sermons imbéciles. Tu n'as aucune idée de ce qu'est une femme. Tu tentes quoi que ce soit contre elle, et ta vie deviendra un enfer.

Ils se mesurèrent alors du regard. L'homme se leva en grommelant :

— Je t'ai assez fait perdre de temps.

— N'oublie jamais. Rien contre Thalie, rien contre Mathieu, rien contre aucune des filles de Paul. Ma famille, ce sont ces personnes. Je me battrai comme une lionne pour elles.

Buteau la regarda dans les yeux, la main sur la poignée de porte, puis il sortit.

Un peu avant six heures, Marie s'apprêtait à fermer son commerce, le cœur encore un peu déchiré par la visite de son frère.

— Je suis désolée de partir, s'excusa Amélie à ses côtés, mais comme Thalie doit laisser son bureau à un collègue à sept heures, il faut que je me presse.

— Tout le monde se passionne pour les reliques, aujourd'hui. Tu as bien vu, le commerce est demeuré à peu près vide toute la journée. Va-t'en vite.

Après un baiser sur la joue, la jeune femme quitta le magasin. La soirée froide et humide chassait les citadins vers leur domicile, excepté ceux encore massés devant la chapelle des Jésuites. À grandes enjambées, elle se dirigea vers la rue Claire-Fontaine. Élise l'accueillit avec un sourire.

— Je vais voir si elle est prête.

Un peu plus tard, la nouvelle patiente était assise sur le fauteuil réservé aux visiteurs, sa demi-sœur en face d'elle.

— Cela me fait tout drôle, confia-t-elle. Ce matin, nous déjeunions à la même table.

— Et tout à l'heure, nous allons souper ensemble.

— Justement.

L'omnipraticienne semblait s'en moquer, mais le défilé de ses parentes dans son bureau la troublait elle aussi. Heureusement, sa clientèle prenait lentement forme grâce à sa présence au Jeffrey Hale ; elle avait moins l'impression d'offrir ses services à un clan familial.

— Je vais commencer par te peser, te mesurer, écouter ton cœur… Il y a plusieurs semaines, tu me disais te porter très bien. Dans l'intimité de cette pièce, tu me répéterais la même chose ?

— Si tu exceptes ma mauvaise humeur quelques jours par mois, je me porte bien. Mais je ne pense pas que cela compte dans la liste des maladies graves.

— Même pas parmi les bénignes. Mettons cela dans la liste des malheurs de notre sexe. Viens, passons à l'examen.

La jeune femme monta sur la balance en sous-vêtements, pieds nus. Ensuite, le bout glacé du stéthoscope sur sa poitrine fut un peu plus intimidant. Quand elle se retrouva couchée sur le dos pour se faire palper le ventre de haut en bas, elle rougit légèrement.

— Tous les morceaux occupent leur place habituelle, observa Thalie. Tu n'as aucune raison de te faire du souci.

— C'est ridicule, n'est-ce pas ? Nous passons nos vies entre filles, mais finalement nous ne connaissons rien de notre corps, ou de celui des autres.

Cette fois, ses joues passèrent au cramoisi. Elle bafouilla un peu en ajoutant :

— Je veux dire… au couvent, il fallait se laver avec une chemise de nuit sur le dos.

— Comme tu le sais, j'ai échappé aux horreurs du pensionnat. Remarque, l'éviter ne m'a pas donné de meilleures connaissances sur le corps humain. À mon arrivée à la faculté de médecine, j'ai fait du rattrapage… de même que la plupart de mes collègues masculins, je t'assure.

Cette petite précision n'intéressait en rien sa demi-sœur. Elle se mordait la lèvre inférieure, affichant un air soucieux.

— Dis-moi plutôt ce qui te préoccupe, murmura Thalie. Ce sera plus simple.

— … Certaines conditions empêchent d'être mère, même d'être une épouse, n'est-ce pas ?

L'omnipraticienne se dit que ce genre de conversation serait plus approprié entre une mère et sa fille, mais Amélie n'avait plus la sienne. Avec toute sa bonne volonté, Marie ne pouvait totalement assumer ce rôle.

— As-tu des raisons de t'inquiéter de ne pouvoir enfanter ?

— Mais… comment pourrais-je le savoir ?

— Enlève ça.

La culotte alla rejoindre le reste des vêtements sur une chaise. Un peu intimidée, Thalie poussa son examen un peu plus loin que prévu. Cela lui permit de constater que, malgré son intérêt non équivoque pour les garçons, sa demi-sœur était vierge. Quand elles eurent repris leur place de part et d'autre du bureau, le docteur déclara :

— Dans la mesure où cet examen peut le révéler, tu es une jolie jeune femme absolument normale. Ton père serait très rassuré de mes observations, même si je ne révélerai jamais à quiconque ce qui se passe entre ces murs. Quant à la maternité, rien n'indique que tu auras le moindre problème à ce chapitre. Mais franchement, ma belle, l'infertilité ne se voit pas nécessairement par un simple examen. C'est une question de trompes, d'ovaires, d'utérus.

— Cela ne se voit pas en regardant… dedans ?

— Pas à moins d'une autopsie. Et encore…

La jeune fille secoua la tête en riant :

— Non merci. Pour cela, je préfère attendre un peu.

Elles demeurèrent silencieuses, l'ombre d'un sourire un peu timide sur les lèvres.

— Mais si la question de la maternité te préoccupe autant, dois-je comprendre que David et toi…

— Ce grand dadais ? Oh ! Il parle de mariage, bien sûr, pour le jour où il pourra offrir à sa femme une maison digne d'elle.

— Mais cette femme…

— Je suppose que c'est moi, mais je n'en suis pas certaine. Il n'a pas dit « t'offrir » une maison. « À ma femme » ! Voilà ses mots exacts. Il avait peut-être Gertrude en tête.

La dernière phrase fut accompagnée d'un éclat de rire.

— Au moins, ricana Thalie, tu aurais pu faire de moi l'objet de ses fantasmes.

— Je n'aurais pas osé. Dans ton cas, ce pourrait être vrai.

Entichée de ce grand Irlandais, la jolie blonde en venait à voir toutes les femmes comme de possibles rivales.

— Tu le sais bien, dit l'omnipraticienne, les garçons se font enfoncer dans la tête l'idée d'offrir à leur future épouse un niveau de vie semblable à celui qu'elle connaît chez ses parents.

— Quelle sottise ! Gérard ne s'est pas laissé arrêter par cela. Il s'est marié sans le sou. Lui et Françoise viennent tout juste d'entrer dans leur première maison.

Avec deux enfants maintenant, le couple avait trouvé un logis convenable du côté de Limoilou, à deux pas de la succursale de la Banque nationale dont l'homme était le nouveau directeur.

— Nous devons reconnaître que ce garçon un peu effacé montre une grande détermination à réussir, dit Thalie. Et David, beaucoup moins effacé, semble au moins aussi déterminé.

— Je sais, c'est une belle qualité. Mais le couple de Mathieu et Flavie me paraît un meilleur modèle. Je me vois très bien dans une chambre, chez ta tante Élisabeth, pendant les premières années de mon mariage.

Ce couple avait fait rêver la jeune femme ; elle s'imaginait bien à la place de Flavie.

— Mais Mathieu, tout comme moi, reçoit un chèque tous les ans. Il s'agit la plupart du temps d'une somme rondelette, qui le conserve à l'abri du besoin. Cela permet de prendre des initiatives un peu romantiques. Il est passé de sa mansarde à une jolie demeure. David, de son côté…

— … devra faire son chemin tout seul, à la force de ses bras, ou de son esprit. Mais je ne veux pas une maison, je le veux lui !

La confidence lui amena le rose aux joues. Difficile pour une jeune femme d'avouer son désir de façon aussi spontanée, même à une demi-sœur. Interdite, elle s'apprêtait à s'excuser, mais dit plutôt :

— Il peut mettre encore deux, trois ans avant de se considérer comme assez riche pour faire sa grande demande. Moi, je vais me dessécher.

— Nous pouvons parler en amies ?

— Dans cet endroit…

— Dans ma chambre.

— Je serai très heureuse de te rejoindre tout à l'heure. Tu as raison, je suis en train de monopoliser ton bureau, dit-elle en se levant.

Thalie se leva aussi, se dirigea vers la patère pour prendre son imperméable et son chapeau.

— Ce n'est pas grave. Dans cinq minutes, ce sera celui du docteur Courchesne. Rentrons ensemble, ce sera plus agréable.

Après avoir traversé la salle d'attente, Amélie se rendit à la petite table occupée par Élise. Lorsqu'elle régla le prix de la consultation, le docteur Courchesne entra dans le cabinet.

— Bonsoir, cher collègue, déclara Thalie avec un sourire narquois.

— Oh ! Bonsoir, madame Picard.

Il allait enchaîner en évoquant le temps maussade quand son regard s'arrêta sur Amélie. Une remarque du docteur

Caron, formulée des mois plus tôt, lui revint en mémoire. Celle-là, il aurait aimé lui palper l'entrejambe.

Quand les deux jeunes femmes, bras dessus bras dessous, s'engagèrent dans la Grande Allée, la jolie blonde murmura :

— Ton collègue…

— Courchesne ?

— Il a un sale regard.

— C'est un sale type.

Jamais encore il ne s'était adressé à elle en utilisant son titre, minant ainsi sa fierté professionnelle.

Lors du repas, les regards de Marie et Paul Dubuc pesèrent longuement sur les deux jeunes femmes. Thalie se sentit même obligée de préciser :

— Vous le savez bien, je ne peux rien dire de la consultation.

La situation se révélait un peu étrange : un médecin s'attablait rarement avec sa patiente et ses parents dans les minutes suivant une consultation.

— Bon, si je dois tout dire, consentit Amélie, voilà : je vais bien, et tous les morceaux de mon corps se trouvent à la bonne place, selon mon docteur.

— Voilà une information dont je n'ai pas besoin, affirma Gertrude en se levant. Comme si Dieu devait faire vérifier la qualité de son travail par des médecins. Je vais chercher le dessert.

Pendant son absence, Thalie demanda dans un souffle :

— Notre amie connaît-elle un soudain enthousiasme religieux ?

— Oui, répondit Marie sur le même ton, mais cela prend chez elle une tournure très personnelle.

Personne n'y échappait donc, dans la très catholique province de Québec. La religiosité ambiante finissait par agir sur tous les esprits.

Pendant la soirée, la famille se réunit dans le salon, autour de la plus récente acquisition du député : un appareil radio Marconi. La maîtresse de maison avait approuvé cette nouvelle initiative de son conjoint, même si en conséquence, son toit s'ornait désormais des fils métalliques bien peu esthétiques de l'antenne.

À neuf heures, les jeunes femmes souhaitèrent une bonne nuit aux parents, puis se retrouvèrent dans la chambre donnant rue de la Fabrique. Malgré des moyens financiers plus conséquents, Thalie n'y changeait rien, à une exception près : la vieille malle, utilisée en 1918 pour ses études à Montréal, faisait maintenant office de siège devant la fenêtre. La commode en bois un peu décolorée et couverte de marques, le fauteuil défoncé, le lit étroit : les meubles du début du siècle lui convenaient toujours malgré leur usure.

Elle s'allongea sur le lit en robe de nuit, invita la visiteuse à occuper le fauteuil tout en précisant :

— Approche-le un peu pour étendre tes jambes.

Les longues journées au magasin se révélaient souvent exténuantes, mieux valait prendre ses aises.

— Je suis un peu surprise de te voir seule un jeudi, reprit Thalie.

— Nous allons nous reprendre demain. Ce soir, David est allé chez les entrepreneurs Price, pour faire valoir un projet de construction au Saguenay.

— Voilà qui atténuera peut-être ses inquiétudes professionnelles.

— J'irais moi-même allumer un lampion à la basilique, si je croyais cela efficace.

Une carrière, ce ne serait pas la demande la plus modeste formulée à Dieu par les habitants de la ville. Thalie allongea la main pour toucher le pied de sa demi-sœur, posé près d'elle sur le matelas.

— Avez-vous l'intention de vous fiancer ?

— Lors d'une petite réception donnée au *Château Frontenac* ?

Le sourire narquois d'Amélie signifiait combien elle avait peu envie de répéter l'expérience de sa sœur Françoise, des années plus tôt.

— Tous les parents de Québec ne sont sans doute pas aussi impressionnables que ceux de Gérard. Puis au moins, ces Irlandais doivent savoir danser.

— Mais je doute que l'orchestre du *Château* soit capable de jouer les *reels* ou les gigues de ces gens-là. De toute façon...

— ... le garçon n'a pas encore déclaré ses intentions.

Les étudiants de l'Université Laval avaient défilé dans le commerce ALFRED pour conter fleurette à la jolie vendeuse. De son côté, celle-ci se languissait à cause d'un garçon un peu trop réservé.

— Cela ne peut pas durer. Tu vas devoir lui demander quelles sont ses intentions, conclut Thalie.

— Tu me vois lui dire : écoute, David, que désires-tu exactement de moi ?

— Comme tu as pu formuler la question devant moi, tu le peux devant lui. Les mêmes mots, la même intonation.

— La grande différence, c'est que si toi tu ne veux pas m'épouser, cela ne me rendra pas très malheureuse.

Elles éclatèrent de rire toutes les deux, pour ensuite se taire.

— Je n'ai pas vraiment le choix, de toute façon, décida Amélie. Si c'est un adepte du célibat, mieux vaut que je le sache.

— Je ne devrais pas dire ce genre de chose, certainement pas à titre de médecin. Mais tu peux… alléger ton célibat sans risquer du « nouveau ».

Les sous-entendus rendaient la réplique à peu près incompréhensible. Il fallut un instant avant que la jolie blonde ne réagisse :

— Oh ! Je pense que ce genre de précaution est inutile. Tu sais, comme je l'ai dit, David demeure un *gentleman*.

La voix contenait assez de dépit pour que son interlocutrice comprenne combien une pareille résolution de la part d'un prétendant devenait, à la longue, un peu lassante.

— Décidément, conclut Thalie, je pense que l'une de vos longues marches devra s'agrémenter d'une charmante conversation.

— Heureusement, avec la température plus froide, le rose sur mes joues ne trahira pas nécessairement ma timidité.

De nouveau, toutes les deux gardèrent un long silence. Elles entendirent le bruit de la chasse d'eau. Les parents s'apprêtaient à aller au lit.

— Si papa savait ce que tu viens de me dire, murmura Amélie, le pauvre homme en ferait une syncope. Ce genre de chose est totalement interdit par l'Église.

— Ma belle, ne prends pas mal ce que je vais te dire, car j'apprécie les qualités de ton père, mais je suis un peu lasse de toute cette hypocrisie. Si ces deux-là ne nous ont pas fabriqué un nouveau parent, cela ne tient pas à une intervention divine. Tous les deux sont toujours en âge de se reproduire, et voilà dix ans qu'ils sont ensemble !

— Tu veux dire que…

La jeune femme, interdite, dut finalement admettre :

— Bien sûr, tu as raison. Je suis sotte, n'est-ce pas ? J'ai pensé...

— Que nos parents respectifs étaient de purs esprits ?

— En quelque sorte, oui.

— Je crois plutôt qu'ils s'entendent bien. Assez pour avoir des conversations comme celle que je te suggère.

L'autre hocha la tête. Chacun essayait de négocier une existence acceptable avec sa conscience, malgré tous les interdits. Des accommodements s'imposaient, sinon la vie devenait vite insupportable.

— Et de ton côté ? demanda finalement Amélie, un peu timide.

— De mon côté ?

— Tu n'évoques jamais de garçons.

— Simplement parce qu'il n'y en a pas.

Une certaine lassitude marquait sa voix.

— Tout de même, les prétendants ne doivent pas manquer.

Étendue de tout son long sur son lit, une mince chemise de nuit pour tout vêtement, on pouvait aussi dire de Thalie que tous les morceaux se trouvaient aux bons endroits. Dans la rue, elle recevait sa part de regards appuyés.

— Si tel est le cas, je ne l'ai pas remarqué.

— Tu me fais marcher.

— Cela paraît si difficile à croire ? D'abord, mes années d'études tenaient un peu du cloître. Mais cela n'explique pas tout. D'un côté, je ne pourrais tolérer un homme susceptible de m'empêcher de travailler. De l'autre, je les effraie sans doute.

L'armure forgée au fil des ans, pour se protéger des attaques nombreuses contre ses projets, la rendait inaccessible, ou la faisait paraître telle.

— Puis, en termes pratiques, une femme mariée ne peut même pas signer un bail ou avoir son propre compte en banque, dans notre province.

— Ton frère, en tant que notaire, pourrait te proposer un contrat à toute épreuve, semblable à celui de papa et Marie.

— La chance de maman, c'est moins le contrat que la résolution de ton père à respecter sa liberté. Cela lui vaut d'ailleurs une affection sans limites. Ils ne sont pas légion à adopter cette attitude, et je ne peux pas me rabattre sur Paul. Il est pris.

Après une pause, elle ajouta en pouffant de rire :

— Je ne peux tout de même pas le voler à maman.

— Sans compter que si je me réjouis de t'avoir comme demi-sœur, comme belle-mère, non merci.

Imaginer la situation les amusa fort toutes les deux. Puis, la mine plus sérieuse, Amélie déclara :

— Cet après-midi, ton oncle est passé à la boutique.

— L'évêque ? Voulait-il acheter des mouchoirs brodés à sa domestique ?

La raillerie sonnait faux. Le souvenir de sa visite au presbytère de la paroisse Saint-Roch ne lui fournissait aucune raison de se réjouir en pensant à lui.

— Ils se sont enfermés dans la petite pièce quelques minutes. Lui est sorti le premier, les joues cramoisies, le regard fixe. En fait, je crois qu'il a atteint la porte sans avoir vu personne dans la boutique, tellement la colère le tenaillait. Puis ta mère est revenue un peu plus tard, après un moment dans les toilettes. Ensuite, jusqu'à la fermeture, elle a semblé troublée.

— Au souper, elle paraissait pourtant avoir retrouvé sa bonne humeur.

— Mais juste après cet entretien… Je ne savais trop quoi lui dire pour la rasséréner.

De toute façon, un peu comme sa fille, Marie entendait mener sa vie à sa manière, sans chercher l'avis de son entourage. Il était difficile de lui demander de se confier, ou de lui offrir des conseils.

— Elle n'entretient pas de bonnes relations avec son frère, n'est-ce pas ? demanda Amélie.

— Pour autant que je le sache, elle ne me paraît pas avoir la moindre relation avec lui. Pour Mathieu et moi, le saint homme demeure un inconnu.

— Pourtant, c'est son seul parent... Quelque chose a dû survenir entre eux, une violente querelle, une faute impardonnable.

— Tu as sans doute raison, puisqu'ils ont à peu près rompu tous les contacts. Mais je ne sais trop de quoi il peut s'agir. Cette histoire date d'avant ma naissance et celle de Mathieu.

La visiteuse sembla s'apercevoir de l'heure tardive. Elle se leva bien vite, formula des souhaits de bonne nuit avant de se rendre dans sa chambre, de l'autre côté du couloir.

Peu après, la couverture jusque sous son menton, Thalie songea à cette visite inopportune. Non seulement elle connaissait le sujet de l'affrontement survenu en après-midi – après le récit de son expédition au presbytère de la paroisse Saint-Roch, Marie fulminait –, mais elle devinait le motif de la rupture entre le frère et la sœur : une maternité illégitime.

Si Marie n'avait jamais fait de confidences, quiconque la connaissait pouvait deviner la cause du litige. Cela seulement avait pu rompre aussi nettement une relation familiale.

Chapitre 17

Deux jours plus tard, presque tout le peuple de Québec se réjouissait toujours de la bonne fortune de l'Église. Des centaines de personnes s'alignaient devant la chapelle des Jésuites afin de pouvoir se recueillir devant les saintes reliques. Plutôt que de se tenir sur le trottoir dans la froidure humide de novembre pour contempler de vieux os, Élisabeth préférait s'occuper de ses affaires.

— Avoir deux cuisines et deux salles à manger me paraît excessif, expliquait-elle à un entrepreneur en construction, cela pour une trentaine de personnes, tout au plus, si je compte le personnel.

— Mais vous ne pouvez pas demander à tout le monde de traverser les deux jardins sous la pluie battante, ou alors pendant l'hiver, à une température de moins dix, ricana l'homme.

En même temps, il imaginait sa séduisante cliente avec des vêtements mouillés collés sur son corps.

— Le mieux serait de construire un ajout qui permettrait de relier les deux maisons, pour y loger justement à la fois la cuisine et une salle à manger.

Édouard avait eu raison : les affaires du magasin PICARD allaient plutôt bien, au point où sa part du commerce avait valu à Élisabeth une somme généreuse. Cela lui permettait d'entreprendre des travaux plus ambitieux que ceux qu'elle envisageait plus tôt.

— Il y a aussi de nombreuses rénovations à effectuer dans les vieilles maisons, remarqua l'entrepreneur. Cela prendra du temps. Avec le montant convenu…

Négocier avec une femme lui semblait une belle occasion pour augmenter sa part de bénéfices.

— Mais en cette saison, rétorqua la cliente, votre secteur d'activité est plutôt tranquille. Je ne doute pas que vous trouverez de nombreux ouvriers disposés à vous fournir quelques semaines de travail pour un prix acceptable.

— Les salaires sont à la hausse depuis 1921.

— Pas en cette saison. Mais si vous préférez passer les prochains mois les pieds sur la bavette du poêle à attendre le printemps, je comprendrai. Il y a d'autres personnes à qui je peux m'adresser.

Elle disait cela avec un charmant sourire. L'homme la toisa des pieds aux cheveux blonds, puis secoua la tête de droite à gauche.

— Je vais tenter de trouver des hommes pour le prix convenu.

— Et à la date convenue ?

— Lundi prochain, nous nous mettrons au travail. Si c'est tout…

— Vous pouvez commencer dès à présent à recruter vos ouvriers. Je serai là à sept heures du matin lundi pour vous ouvrir la porte, et à six heures de l'après-midi pour la fermer, et ce, tout le temps que durera le chantier.

L'homme comprit alors que cette patronne ne se laisserait voler ni une minute de travail ni le moindre clou. Il la salua d'une inclinaison de la tête et sortit.

Jeanne avait surveillé l'échange en silence. Elle s'approcha pour murmurer :

— Vous avez changé, madame, depuis mon départ de la rue Scott.

— Mais toi aussi. C'est notre lot à tous, n'est-ce pas ?

— Oh ! Chez vous, ça paraît plus que chez d'autres...

La domestique fit un tour complet pour examiner la salle à manger.

— Ces travaux se poursuivront jusqu'à l'hiver ? demanda-t-elle.

— Je rêve de voir le tout achevé pour Noël. Mais mon notaire affirme que, depuis la construction de la première hutte sur cette terre, jamais un entrepreneur n'a respecté un échéancier. Alors espérons ne pas dépasser la mi-janvier, en ce qui concerne tous les réaménagements intérieurs.

Son seul véritable sujet d'inquiétude était la nouvelle aile devant réunir les deux maisons. Aussi tard dans la saison, la construction de fondations et de murs en brique deviendrait hasardeuse. Mais elle ne pouvait se résoudre à attendre l'été de 1926 pour ces travaux, et perdre ainsi la totalité de la saison touristique.

— Pendant toutes ces semaines, remarqua encore la domestique, les locataires verront leur train-train bouleversé.

— Les députés m'ont assuré être prêts à accepter ces inconvénients pour mes beaux yeux. Si les étudiants protestent un peu trop, je leur consentirai une réduction de loyer.

— Oh ! Ils n'oseront pas. Ce sont vos plus grands admirateurs.

— Nous verrons bien.

Élisabeth se promenait dans la pièce de sa nouvelle acquisition. Elle laissa échapper un soupir. Dans deux mois tout au plus, les salles à manger des maisons de la rue Sainte-Geneviève et de la rue Saint-Denis seraient transformées en petites suites de deux pièces dotées de leur propre salle de bain. Elle-même entendait déménager ses pénates au rez-de-chaussée afin de se rapprocher de la réception. Chaque pied carré de ces maisons devait rapporter.

— Retournons de l'autre côté, une longue journée nous attend.

Les deux femmes utilisèrent la porte arrière pour retourner à la pension Sainte-Geneviève. Au cours des prochaines semaines, elles feraient ce trajet plusieurs fois par jour.

La joie d'Amélie illuminait son visage, faisait étinceler ses yeux bleu clair. La veille, David avait appelé à l'appartement de la rue de la Fabrique depuis un téléphone public pour lui confier que les choses tournaient pour le mieux. Un doigt coincé dans une oreille pour couper le son ambiant de la taverne où il prenait un verre avec des membres de sa famille, l'autre écrasé sous le cornet de bakélite, il hurlait pour être entendu. Dans ces circonstances, impossible de révéler le moindre détail. Tout au plus s'entendirent-ils pour se fixer un rendez-vous le lendemain sur le parvis de la basilique.

— La compagnie Price t'offre un emploi! répéta-t-elle en posant sa main sur son avant-bras. Je savais bien qu'un homme comme toi ne resterait pas longtemps inactif.

Une nouvelle fois, il eut envie de lui dire que les six derniers mois lui avaient paru une éternité. Mais pourquoi gâcher le plaisir d'une aussi charmante jeune femme? Son honnêteté l'obligea à apporter une précision :

— Ce travail durera quelques mois seulement, le temps de préparer les plans d'une nouvelle section dans l'usine à papier de La Baie, au sein d'une petite équipe. Mais on m'a laissé entendre que si les choses se passaient bien, je pourrais continuer.

— Bien sûr, ils voudront te garder. Il ne peut pas en aller autrement.

Un tel optimisme confinait à la ferveur religieuse, le jeune homme décida de la croire. Amélie tira alors la manche de son père pour attirer son attention et lui dire :

— David a été recruté par Price !

— ... Oh ! Je vous félicite, jeune homme.

La main tendue et le sourire sur les lèvres témoignaient de sa sincérité. Marie, qui avait aussi entendu, saisit le col de l'heureux ingénieur pour l'attirer vers elle.

— Une aussi bonne nouvelle vaut une bise.

Elle s'exécuta sur une joue bien lisse, fraîchement rasée. Thalie, de son côté, regardait la jolie blonde avec un sourire en coin. À la fin, elle déclara :

— Devant la porte de la cathédrale, c'est un peu gênant, mais comme maman me donne l'exemple...

Elle donna à son tour une bise au jeune homme. Bientôt, sous le regard de nombreux paroissiens curieux de l'objet de ces effusions, David rougissait comme une jeune fille.

— Vous allez venir manger chez nous ? demanda Paul Dubuc.

— J'avais plutôt pensé inviter Amélie à venir dîner avec moi au *Café New York*, afin de célébrer ma bonne fortune.

— ... D'accord, si vous me promettez de monter prendre un verre cet après-midi, quand vous me la ramènerez.

Il faillit ajouter « en bon état ». Autant Françoise lui avait paru trop sage, autant sa cadette lui inspirait une inquiétude lancinante tapie au fond de son esprit. Il craignait une mésaventure.

— Entendu. Disons vers trois heures.

Pendant que le couple s'apprêtait à partir, Thalie serra prestement la main de sa demi-sœur en lui adressant un clin d'œil amusé.

Dans la rue Saint-Jean, le *Café New York* attirait une clientèle jeune, emballée par la modernité. En lisant le menu, Amélie s'efforça de choisir les plats les moins coûteux. Avoir su que son compagnon avait emprunté deux dollars à son père pour l'inviter ce jour-là, elle se serait contentée d'une soupe. La conversation fut pourtant plaisante, tant l'horizon prenait des couleurs rassurantes. Une fois l'addition réglée, David remarqua :

— Il est encore tôt. Nous pourrions marcher un peu.

Bras dessus bras dessous, ils remontèrent la rue Sainte-Ursule jusqu'au chemin Saint-Louis. Quand ils atteignirent la rue Buade, ce fut Amélie qui suggéra :

— Le parc Montmorency est tout près, nous pourrions nous asseoir sur un banc un moment. Rien ne presse.

Bien que fraîche, cette journée de la mi-novembre était belle. Les yeux perdus sur la navigation fluviale, elle demanda bientôt :

— Je suis très heureuse de la tournure des événements. Mais j'aimerais savoir quels sont tes projets.

Comme elle l'avait prévu quelques jours plus tôt, ses joues rougies pouvaient sembler tenir au froid.

— Je vais travailler comme un fou, seize heures par jour s'il le faut, pour leur montrer...

— Je voulais dire entre nous.

Un instant, leurs regards se nouèrent.

— Que veux-tu dire ? demanda l'homme, surpris de la tournure de la conversation.

— Il y a quelques jours, tu as évoqué devant moi la nécessité d'avoir certains moyens avant de te marier, et même une maison comme celle de mon beau-frère Gérard. As-tu la moindre idée de l'identité de l'heureuse élue ?

Les yeux écarquillés, il s'exclama un peu trop fort, au risque d'attirer l'attention des occupants des autres bancs :

— Mais ce sera toi !

— Te rends-tu compte que tu me le dis pour la première fois ?

Surtout, Amélie avait cruellement conscience qu'elle venait littéralement de le demander en mariage.

— Je… je pensais que tu le savais. Enfin, comment oserais-je te parler de m'unir à une autre ? Je te vois depuis un an.

Cette fréquentation avait débuté bien lentement, puisque le jeune homme étudiait alors à Montréal.

— T'attendais-tu à ce que je le devine ?

Maintenant rassurée, elle le regardait avec un sourire un peu moqueur, prête à pouffer de rire. Plutôt que de risquer de se mettre à bafouiller, il saisit la petite main posée entre eux sur le banc et contempla longuement ses beaux yeux :

— Je suis fou de toi depuis que je te connais. Mais comment te confesser mon amour alors que j'étudiais à Montréal ? J'étais sans le sou, encore sans avenir. Certaines semaines…

Il n'osa pas ajouter « je me nourrissais uniquement de bouts de pain ». Sa fierté n'aurait pas survécu à un pareil aveu.

— Et depuis mon retour, je vis chez mes parents, je fais de petits travaux de dessin technique pour me tirer d'affaire, et j'y arrive bien mal. Je pensais me… déclarer quand j'aurais obtenu un emploi acceptable, avec la perspective de pouvoir acheter une maison un jour…

— Mais je me fiche de ton emploi, je me fiche de ta maison… enfin, tu comprends ce que je veux dire.

La main de l'homme serra la sienne au point de lui faire mal.

— Je t'aime, souffla-t-il à voix basse, je t'aime comme un fou.

— Cela me paraît le plus important, non? Je t'aime aussi. Mais je n'attendrai certainement pas des années dans l'espoir d'un… heureux dénouement. Comme logement, une chambre me suffira, comme meubles, un lit. Pourvu que je sois avec toi. Je ne rêve pas d'une grande cérémonie, mais d'un anneau à mon doigt. Même un anneau en fer comme celui des ingénieurs me rendrait heureuse.

La main dans la main, ils demeurèrent immobiles un long moment, silencieux aussi.

— Dans quelques semaines, ajouta-t-il, je quitterai la maison pour emménager dans une pension très modeste. Mais, à moins d'une catastrophe, je mènerai une vie décente l'été prochain.

— Les mariages sont nombreux, l'été.

— Mais des enfants peuvent venir bien vite. Et dans ce cas…

Comment expliquer à une jeune Canadienne française que le poids d'une famille nombreuse condamnait irrémédiablement à la médiocrité, sinon à la misère?

— Regarde-moi, murmura-t-elle.

Lorsqu'il leva les yeux vers elle, elle continua:

— Je sais qu'en faisant bien attention…

Les joues cramoisies, elle n'osa pas aller au terme de sa phrase. Devant l'allusion, David sentit une solide érection.

Elle venait de lui donner le meilleur motif d'acharnement au travail… et d'une cérémonie pas trop tardive.

— Tu as raison, l'été est une saison propice. Je parlerai à ton père aux fêtes. Là, je devrais avoir un costume décent à me mettre sur le dos.

Même s'il était trois heures, l'homme préféra profiter encore un peu du moment. Quand plus tard il se retrouva un whisky à la main à écouter Paul Dubuc discourir de la situation politique étrange au gouvernement fédéral, ses yeux restèrent englués sur la jeune femme.

Celle-ci buvait son sherry à petites gorgées, discutant avec sa patronne des nouvelles robes reçues la veille. Le visage mobile, les boucles blondes… Comme il la trouvait désirable ! Une heure plus tard, quand elle le reconduisit à la porte du commerce, elle le trouva un peu moins *gentleman*, mais encore plus attachant.

Quant à lui, il rentra à la maison avec des mains maintenant familiarisées avec l'élasticité de ses seins menus et la fermeté de ses fesses. Amélie le laisserait dorénavant consulter le menu un peu plus librement, afin de le maintenir dans ses bonnes résolutions.

Une semaine plus tôt, Édouard avait décommandé le repas dominical avec sa mère. Évelyne, avait-il prétexté, ne se trouvait pas suffisamment bien pour la recevoir à dîner. Pareille éventualité survenait parfois ; mais dans ces circonstances, l'homme lui en faisait part de vive voix, pas grâce à un mot rédigé à la hâte.

Sept jours plus tard, alors qu'il devait recevoir Eugénie, il invita plutôt Élisabeth à venir prendre le thé en après-midi. En se présentant à la porte, elle demanda sans attendre :

— Tu ne t'es pas mis en tête de manigancer une petite rencontre de réconciliation entre ta sœur aînée et moi ? J'ai renoncé à tout espoir à ce sujet il y a des années, et je ne crois pas que je survivrais à l'entreprise.

— Non, je songeais toutefois à une réconciliation entre toi et moi, si possible.

Élisabeth resta bouche bée.

— Je ne savais pas que nous étions divisés, murmura-t-elle.

— Entre, je viens tout juste de demander à la domestique de préparer le thé.

Comme à leur habitude, ils s'installèrent de part et d'autre du foyer, dans la bibliothèque. Le feu allumé dans l'âtre permettait d'atténuer l'humidité de novembre. La visiteuse apprécia de nouveau le décor de la pièce. Puis elle demanda, pour rompre le silence :

— Évelyne ne se trouve pas ici ?

— Non. Elle et Thomas junior sont allés visiter les beaux-parents. J'ai plaidé un rendez-vous d'affaires pour me dérober. De toute façon, ce n'est pas tout à fait un mensonge : je veux parler affaires.

Une jeune bonne vint porter un plateau chargé d'une théière, de tasses et de petits biscuits. Par habitude, Élisabeth versa la boisson chaude dans les tasses puis demanda, en s'appuyant confortablement dans son fauteuil :

— Maintenant, dis-moi le motif de notre querelle. Car honnêtement, je ne sais pas.

— Tu as vendu ta part à Mathieu.

Le ton cassant contenait un lourd reproche. Elle choisit de porter sa tasse à ses lèvres, le temps de chercher la meilleure réponse.

— J'ai vendu mon bien à qui me faisait une offre convenable.

— Mais tu savais que je la désirais… Je te l'ai demandée assez souvent au fil des ans.

— Veux-tu dire que je n'avais pas le droit de disposer de mon héritage à ma guise ?

Nerveusement, Édouard posa sa boisson, afin de dissimuler le tremblement de sa main.

— Tu es ma mère ! Je croyais que cela comptait un peu pour toi.

La scène rappelait une dispute entre des amoureux. Le charmant petit garçon qu'il avait été revint à la mémoire d'Élisabeth. Toute sa vie, il lui avait témoigné une affection indéfectible. Maintenant, il se sentait trahi.

— Cela ne change rien entre nous. J'ai eu l'occasion de conclure une transaction avantageuse, j'en ai profité.

— Tu sais bien que je t'aurais consenti le même prix. Si c'est bon pour lui, ça l'est pour moi. Mais tu as tout conclu de manière secrète. D'ailleurs, je l'ai deviné tout à fait par hasard. Une relation d'affaires m'a laissé entendre que tu te livrais à de grands travaux. Tu ne m'aurais rien dit ? Jamais ?

Sa curiosité éveillée, Édouard avait profité de l'obscurité afin de juger lui-même de l'ampleur de l'entreprise. Cela avait suffi pour lui permettre de deviner d'où venait l'argent. Quelques questions lui avaient donné une certitude. Personne ne pouvait emprunter plusieurs milliers de dollars dans une ville comme Québec sans que cela se sache.

Le silence s'installa entre eux, pesant.

— Je sais bien qu'au fil des ans, à la pension, tu t'es liée à lui, formula-t-il encore. L'irréprochable Mathieu, volontaire pour aller à la guerre, étudiant sérieux, époux fidèle. Tout ce que je ne suis pas, en fait.

Il ne servait à rien de nier. Élisabeth ressentait une véritable affection pour le jeune homme torturé par ses affreux souvenirs. Mais au fond, le seul domaine où elle le trouvait supérieur à son fils n'avait pas été évoqué. Alors qu'Édouard s'était amusé aux dépens d'une jeune fille de la Basse-Ville, Clémentine, Mathieu avait quant à lui épousé Flavie. Elle s'était identifiée successivement à ces deux jeunes filles d'origine modeste.

— Que vas-tu chercher là ? Cela n'a rien à faire avec ma transaction, mentit-elle. J'avais besoin d'argent, j'en ai parlé à mon notaire, il m'a proposé un prix.

— Sans m'en dire un mot, car tu savais que je serais prêt à égaler son offre.

Ou Élisabeth disait la vérité, ou plutôt une partie de la vérité, ou alors elle rompait pour toujours les liens avec ce garçon qu'elle avait élevé avec tant d'amour.

— Je ne voulais pas te dévoiler toute l'histoire, pour ne pas entacher le bon souvenir que tu gardes de Thomas. Ton père était un homme bien, n'en doute pas. Si tu me promets de ne rien révéler à quiconque, je vais m'expliquer.

Le jeune homme fronça les sourcils et la contempla avec des yeux de braise.

— … Dis toujours.

— Promets d'abord.

— Bon, promis, je ne dirai rien.

— Mathieu n'est pas le fils d'Alfred, mais celui de Thomas.

L'information laissa son interlocuteur muet. Au moins, constata-t-elle, au lieu d'une sourde colère, la surprise se peignait sur son visage.

— Tu sais que Marie a été sa secrétaire pendant une courte période.

— Elle qui a l'air si sévère, si réservée. Elle cache bien son jeu.

Il la voyait subitement en aguicheuse, la séductrice attirée par la fortune de son patron.

— Édouard, ne dis pas des choses comme cela, sinon je pars tout de suite.

La colère mettait maintenant le rouge aux joues de la femme. Ce genre de soupçon, si fréquent, lui levait le cœur.

— Tu sais très bien comment une petite employée peut se laisser conter fleurette et finir par céder pour ne pas perdre son gagne-pain, gronda-t-elle bientôt. Je ne veux pas accabler ton père, que j'ai beaucoup aimé. Mais dans cette histoire, Marie est une victime, pas une séductrice.

Elle n'irait pas jusqu'à prononcer le mot « viol ». Ce n'était pas nécessaire.

— Et Alfred, dans cette histoire ? demanda Édouard d'une voix hésitante après un long silence.

— Il a voulu aider une jeune fille pour laquelle il avait une réelle affection. Puis, cela lui donnait... tu me comprends.

— Une couverture, compte tenu de son mode de vie.

La femme acquiesça d'un geste de la tête. Après toutes ses années au couvent, son arrivée dans la famille Picard lui avait permis un apprentissage rapide des vicissitudes de l'existence.

— Tu ne me diras pas que Thalie est aussi ma demi-sœur, j'espère.

— Ça non ! Elle est bien la fille d'Alfred. Pour le croire, les voir ensemble suffit amplement.

Le marchand hocha la tête une autre fois. Cette information donnait un sens aux rapports étranges que les deux familles avaient entretenus jusqu'en 1914.

— Toute sa vie, continua Élisabeth, mais en particulier lors de sa maladie, Thomas a profondément regretté son comportement à l'égard de Marie. Quand j'ai voulu vendre, Mathieu m'a dit souhaiter acquérir ma part. J'ai accepté. Cela me semblait un petit dédommagement.

— Tu lui as accordé sa part de l'héritage, ricana son interlocuteur.

— Je lui ai vendu, à bon prix, une part de son héritage. Il n'a pas eu un sou en cadeau, sois-en certain.

Tous les bâtards connaissaient ce sort. Le patrimoine passait aux enfants légitimes. La visiteuse se demanda alors s'il convenait de poursuivre les confidences, de préciser le rôle de Thomas dans la mort de sa première femme, Alice. Ou même d'évoquer le désir de Mathieu, exprimé dès 1914, de récupérer un jour la pleine propriété du magasin. Finalement, elle décida de s'abstenir. Édouard avait visiblement son lot de nouvelles bouleversantes pour la journée.

— Tout de même, murmura-t-il, tu aurais dû me le dire.

— Crois-tu que c'est facile pour moi d'expliquer que l'homme que j'aimais a mis sa secrétaire enceinte, pour la chasser ensuite de son commerce ? Et qu'il feignait d'ignorer la nature véritable de son lien avec Mathieu ?

— … Non, bien sûr que non. Mais je t'assure, j'aime mieux savoir cela que de penser que tu as cessé de m'aimer. Tu comprends ? Comment pouvais-je interpréter ton geste, autrement ?

L'adorable Édouard. Malgré toutes ses imperfections, il arrivait toujours à la toucher droit au cœur. Élisabeth se pencha en avant, la main tendue pour prendre la sienne. Longtemps, ils restèrent ainsi, les yeux dans les yeux.

Quand elle fut en mesure de parler d'une voix assurée, elle demanda, soucieuse de changer de sujet :

— Comment se fait-il que tu n'aies pas mangé avec ta sœur aujourd'hui ?

— À cela aussi, tu devrais être capable d'apporter une réponse. Il paraît que tu as débauché sa domestique, Jeanne.

— Ma responsabilité ne va pas plus loin que d'avoir repris cette femme à mon service. Le côté adorable d'Eugénie a suffi seul à la convaincre de changer d'employeur. Mais cela ne me dit pas pourquoi le repas a été annulé.

— Elle m'a dit : « Je t'inviterai quand ma nouvelle cuisinière saura préparer des aliments mangeables. » Il paraît que c'est une grosse dame de la Gaspésie.

Élisabeth se rappelait comment Eugénie refusait, adolescente ou jeune adulte, de se rendre utile dans une cuisine. Elle ne pouvait combler les lacunes de cette domestique en mettant elle-même la main à la pâte.

— Tout de même, j'ai été surpris d'apprendre que Jeanne avait quitté cette demeure, déclara Édouard. Au fil des dernières années, j'en étais venu à penser qu'elle et Fernand…

Au lieu de formuler son soupçon à haute voix, l'homme frotta ses index l'un contre l'autre.

— Là-dessus, je ne peux pas te renseigner. Si mes domestiques connaissent des rumeurs les concernant, elles ne me les ont pas répétées.

Pendant un moment encore, la mère et le fils conversèrent. Édouard récupéra sa bonne humeur coutumière. De son côté, Élisabeth se réjouissait d'avoir su doser ses confidences pour ne pas trop se livrer.

Le lendemain, pour se rendre au Petit Séminaire, Raymond Lavallée mit en application une recommandation de monseigneur Buteau : la mortification par les pieds. Au lieu d'emprunter le tramway, il marcha, monta le grand escalier entre la Basse-Ville et la Haute-Ville deux marches à la fois, et marcha encore.

Ce nouveau trajet comportait d'autres avantages non négligeables. L'exercice lui vaudrait de perdre quelques livres, donnant à son pasteur l'illusion de sacrifices aux repas. Surtout, marcher lui évitait une occasion de péché. L'adolescent se voyait mal expliquer au prêtre que depuis le début de septembre, matin et soir, il se réjouissait à l'idée de partager la banquette de Jacques Létourneau. De toutes ses fautes, qu'il découvrait nombreuses, la plus honteuse était certes la concupiscence.

En soirée, son itinéraire demeurait strictement le même, avec un net avantage toutefois. De l'école à la Basse-Ville, il descendait une pente, puis un escalier. Et deux fois par jour, il faisait l'effort d'un détour par la rue Fleurie, afin de s'arrêter à la chapelle des Servantes du Saint-Sacrement. Pour une prière et une petite méditation, vingt minutes suffisaient amplement. Il consacrait donc quarante minutes par jour à ses deux visites.

Ce lundi de la mi-novembre, le garçon remarqua une activité inhabituelle dans la Basse-Ville. Des hommes dans la force de l'âge envahissaient les trottoirs et les rues, rendant difficile la circulation des piétons et des automobiles. Les policiers, plus nombreux qu'à l'habitude, tentaient de convaincre tout ce monde de rentrer chez soi en haussant la voix et en agitant leur matraque. Cette agitation l'obligea à faire quelques détours pour atteindre la rue Grant.

— Que se passe-t-il? demanda-t-il en entrant dans la maison.

Sa mère se trouvait devant l'évier, dans la cuisine, occupée à préparer le repas. Elle répondit sans se retourner:

— Les travailleurs des plus grosses manufactures de chaussures sont en grève.

— Mais ce sont des membres des syndicats catholiques.

Aux yeux de ce garçon pieux, cela frisait l'hérésie. Ces organisations devaient préserver la paix sociale, non pas se révolter contre l'ordre établi.

— Les salauds de patrons ont décidé de réduire les salaires, remarqua Germaine, sa sœur aînée. Certains ouvriers auront vingt pour cent de moins dans leur enveloppe du samedi. C'est inacceptable.

La jeune femme, accoudée à la table familiale, parcourait les pages du *Soleil*. Raymond songea à l'admonester pour ses mauvaises lectures car malgré des efforts répétés, les sages recommandations de monseigneur Buteau pénétraient bien lentement dans cette maison. Et bien sûr, à lire ce torchon, la jeune femme professait des idées « avancées ».

— Les propriétaires ont sans doute de bonnes raisons commerciales, opposa Raymond. Cela ne leur fait certainement pas plaisir.

— Les pauvres, ricana son interlocutrice. Ils roulent dans de grosses voitures, habitent de grandes maisons, boivent le meilleur whisky, mais ils sont forcés de baisser les gages de tout le monde.

— Les patrons catholiques sont des gens de bien, utiles à la communauté. Prends le tien, Georges Élie Amyot. Il vient de donner cent mille dollars pour la création d'une école de chimie affiliée à l'Université Laval.

— Oh! Tu devrais mettre sa photo sur le mur de ta chambre, entre celles de la Vierge et de saint Joseph. Pendant ce temps, moi, je touche moins de deux dollars pour une journée de dix heures de travail sur une machine à coudre. Et une partie de cet argent sert à payer les études d'un futur prêtre.

Les deux jeunes filles de la maison évoquaient rarement cette situation. Leurs gages couvraient en partie les frais de scolarité du cadet. La mauvaise humeur de l'ouvrière tenait à sa crainte de voir son propre employeur suivre l'exemple de ses voisins. Ce genre de décision semblait aussi contagieux que la grippe espagnole. Dans ce contexte, difficile pour elle de faire un bon accueil aux arguments d'un garçon totalement étranger à la vie réelle.

— Germaine, viens m'aider avec les patates, intervint sa mère.

Ainsi, la fille devait alourdir sa longue journée de travail avec des corvées ménagères. Le garçon monta pour rédiger des vers en latin dans sa chambre.

Avant d'aller au lit, Raymond se permettait une dernière visite à l'église, les jours de beau temps. Ce soir-là, il constata une affluence inhabituelle, composée très majoritairement de femmes. Ces ménagères craignaient de voir la grève se prolonger à l'approche de la mauvaise saison. Pour la plupart, cela pouvait signifier la famine.

Comme à son habitude, pour être plus près des saintes espèces, le jeune homme s'agenouilla à la sainte table en face de l'autel. Sa méditation pieuse ne l'absorbait pas au point de rater le plus infime mouvement de soutane dans son champ de vision. Un vicaire, celui prénommé Joseph, apparut brièvement au fond du chœur.

Le séminariste quitta prestement son lieu de prière pour atteindre la porte donnant accès à la sacristie, sur la gauche.

— Monsieur l'abbé, commença-t-il d'entrée de jeu, vous avez vu tous ces grévistes, dehors?

— Comme tout le monde qui est passé aujourd'hui dans la Basse-Ville, j'ai vu ces gens.

— … Vous savez ce qui se passe, exactement?

L'autre esquissa un petit sourire devant cette candeur.

— Comme tu le sais, je suis l'aumônier des cordonniers machinistes. Alors oui, je suis bien informé des événements.

— Cette initiative me paraît un peu... dangereuse. Les unions catholiques en grève! C'est... sacrilège.

— Quel jugement téméraire! Te voilà donc spécialiste du droit canon. Un syndicat sert à défendre les travailleurs.

— Mais la doctrine sociale catholique...

— Vas-tu me donner une leçon sur la doctrine sociale de l'Église, maintenant?

L'ironie incita le séminariste à un peu plus de modestie.

— Selon l'abbé Renaud, mon professeur, elle doit permettre de conserver la bonne entente entre les patrons et les ouvriers. Alors la grève...

— Déjà, il y a quelques années, quand nous fréquentions le Petit Séminaire, Renaud simplifiait un peu les choses. Ce n'est pas faux. Mais en même temps, c'est un peu plus compliqué que cela. Les travailleurs doivent respecter le droit de propriété, fournir une honnête journée de travail...

— Et là, ils encombrent plutôt les rues...

Son interlocuteur laissa échapper un soupir de lassitude. Il n'enviait pas à Buteau la direction spirituelle de cet esprit obtus.

— Les patrons, de leur côté, doivent accorder un salaire familial à leurs employés, c'est-à-dire capable de faire vivre une femme et des enfants dans la dignité. Tu crois que ces pères de famille y arriveront avec un cinquième de leurs gages en moins?

— Je ne sais pas...

— Crois-tu que ton père y arriverait, lui? Sais-tu combien il gagne? Ce que lui coûte la nourriture d'une semaine?

Raymond secoua la tête de droite à gauche. Son obsession religieuse lui masquait toutes les réalités désagréables de l'existence.

— Donc, cette grève n'est pas un péché?

— Demain matin, tout le monde reprendra son travail. À l'heure du souper, l'association patronale a accepté de soumettre la question des coupures de salaire à l'arbitrage.

— Donc, c'est déjà réglé?

«Décidément, ce dadais ne veut rien comprendre», songea l'abbé.

— Dans les jours à venir, monseigneur Joseph-Alfred Langlois se penchera sur cette question et rendra une sentence arbitrale sur les salaires. Nous verrons comment les choses tourneront à ce moment.

Le vicaire fit semblant de s'absorber dans le contenu d'une armoire. Le garçon comprit finalement le message et formula: «Bonsoir, monsieur l'abbé». Recevant un grognement inintelligible en guise de réponse, il sortit par une porte latérale. Novembre maintenait son emprise. Le froid, la pluie et la pénombre faisaient penser à un ensevelissement. Réprimant un frisson, il serra le col de son uniforme scolaire contre son cou.

Chapitre 18

La vie des étudiants du cours classique obéissait à une morne routine. Aux leçons de la matinée succédait une période d'étude, puis une courte récréation précédait le repas du midi. Une autre, plus longue, venait ensuite. Ayant satisfait leur besoin de bouger, tous ces garçons réintégraient leurs classes. Pour les internes et quelques externes un peu zélés, une autre période d'étude suivait à quatre heures.

Âgés entre douze et vingt ans, ces jeunes gens devaient brimer leurs besoins de rire et de bouger pendant toutes ces heures. Ils devaient plutôt assimiler des œuvres d'auteurs latins et des réflexions de philosophes morts depuis des siècles.

À la récréation du midi, cette horde cherchait à dépenser son énergie, afin de pouvoir se contraindre à la station assise pendant au moins trois bonnes heures encore. Bien sûr, certains fuyaient cette agitation, parfois de crainte d'un mauvais coup, ou parce qu'ils préféraient se complaire dans des conversations menées deux à deux. Depuis quelques jours, Raymond Lavallée comptait parmi ceux-là.

— Hé! Les tourtereaux, là-bas, cria une voix en imitant le vieil abbé Verville.

Ce dernier était habituellement chargé de surveiller les jeunes gens afin de mener une lutte sans merci contre les amitiés particulières.

— Voilà deux semaines que l'on vous voit ensemble! continua l'écolier.

Le garçon de la paroisse Saint-Roch se montra surpris. Si Jacques Létourneau glissait parfois des remarques assassines à son intention, jamais il ne le prenait à partie de cette façon. Bien sûr, son engouement pour un jeune écolier de Syntaxe âgé de treize ans, blond et rose, ne pouvait passer inaperçu. Depuis plusieurs jours, il l'entretenait des difficultés inhérentes aux années subséquentes du cours classique, et plus encore du difficile chemin vers la sainteté.

Quand il se retourna pour faire face à l'insolent, le garçon aperçut ses camarades Létourneau et Letendre marcher bras dessus bras dessous en se déhanchant. Le dernier faisait mine d'envoyer des baisers de la main à tous les autres élèves, maintenant hilares.

— Arrêtez de faire les imbéciles, hurla Raymond de la pleine puissance de ses poumons.

Ses deux camarades s'immobilisèrent, surpris. Letendre s'approcha, un sourire mauvais sur les lèvres.

— Mais la colère est un vilain péché capital. Toi qui te vantes d'aller à l'église quatre fois par jour! Pour te faire pardonner ça, demain tu devras monter de la Basse-Ville sur les genoux.

Devant l'allusion à la pente abrupte entre les deux villes, et surtout devant le ton méprisant de son camarade, Jacques Létourneau se renfrogna un peu. Lui aussi devait monter cette côte tous les matins pour se retrouver là.

— Ne fais pas cette tête, voyons, continuait Letendre. Viens plutôt me faire la bise.

Le grand adolescent plia les genoux, affectant d'être de la taille d'un écolier d'Éléments ou de Syntaxe.

— Laisse-moi tranquille, cria encore Raymond en le repoussant brutalement de ses deux mains ouvertes sur la poitrine.

L'autre fut surpris de la force de son camarade. Au lieu de risquer un véritable affrontement dont il ne sortirait peut-être pas vainqueur, il décida de tourner l'altercation en farce. D'un geste, il attrapa le béret de la victime de ses railleries, partit en courant en tenant son trophée à bout de bras.

— Rends-moi ça !

Le tortionnaire fit le tour du grand arbre solitaire au milieu de la cour, puis d'un groupe de séminaristes. En passant derrière le chêne une seconde fois, son poursuivant faillit l'attraper, ses doigts se fermèrent sur le tissu de la jaquette. Letendre s'échappa en accélérant un peu, puis il s'arrêta, la bouche et les yeux grands ouverts, une immense surprise sur le visage.

Emporté dans son élan, Raymond le frappa dans le dos, le projetant au sol de façon brutale. L'autre s'étala de tout son long, demeura immobile… totalement immobile. Tous les témoins de la scène avaient éclaté d'un grand rire, mais le silence revint. Quelque chose n'allait pas.

— Je n'ai rien fait, clama Raymond, soudainement au bord des larmes.

Maître de ses émotions, Létourneau tendit la main pour prendre l'épaule de son camarade et le mettre sur le dos. Paul-Émile Letendre gardait les yeux grands ouverts, maintenant tournés vers un ciel de plomb.

— Quelqu'un doit demander au portier d'appeler une ambulance.

Sans se soucier que sa directive soit mise à exécution, il défit la cravate et détacha le bouton du col. Personne, parmi tous ces jeunes garçons, ne savait comment procéder à une réanimation.

— Je n'ai pas fait exprès, répétait Raymond d'une voix plaintive. Il s'est arrêté tout d'un coup, au milieu de sa course. Je l'ai heurté par accident.

Personne ne lui reprochait quoi que ce soit, pourtant, il allait grommeler ces mots toute la journée.

Le lendemain était un dimanche. Raymond se réjouissait de ne pas rencontrer ses camarades ce jour-là, de peur de lire un reproche dans leurs yeux. Une inquiétude sourde le tenaillait.

En soirée, en pénétrant dans le bureau de monseigneur Buteau, il commença par demander :

— Vous êtes au courant de l'accident survenu au Petit Séminaire ?

— Non. Que s'est-il passé ? Un incendie ?

— Un écolier de la classe de Méthode est tombé en jouant.

Présenté ainsi, l'événement revêtait bien peu d'intérêt. Le curé vit là un effort de retarder un peu la conversation qu'il tenait à avoir. Depuis le début de leurs rencontres, leurs échanges avaient porté sur des considérations enfantines : éviter les sucreries, ne pas se complaire dans des lectures dangereuses, mater une langue trop prompte aux babillages ou à la vantardise. Il convenait maintenant de passer aux choses sérieuses.

— Tu connais saint Vincent de Paul, je suppose ?

— Oui, monseigneur.

Cette fois, l'écolier avait su réprimer la pulsion du bon élève : tous les Canadiens français connaissaient ce saint ayant inspiré la plus importante société charitable de la province. Il avait étouffé un « Évidemment » avant de répondre avec modestie, les yeux baissés.

— Dans ce cas, tu dois connaître la phrase suivante : « Celui qui, faisant peu de cas des mortifications extérieures, dit que les mortifications intérieures sont plus parfaites, montre clairement qu'il n'est pas mortifié, ni intérieurement, ni extérieurement.»

— … Je ne suis pas certain de comprendre.

— Peut-être connais-tu l'expression *Talking is cheap*. N'importe qui peut parler de ses vertus, de ses pensées élevées, de sa résistance au péché. Cela coûte peu. Mais accomplir de véritables gestes de mortification ne permet pas de douter. C'est vrai. C'est… j'aurais envie de dire «palpable».

L'adolescent hocha la tête, même si tout cela n'était pas très clair dans son esprit. Son désarroi parut si évident que son pasteur crut bon de l'encourager :

— Remarque, je ne veux pas dire que les paroles de saint Vincent de Paul s'adressent à toi. À la lecture du second cahier de ton journal, je constate que tu es sur la bonne voie. Le matin, en te réveillant…

— Je saute du lit tout de suite.

La fierté du bon élève reprenait le dessus. Il ne put se priver d'ajouter encore :

— Et toute la semaine dernière, je me suis rendu au Séminaire à pied. En plus, deux fois par jour, je me suis arrêté à la chapelle du Saint-Sacrement.

— Vanité, vanité, murmura le bon curé en levant les yeux vers le ciel.

— Pardon, monseigneur.

Réduire à néant sa volonté, ne plus rien désirer, même pas l'admiration pour toutes ses bonnes actions, paraissait la seule façon d'accéder à la sainteté. Ses maîtres l'y aidaient toutefois. Il ne se passait pas un jour sans que l'abbé Renaud ne dise :

— Le Seigneur m'a fait la grâce de mettre sous mes yeux ce petit livre de piété, ou cette vie de tel saint ou de telle sainte. Et cette grâce, je veux la partager avec vous.

Cela pouvait être une biographie de sainte Thérèse de Lisieux, de saint Vincent Ferrier, de sainte Madeleine de Pazzi. Ces êtres exemplaires pouvaient lui servir de modèle… et en même temps lui faire sentir la faiblesse de sa chair, la saleté de son âme.

L'adolescent hocha la tête. Peut-être était-ce l'effet du mois des morts auquel il ne restait que quelques jours, mais son directeur de conscience devenait lugubre. Non, pas juste lui, tout l'univers, plutôt, prenait une teinte grise, tout se révélait froid et humide.

— Les grandes faiblesses concernent l'impureté. Ces garçons qui troublent ton esprit… Tu ne les évoques jamais clairement dans ton journal, mais quand tu dis voir Charlot pointer ses cornes, en vérité tu évoques une pensée coupable envers un de tes camarades.

Un bref instant, l'image de l'élève de Syntaxe passa dans l'esprit de Raymond.

— Non seulement ce genre d'inclination peut te conduire à commettre un péché immonde, mais en vertu de la loi de ce pays, t'y livrer dans la réalité serait commettre un crime punissable d'une lourde peine de prison.

Pareille précision suscita un nouvel acquiescement de haut en bas. Les journaux évoquaient parfois des procès pour de «grossières indécences» commises entre hommes.

— Puis tu le sais très bien, nous en avons déjà parlé, tes maîtres du Petit Séminaire aussi te l'ont dit: le premier obstacle à la prêtrise est l'impureté!

La conversation suivit ce cours quelques minutes encore, puis le garçon rentra chez lui, profondément déprimé.

Le lendemain, l'écolier effectua le trajet jusqu'à l'école dans l'anxiété, comme si une menace pesait sur sa tête. Il réussit à s'attarder assez longuement à la chapelle du Saint-Sacrement pour arriver à destination lorsque l'enseignant sonnait la cloche.

La même appréhension devait habiter tous ses camarades, car le trajet dans les couloirs jusqu'à la classe s'effectua dans un silence recueilli. Dès que tout le monde occupa son siège, l'abbé Renaud commença d'une voix grave, debout à l'avant de la classe :

— Le Seigneur nous a dit : « Je viendrai vous chercher comme un voleur. »

Tous les yeux se tournèrent vers la gauche. Au-delà du mur, du couloir et d'un autre mur, se trouvait la classe de Méthode. Là, à ce moment précis, la place libre de Paul-Émile Letendre attirait les regards de ses condisciples.

— Notre ami est mort hier. Depuis l'accident de samedi midi, il n'a jamais repris connaissance. Il y a tout juste vingt-quatre heures, son âme s'est envolée.

Tous les journaux relateraient l'événement avec des mots très semblables à ceux du professeur de la classe de Belles-Lettres.

— C'est pour cela que nous, vos maîtres ou vos curés, vous exhortons à vous confesser souvent. Nul ne sait le lieu, nul ne sait l'heure où il se retrouvera devant son Créateur pour son jugement ultime. Un seul péché grave, pour lequel vous n'aurez pas reçu l'absolution, et vous mériterez la damnation éternelle.

L'ecclésiastique s'arrêta, le temps de laisser ses paroles s'enfoncer dans les esprits de ses élèves.

— Aussi, ce matin nous allons lire ensemble *La Préparation à la mort* de saint Alphonse de Liguori. Cette lecture remplacera avantageusement les cours au programme d'aujourd'hui. À midi, pendant la grande récréation, tous mes collègues et moi serons à votre disposition pour la confession.

Dans une classe d'adolescents déjà assommés par la perte d'un camarade, le bon abbé entama sa lecture lugubre. Même si le saint spécialiste de la «bonne mort» avait reçu à huit reprises les derniers sacrements avant de se décider à faire le saut vers l'éternité, son décès était survenu à un âge canonique.

Les images de corps en décomposition occupèrent les esprits pendant plus de deux heures. La leçon se termina par une invitation à la méditation durant la période d'étude prévue ensuite à l'horaire. Raymond prit au pied de la lettre la recommandation de son maître et il commença à jeter des mots sur une feuille de papier:

— Il était une perle pour sa classe... Dieu est venu le chercher... Plein de vie, heureux de ses succès... Il y a deux jours, il jouait avec ses camarades, jouissant d'une excellente santé, et aujourd'hui il est déjà passé au tribunal de Dieu! C'est un avertissement du ciel. Pourquoi lui, et pas moi?

Au fond, tout cet émoi, pour l'abbé Renaud comme pour tous les autres, tenait à cette simple question. Dans l'absurde loterie de la vie et de la mort, certains devenaient nonagénaires comme l'homme à l'imagination morbide dont ils avaient lu des écrits toute la matinée. D'autres s'effondraient à seize ans, touchés en pleine course par le doigt de Dieu.

En sortant pour la récréation, Jacques Létourneau s'efforça de se rendre à la hauteur de son camarade de la paroisse Saint-Roch.

— Je ne me moquerai plus jamais de toi, je te le jure.

— Je n'ai pas fait exprès de le frapper, plaida le garçon d'une voix plaintive.

— Je sais bien. Il courait, puis il s'est arrêté tout à coup.

Jacques mima la scène comme il se la rappelait, debout dans une étrange posture, la bouche ouverte.

— Puis il s'est étalé devant toi quand tu l'as heurté dans ta course.

— Je n'ai pas fait exprès, répéta Raymond.

— Personne ne t'a accusé de rien. Tout de même, je ne me moquerai plus. Cela ne paraît pas porter bonheur.

Lui aussi se posait la même question, le fameux « Pourquoi ? » Pour conjurer le sort, il cherchait à ajuster son comportement.

Chez les éducateurs, saisir toutes les occasions de former les jeunes esprits devenait un réflexe naturel. Organiser la chapelle ardente dans les murs du Petit Séminaire figurait à leurs yeux parmi les moyens pédagogiques légitimes.

Pourquoi les parents Letendre acceptaient-ils de partager leur douleur de cette façon ? Leur motivation semblait bien mystérieuse. Le corps se trouva toute la journée du mardi au milieu de la salle de classe. Les membres de la chorale de l'établissement enchaînèrent les hymnes religieux les uns après les autres, au fil des heures. Tous les élèves, regroupés selon leur classe, se tinrent au garde-à-vous, une petite armée de plusieurs centaines de visages attristés.

Raymond Lavallée, au premier rang de la classe de Belles-Lettres, se tint debout pendant des heures devant le père, la mère, les frères et les sœurs du défunt. Ces gens, tout à leur malheur, avaient droit à des chaises. Des amis, des parents, des connaissances proches ou éloignées défilaient devant eux avec des mines désolées. Certains poussaient le zèle jusqu'à s'arrêter devant les séminaristes. L'adolescent, à son grand désarroi, se vit offrir de sincères condoléances par quelques-unes de ces personnes.

Son premier mouvement, après cette horrible journée, fut de se rendre directement au presbytère de la paroisse Saint-Roch. En se remémorant le visage sombre de son pasteur, il ralentit le pas au bas de la rue de la Fabrique. Un autre visage se substitua à celui de monseigneur Buteau. Petit, éclairé de grands yeux bleus, couronné de boucles sombres. Le docteur Picard, une parente de son conseiller spirituel: combien elle lui paraissait plus sympathique, plus… humaine.

Debout à l'intersection, il décida finalement de s'engager vers l'ouest, dans la rue Saint-Jean. Si elle était là, tant mieux. Sinon, il devrait chercher sa consolation auprès du curé de sa paroisse.

La chance lui sourit. Ce jour-là, la jeune femme remplaçait son collègue Courchesne, atteint de la grippe. Elle en était à remettre en question son engagement bénévole dans ce dispensaire. Au fil des mois, elle se constituait une véritable clientèle, capable de payer le prix de la consultation. Puis, tout le monde parlait sans cesse de cette écurie comme de l'hôpital Notre-Dame de l'Espérance. Non seulement l'endroit perdait beaucoup de son romantisme à ses yeux, mais voudrait-on la garder dans un véritable établissement de soins catholiques?

Un peu après cinq heures, Raymond Lavallée passa la porte s'arrêta devant la table de sœur Sainte-Sophie.

— Je voudrais voir la... le médecin ? C'est drôle, je ne sais pas comment dire. La dame que j'ai vue la dernière fois.

— Le ou la, les deux me conviennent très bien. Le docteur Picard vous recevra, mais il y a une personne avant vous. Pouvez-vous me rappeler votre nom ?

Si elle se souvenait du personnage, surtout à cause de sa longue conversation avec l'omnipraticienne ensuite, son nom lui était sorti de la tête. Elle sortit son dossier d'un classeur avant de lui dire de s'asseoir.

Quand le garçon fut dans la salle d'attente, elle le surveilla du coin de l'œil. En s'adressant à elle, il avait paru plutôt joyeux, satisfait de lui. Maintenant, au bout du banc, les yeux perdus dans le vague, une immense tristesse transparaissait sur son visage.

Une autre malade se dirigea bientôt vers le box où se déroulaient les consultations. Quand elle sortit, la religieuse prit sur elle de se rendre dans la petite pièce.

— Docteur, le garçon est de retour, le paroissien de votre oncle.

— Oh ! Le petit séminariste aspirant à la sainteté.

— C'est bien lui. Je ne prétends pas poser un diagnostic, mais il m'est apparu... déprimé.

— Alors, appelons cela une opinion soutenue par de longues années d'expérience et un solide sens commun.

Son interlocutrice fit une petite grimace avant de souligner :

— Vous insistez trop à mon goût sur les années accumulées.

— Je tenterai de m'en souvenir. Faites venir notre ami...

Bientôt, Raymond Lavallée se planta dans l'entrée du box, hésitant à la franchir.

— Je me demande ce que je fais ici, chuchota-t-il.

— Comme nous avons établi la dernière fois que le chemin pour arriver à mon bureau n'était pas un petit détour, tu as certainement une bonne raison. Ferme la porte derrière toi.

Spontanément, elle en venait à le tutoyer. Après tout, elle en savait maintenant plus sur lui que sur les membres de sa propre famille. Le ton ferme, mais en même temps la sympathie sur le visage, donnèrent au garçon l'envie d'obtempérer. Il prit la place réservée aux visiteurs. Toutefois, il demeura silencieux.

— Sans vouloir te brusquer, le patient dit quelque chose dans ma salle de consultation, remarqua Thalie. C'est l'usage.

— ... Aujourd'hui, nous avons passé toute la journée dans la salle de classe, devant le corps d'un camarade.

La confidence prit la jeune femme au dépourvu.

— Tu veux dire le garçon mort subitement.

Les quotidiens avaient relaté le triste événement dans leur édition du matin.

— Pas subitement. Il s'est effondré samedi, mais il est mort dimanche.

L'omnipraticienne enregistra l'information. Ensuite, elle formula doucement :

— Comme ce pauvre garçon est décédé, je ne peux rien faire pour lui. Alors qu'est-ce qui t'amène ?

— ... Je pense que c'est ma faute.

Elle ne cacha pas sa surprise. Les journaux évoquaient une chute lors d'un jeu, dans la cour du Petit Séminaire. Personne ne faisait la moindre allusion à une main coupable.

— J'ai besoin d'en savoir plus.

— Paul-Émile a volé mon béret. J'ai couru après lui. Puis soudainement, il s'est arrêté. J'ai heurté son dos, il s'est étendu de tout son long, le visage contre le sol, sans plus bouger.

— Crains-tu que le choc contre lui, ou alors la chute, soit la cause de sa mort?

— Je courais très vite parce que…

L'écolier s'interrompit. Jamais il n'admettrait les circonstances de cette poursuite. Pas même devant monseigneur Buteau. Comment avouer que son intérêt pour un garçon de Syntaxe suscitait des railleries de la part des autres?

— Prenons les choses une à la fois, commença Thalie en se penchant vers son interlocuteur avec sympathie. Imagine deux enfants courant l'un derrière l'autre. Si le second heurte le premier sans faire exprès, que celui-ci roule sous une voiture, tu admets que c'est un accident?

— … Oui.

— En conséquence, cet enfant ne devrait pas être accusé d'avoir mal fait, n'est-ce pas?

— Si vous le dites…

La notion de responsabilité ne paraissait pas si claire au garçon, mais il ne souhaitait pas s'engager dans un débat sur un cas hypothétique.

— Et cet enfant lui-même ne devrait rien se reprocher non plus. Nous pouvons tous pleurer devant la bêtise d'un accident. Lancer des accusations ne sert à rien.

Ces arguments, Raymond se les répétait depuis la récréation du samedi précédent. Le péché impliquait la volonté de faire le mal. Dans cette histoire, mettre son poing sur le nez de Letendre aurait suffi à soulager sa fierté blessée. Jamais il n'avait imaginé un pareil dénouement.

— Cet écolier…, ajouta Thalie.

— Paul-Émile.

— Paul-Émile s'est-il heurté la tête contre une pierre? Est-ce qu'il s'est rompu le cou?

Le visiteur secoua la tête de gauche à droite.

— Je vois deux causes possibles à la mort : une attaque cardiaque, sans doute à cause d'une malformation, ou alors la rupture d'un anévrisme. Je penche pour cette éventualité, car il est mort vingt-quatre heures après l'accident. À l'autopsie, le médecin a dû constater la cause exacte du décès.

— Vous en êtes certaine ?

La jeune femme donna son assentiment d'un signe de tête. Visiblement, ses arguments suffirent à lever un poids des épaules de son jeune patient. Son soulagement ne dura toutefois qu'un bref instant.

— Une malformation au cœur ou un anévrisme, murmura-t-il. Ce sont des mots de docteur, ça. Dieu n'en a pas besoin. Si son doigt se pose sur vous...

Raymond posa son index sur une poussière sur le bureau du médecin, comme un dieu vengeur écrasant un pêcheur.

— Quelles que soient nos actions, nos désirs, nos aspirations, Lui seul dispose de nos existences.

« Voilà la véritable raison de sa visite, songea Thalie. Il a seize ans, et il prend conscience que la vie peut nous quitter au milieu d'un jeu, d'une poursuite, d'une querelle. » Plutôt que d'admettre son trouble, Raymond évoquait un vieux barbu assis sur un nuage, les yeux froncés devant les faiblesses humaines. Aucune hypothèse ne lui venait, comme substitut à cette vision, sauf le hasard. Cela non plus ne la satisfaisait pas.

— Je ne devine pas la volonté de Dieu, rétorqua-t-elle. Je ne connais rien à ce sujet, en fait. Nous mourrons de diverses affections, ou alors d'un accident, ou bien de vieillesse pour les plus chanceux d'entre nous. Alors, si d'après toi il faut un principe organisateur, une cause première, tu en as une : Dieu crée les corps avec leurs fragilités, il a voulu l'existence·des microbes et des germes, tout comme les défauts de construction qui font s'effondrer les ponts, couler les navires...

Elle alignait les mots sans afficher une bien grande conviction.

— Vous en doutez? demanda-t-il.

Pour lui, douter ne paraissait même pas concevable. Son équilibre exigeait cette présence, cette volonté derrière le cours des événements.

— Si un jour je veux discuter de ces choses, je ne me chercherai pas un conseiller spirituel de seize ans.

Son ton était devenu cassant, tout d'un coup. Il trahissait son malaise devant la tournure de l'échange. Son interlocuteur essuya la rebuffade. Elle ne voulut pas terminer leur entretien de cette façon.

— Nous avons parlé de la mort de ton ami, et même de l'existence de Dieu. D'habitude, les gens qui visitent leur médecin lui parlent de leur état de santé. Pourquoi ne pas sacrifier à cette tradition?

Un peu hésitant, il donna tout de même son assentiment d'un geste de la tête.

— Comment te portes-tu?

— Je vais bien, je pense.

— Voilà une curieuse réponse. Les patients se montrent habituellement plus affirmatifs. Souhaites-tu que je t'examine?

Cette fois, l'adolescent fit signe que non. Il n'entendait pas se défaire encore de ses vêtements devant elle.

— Tu portes toujours...

La jeune femme n'osa pas dire «cette horreur». Pourtant, aucun autre mot ne lui paraissait mieux décrire cet instrument de torture.

— Le cilice? proposa Raymond. Oui, je le porte sur moi tous les jours.

— Le démon… Comment l'appelles-tu ?

— Charlot.

— Charlot continue-t-il de te faire la vie dure ?

Quand monseigneur Buteau posait les mêmes questions, le garçon se trouvait au banc des accusés. Dans un box transformé en cabinet de médecin, devant une charmante femme, ses réponses prenaient un sens nouveau.

— Il continue ses assauts tous les jours, mais je mets de plus en plus de détermination à le mettre en échec.

— Avec un cilice et des coups de griffe ?

— Avec différents moyens pour me mortifier. Ceux-là ne sont pas les seuls.

— … Tu peux me donner un exemple ?

Elle avait ouvert le dossier du garçon, sorti sa plume pour prendre des notes. Même si ces informations ne lui paraissaient pas relever de la consultation médicale, Raymond répondit :

— De petites choses, des efforts quotidiens pour plaire à Jésus. Aller au Petit Séminaire à pied au lieu de prendre le tramway, éviter les aliments qui me plaisent, ne pas lire pour le plaisir mais pour réussir mes études ou me sanctifier…

— Mais une vie d'où tu chasses tous les plaisirs vaut-elle la peine d'être vécue ?

— La vraie vie n'est pas celle-ci, mais l'autre. Nous ne faisons que passer.

De la main, il fit un geste vague, comme un adieu.

— Selon toi, dit Thalie, les désagréments de notre vie sont une bénédiction.

— Il vaut mieux qu'elle soit faite de privations.

— C'est comme un marché, payer le prix ici pour accéder au bonheur éternel ensuite.

L'omnipraticienne essayait de parler d'une voix neutre, comme si ce raisonnement lui paraissait naturel. En fait, un frisson lui parcourut l'échine. Une envie soudaine de rentrer chez elle, d'embrasser sa mère, son beau-père, sa demi-sœur, même Gertrude, s'installa en elle.

— Un cabinet de médecin n'est pas la place pour cette discussion. Toutefois, si tu veux, nous pourrions nous rencontrer ailleurs et parler en amis. Je te donne le numéro de téléphone de mon véritable cabinet, ici, je viens seulement aider. Une jeune femme répondra. Donne-lui ton nom, elle te mettra en communication avec moi.

— Nous rencontrer ailleurs ?

Au ton inquiet de l'adolescent, on aurait pu croire à une proposition malhonnête.

— Dans un parc, pour une marche dans la rue, où tu voudras en fait, et quand tu le voudras.

Comme elle se levait, Raymond n'eut d'autre choix que de faire de même. Il accepta la carte, la glissa dans sa poche.

— Je vous remercie de m'avoir… rassuré.

Il quitta la pièce. Le médecin ramassa ses affaires, puis endossa son paletot pour partir à son tour. À son passage devant le bureau de la réception, la jeune femme regarda sœur Sainte-Sophie dans les yeux pour lui confier :

— Ce garçon m'a donné une furieuse envie de rentrer à la maison pour demander à ma mère de me serrer dans ses bras.

— Cette Marie a bien de la chance, et vous aussi… Il ne va pas mieux ?

— L'un de nous deux ne va pas bien du tout. Mais si vous lui posez la question, lui vous dira que c'est moi.

Sur ces mots, son petit sac en cuir à la main, elle s'esquiva.

Déplacer tout l'effectif d'une institution d'enseignement pour aller à des funérailles aurait présenté un défi de taille à tout autre endroit qu'au Petit Séminaire, dont l'entrée principale confinait au parvis de la cathédrale. Aussi, le mercredi matin, les bancs du temple s'encombraient d'écoliers en uniforme. Ils occupaient les rangées latérales, et l'arrière de la rangée centrale.

Le cercueil, une boîte en bois blond toute simple, se trouvait sur un chariot devant l'autel. Des crêpes noirs et violets pendaient aux colonnes, accentuant le côté lugubre de l'endroit. Raymond Lavallée se tenait parmi la classe de Belles-Lettres, bien droit, le regard sur le célébrant. La famille du défunt, les yeux gonflés de larmes, figurait au premier rang. Au son du *Requiem*, les épaules de la mère furent secouées de sanglots.

Le professeur de la classe de Méthode assuma tout naturellement la responsabilité de prononcer l'éloge funèbre.

— Paul-Émile faisait la fierté de ses parents, la joie de ses professeurs et de ses camarades par son naturel heureux, sa constance au travail, sa générosité…

Les décès d'écoliers étaient assez nombreux pour que chacun reconnaisse là un texte convenu, repris rigoureusement quand survenait ce genre de malheur. Changer le prénom suffisait.

Il convenait qu'un élève complète l'eulogie. Cette fois l'honneur incomba à Jacques Létourneau :

— Letendre. Voilà un patronyme pas tellement approprié. Enfin, il ne le fut pas toujours pour ses camarades. Couture pourrait nous entretenir d'une punaise longue comme ça qu'il avait posée sur sa chaise, à la salle d'étude…

Un fou rire nerveux s'empara des écoliers, les maîtres froncèrent les sourcils. Pourtant, pour la première fois, quelqu'un dressait un portrait réaliste du disparu : un adolescent enjoué, taquin, souvent hautain, parfois vindicatif. Un être vivant, tout simplement.

Quatre élèves devaient porter le cercueil pour sortir le corps de la basilique. Choisi parmi les plus grands, et chez ceux qui entretenaient avec lui des relations amicales, Létourneau fut de nouveau mis à contribution. La chorale du Petit Séminaire entonna *In Paradisium* pour accompagner la dépouille.

Dehors, la classe de Méthode fut invitée à se répartir entre deux autobus pour aller jusqu'au cimetière Belmont, à Sainte-Foy. Les autres écoliers se dirigèrent vers la grande cour intérieure de l'établissement d'enseignement pour une courte récréation avant le début des leçons.

Raymond chercha Louis des yeux et le trouva dans un coin, la mine défaite. Ce jour-là, personne n'avait le cœur à jouer. Certains enfants formaient de petits groupes pour parler à voix basse, les autres s'isolaient pour donner libre cours à des pensées moroses.

— C'est triste, tout de même, dit l'adolescent. Partir comme ça, en jouant.

Louis, d'abord silencieux, lui tourna le dos avant de remarquer :

— Mon directeur de conscience m'a parlé des amitiés particulières.

— ... Ton directeur, c'est Verville ?

— Oui.

Ce vieil ascète, tellement effrayé par les femmes, devait l'être encore plus par les petits garçons un peu trop blonds, à la peau un peu trop claire et douce.

— Il m'a demandé comment Paul-Émile est mort, ajouta le jeune élève. Je lui ai raconté toute l'histoire.

Le garçon voulait dire les moqueries de ses camarades à propos des conciliabules un peu trop fréquents entre un petit et un grand, la poursuite, le choc.

— C'est un accident. J'en ai parlé à un médecin, se défendit Raymond, troublé.

— Dieu n'aime pas ces… choses. Selon l'abbé, c'est un signe, un avertissement pour moi.

— Si c'était un signe, ce serait l'un de nous deux qui… Toi ou moi…

Louis secoua la tête, puis s'éloigna lentement.

À l'heure du souper, Raymond imposa son visage lugubre au reste de sa famille. Son état d'âme finissait par peser sur les autres. Finalement, en sortant de table, le père ne put se retenir de poser la question à sa femme plutôt qu'au principal intéressé :

— Tu peux me dire ce qu'il a ?

— Mais tu le sais bien, un de ses amis est mort, au Séminaire. Ce matin, c'était son enterrement.

L'homme jeta un regard irrité sur son fils, comme s'il lui reprochait de s'émouvoir sur le sort d'une personne étrangère à la famille. Épuisé par la tension des derniers jours, l'adolescent s'excusa et s'enfuit vers son refuge habituel, l'église Saint-Roch. À genoux à la sainte table, les bras posés sur la balustrade, il regarda l'autel jusqu'à ce que son esprit se vide. L'encens, les lueurs des lampions, les peintures et les statues en plâtre, tout cela lui donnait l'impression d'abandonner la réalité pour pénétrer dans un univers à la fois étrange et rassurant.

Vers dix heures, à la petite table dans sa chambre, le cahier de son journal ouvert, il relut ce qu'il avait écrit les derniers jours. Avant de le montrer à monseigneur Buteau, il conviendrait de donner quelques coups de gomme à effacer.

Il passa à une page vierge et écrivit tout en haut : « Pour guider ma vie ».

Le titre lui parut banal. Il l'effaça bien vite, pour mettre plutôt, en lettres capitales : « AIMER ! SOUFFRIR ! AIMER ! » Pendant de longues minutes, il contempla les mots alignés. Puis, de son écriture d'écolier appliqué, il enchaîna :

« Offrir mon cœur à Jésus, le laisser y verser les flots de son amour sans jamais y mettre d'obstacles. Aimer pour ceux qui n'aiment pas... Par amour pour Jésus, souffrir. Souffrir pour sauver des âmes, souffrir pour ceux qui ne souffrent pas, souffrir surtout pour me vaincre moi-même, devenir plus parfait, me rapprocher de Dieu. Réduire mes sens, réduire mon amour-propre et ma volonté propre. »

Voilà ! Ce n'était pas le deuil de Paul-Émile Letendre qui l'affligeait depuis quelques jours. Ce garçon s'était révélé mesquin, brutal, volontiers cruel. Il était mort en se livrant à sa dernière méchanceté. Certains feignaient de le trouver drôle, soit pour cacher leur malaise, soit parce qu'eux-mêmes partageaient les mêmes pulsions sadiques.

Raymond Lavallée portait le deuil de Raymond Lavallée. Il venait de décréter sa propre mort pour trouver la paix. Les cadavres vivants ne désirent plus rien, ils ne peuvent donc être malheureux. Quand il se dévêtit, il trouva un bristol au fond de sa poche, la carte du docteur Picard. Il la jeta dans la petite corbeille près de la table, puis enleva la jaquette de son uniforme, la chemise et le pantalon. En tirant les draps, il interrompit son geste pour se pencher et récupérer la carte professionnelle.

Étendu sur le dos, les bras le long de son corps sur la couverture et non en dessous, il contempla le plafond une partie de la nuit. Dans son immense lassitude, Charlot ne se donna même pas la peine de montrer ses cornes.

Chapitre 19

Le samedi suivant, en fin d'après-midi, Thalie pénétra dans le grand magasin PICARD. Comme sa mère se refusait depuis toujours à y faire ses emplettes, l'endroit ne lui était pas familier. Elle s'attarda longuement devant des appareils radio de marque Marconi et Crossley.

À Québec, après les stations émettrices éphémères créées plus tôt, deux d'entre elles paraissaient promises à un certain avenir : CKVI et CHRC. Thalie se fit expliquer les diverses caractéristiques de deux appareils. Elle exprima une certaine surprise devant le prix demandé avant de conclure avec un « Je vais y penser » peu convaincant. De toute façon, l'heure de son rendez-vous approchait.

Au dernier étage du commerce, Thomas Picard avait inauguré un restaurant. Cela lui permettait d'attirer une nouvelle clientèle. La jeune femme eut le temps de commander un café et de choisir une table près des fenêtres. Elle se perdit alors dans la contemplation de la ligne bleutée des montagnes, vers le nord. La journée très froide de décembre donnait une pureté particulière à l'atmosphère.

— Pardon, madame…

Thalie leva la tête pour apercevoir Raymond Lavallée debout près d'elle. Il arrivait directement du Petit Séminaire. Ses joues rougies indiquaient qu'il avait marché très vite pour revenir dans sa paroisse.

— Bonjour, dit-elle en se levant, la main tendue.

Après les échanges de salutations, le jeune homme prit place en face d'elle. Quand la serveuse vint prendre sa commande, le garçon répondit :

— Je ne prendrai rien, merci.

— ... Je t'invite, tu sais, insista sa compagne.

Il était peu probable qu'un garçon du quartier Saint-Roch encore aux études ait un sou en poche. Mal à l'aise, il dit alors :

— Une tasse de café fera l'affaire.

Tous les deux ne savaient trop quelle attitude adopter. Les consultations médicales obéissaient à un rituel convenu. Là, elle explorait un territoire nouveau.

— Quand tu as appelé, hier, j'ai été très surprise.

— J'ai été moi-même surpris de le faire.

La veille, à la récréation, il avait subi des railleries particulièrement vives de ses camarades. Cela avait suffi à le convaincre.

— Tu habites près d'ici ? demanda-t-elle.

— À deux pas, dans la rue Grant. Je peux me rendre à l'église n'importe quand dans la journée.

En disant cela, il porta les yeux sur le parvis de l'église Saint-Roch, six étages plus bas. Quelques paroissiens y discutaient entre eux. La scène rappelait la campagne, un mode de vie plus simple.

— Tu y vas souvent ?

— Tous les matins et tous les soirs.

— Cela ne te laisse pas beaucoup de temps pour la vie de famille.

— Ma vraie famille se trouve là.

Une certaine tristesse marquait la voix. Cet exil ne lui apportait pas que du plaisir.

— Depuis quand rêves-tu de la prêtrise ?

— Je ne sais pas trop. Toujours, je pense.

— Voyons, un enfant ne naît pas avec l'idée de devenir prêtre.

La répartie fut accompagnée d'un sourire.

— Je vous assure, j'ai toujours souhaité le sacerdoce. Je suppose que mon intérêt vient de maman, elle a semé la graine, qui a germé.

Thalie ne pouvait comprendre semblable résolution. Cela tenait sans doute aux premières années de l'existence. Marie aurait été désespérée de voir l'un ou l'autre de ses enfants entrer au service de l'Église.

— Comment cela s'est-il passé ?

— Quand j'avais quatre ans, ma mère m'a offert un habit de prêtre complet pour Noël.

— Pardon ?

— Un habit de prêtre. La soutane, l'aube, le surplis, la chasuble, l'étole, et même la barrette ! Elle était si fière ; elle m'a emmené chez un photographe du quartier pour immortaliser le tableau. Le cadeau venait de la compagnie Dupuis Frères. Je l'ai encore.

Quelle mère canadienne-française d'origine modeste ne rêvait pas d'offrir l'un de ses fils à l'Église ? De nombreux enfants de la province devaient encore jouer à dire la messe.

— Tu as des frères et des sœurs, je suppose ?

— Deux sœurs plus âgées, un frère plus jeune.

— Aucune de tes sœurs n'a été tentée par la vocation religieuse ?

— Non, ce n'est pas leur genre. Elles sont toutes les deux désespérément en quête d'un époux.

Le mépris contenu dans le ton amena Thalie à répondre un peu brusquement :

— Tu sais, ce n'est pas une mauvaise façon de vivre, aimer une personne de l'autre sexe, et être aimé de cette personne.

— … Bien sûr, je comprends, balbutia le garçon.

— Toi, cela ne t'intéresse pas?

Raymond secoua la tête de gauche à droite. Sous le regard de la jeune femme, il répéta, le rose aux joues:

— Je me suis donné à Dieu il y a des années. Je deviendrai prêtre.

La jeune femme soupira devant une pareille exaltation. Elle termina son café, même si le liquide devenu tiède devait lui laisser un arrière-goût.

— J'ai voulu te voir parce que tu m'inquiètes. Tu parais résolu à lever le nez sur tous les plaisirs de l'existence comme s'ils représentaient autant de menaces de perdre ton âme.

— Pour me rapprocher de Dieu, je dois me mortifier, mater ma volonté, repousser les tentations. Ces plaisirs, ce sont les tentations du démon, mises sur notre route pour notre perte.

— Tu me sembles faire de ta vie un enfer sur terre pour éviter un enfer dans l'au-delà.

— Si je me rends digne de l'amour de Dieu, mon bonheur sera alors parfait.

Le restaurant s'était vidé progressivement, une serveuse nettoyait les tables l'une après l'autre. L'heure de fermeture approchait.

— Nous devons partir, sinon on nous mettra bientôt dehors, remarqua la jeune femme.

Raymond acquiesça de la tête, récupéra son manteau posé sur le dossier de sa chaise en se levant. Thalie se débrouillerait avec le sien. Les cours de bienséance offerts au Petit Séminaire négligeaient peut-être les usages avec une compagnie féminine. Plus probablement, le garçon voulait éviter de se trouver trop près d'elle en l'aidant.

Puis, ils descendirent dans le petit ascenseur aux parois en laiton. Un garçon d'une douzaine d'années en uniforme écarlate manœuvrait l'appareil avec compétence. Sur le trottoir de la rue Saint-Joseph, le médecin tendit la main en disant :

— Je te souhaite d'être heureux avec les choix qui sont les tiens.

— … Merci. Je sais que je le serai, car je marche dans les pas de Jésus.

Ils se quittèrent sur ces mots. Thalie fit quelques pas en direction de la rue de la Couronne, puis elle entendit une voix dans son dos :

— Docteur Picard…

En se retournant, elle vit l'adolescent toujours devant la porte du magasin.

— Je vous souhaite de joyeuses fêtes.

— Moi aussi, à toi et à ta famille.

Ces vœux échangés, elle pressa le pas afin de prendre le tramway.

— Tu es allée au magasin PICARD avec l'un de tes patients !

La surprise marquait la voix de Marie. Avant que son imagination ne s'enflamme, la jeune femme précisa :

— Il a seize ans, maman. Et pour tout dire, il m'inquiète.

En quelques phrases, elle évoqua le cilice, les coups de griffe, les tentations continuelles incarnées par Charlot.

— Tous les curés de la province paraissent obsédés par le désir de traquer le péché dans la vie des autres, dit la mère, surtout le péché de la chair. Comment se surprendre d'une attitude pareille ?

— Je le sais bien, mais j'avais pensé…

La marchande contempla sa fille un moment. Encore une fois, elle avait abandonné à Amélie la responsabilité de fermer le commerce pour échanger quelques mots avec Thalie. Elles se tenaient côte à côte sur le canapé du salon.

— Tu avais pensé le ramener à la raison avec un battement de tes jolis cils, murmura Marie. Cela n'a pas fonctionné.

— Dans son cas, je crois que les jolis cils de Mathieu auraient plus de succès.

Marie hocha la tête. Son premier époux l'avait familiarisée avec cette sorte d'inclination.

— La crainte du péché le conduit à s'infliger ces tortures. Pour les personnes dans sa condition, il n'existe pas de meilleure cachette qu'un monastère ou un presbytère.

C'était là le secret le plus mal gardé de l'Église. Tous les élèves des petits séminaires ou des collèges avaient quelques histoires scabreuses à raconter sur leurs maîtres.

— Je pensais lui dire de vivre, plutôt que de mourir peu à peu.

— Tu ne peux pas aider tous les gens contre leur gré, dit la mère en serrant la main de sa fille.

Elle marqua une pause avant de dire :

— Allons aider Gertrude à préparer le souper. Que feras-tu ce soir ?

— Je pense me rendre au gymnase de madame Hardy-Paquet. Je me suis négligée, ces derniers jours.

Courir jusqu'à s'essouffler lui ferait le plus grand bien.

L'approche des fêtes de fin d'année ne changeait rien au climat du presbytère de la paroisse Saint-Roch. Au contraire, les privations de l'avent rendaient les occupants du grand édifice un peu plus moroses.

— Je n'arrive pas toujours à repousser les avances de Charlot, confiait Raymond Lavallée d'une voix hésitante. Je me sens très sale, tout à fait indigne du sacerdoce.

L'aveu suivait une courte confession au sujet de l'écolier de Syntaxe, Louis. Monseigneur Buteau l'avait écouté en présentant un visage impassible.

— Il ne s'est rien passé entre vous, dit le prêtre.

La forme affirmative dictait en quelque sorte la réponse attendue.

— Non, mais… en pensée.

— Notre corps est un temple où nous accueillons Dieu lors de l'eucharistie. Il convient de lui conserver sa pureté, sa dignité. Abuser de son corps, c'est faire une injure au Seigneur.

— Je m'en veux tellement. Je me sens honteux.

Le rouge lui montait aux joues. Aborder le vice solitaire dans l'intimité du confessionnal était déjà bien difficile. Là, sous l'éclairage électrique, cela exigeait d'oublier tout orgueil, toute vanité, pour se livrer au regard de ce représentant de Dieu.

— Cette honte, c'est le remords après la souillure, déclama le prêtre. Une sincère contrition, la ferme intention de ne pas recommencer, l'absolution, voilà qui permet de se trouver propre de nouveau.

— Mais je finis toujours par recommencer. Chaque fois, après, je me dis « plus jamais ». Puis Charlot…

Depuis quelques semaines, le démon prenait les traits de camarades du Petit Séminaire, et non ceux d'un comédien d'Hollywood. Buteau jugea convenable de le rassurer un peu.

— Tu sais, la chair est faible. Le péché originel nous laisse devant la tentation, mais il ne faut surtout pas se décourager. C'est à l'usure que le diable compte nous avoir. Si tu renonces à cause de ces rechutes, il aura gagné.

— Ces rechutes... Pendant la confession, je promets de ne plus fauter, puis je trahis ma parole...

Le décès inopiné d'un camarade avait entraîné, après l'hébétude des premiers jours, une recrudescence de son désir, comme si un regain de vie pouvait conjurer la mort.

— Quand tu t'engages à ne plus recommencer, es-tu sincère? demanda le curé.

— Oui, bien sûr.

— Et quand tu pèches une fois de plus contre la chair, es-tu vraiment consentant?

Le garçon arqua les sourcils, intrigué.

— Personne ne me force... sauf le diable.

— Tu oublies un peu ton catéchisme, je crois. Pour pécher mortellement, il faut non seulement savoir que ce que l'on fait est défendu, mais aussi vouloir librement faire le mal. Sous l'emprise du désir...

Un poids immense quitta la poitrine de Raymond. Évidemment, quand il commettait le péché solitaire, il obéissait à une pulsion. Jamais ses gestes ne visaient à offenser le Seigneur.

— Tout de même, continua le prêtre, tu dois prendre toutes les précautions pour ne pas en arriver là. Les mortifications servent à anéantir ta volonté propre. Je me suis amusé à relire les directives que nous donnent les saints. Jean Climaque nous enseigne qu'il ne faut jamais laisser passer un jour sans fouler sa volonté aux pieds. Sais-tu qui il est?

— L'auteur de *L'Échelle sainte*.

Aucun aspirant au martyre ne pouvait ignorer cet ouvrage de trente chapitres, un pour chacune des années de vie de Jésus.

— Il y a aussi Vincent Ferrier, qui nous enseigne de mortifier notre volonté afin de ne jamais la satisfaire.

Les écoliers de la province fréquentaient aussi ce prédicateur. Raymond hocha la tête.

— Mais tous ces saints ont atteint la perfection. Je ne leur arrive pas à la cheville, dit-il en pensant à ses élans d'orgueil.

— Tu as certainement entendu parler de sainte Thérèse. Notre Saint-Père a prononcé sa consécration il y a quelques mois.

— J'ai lu sa biographie…

— Tu devrais faire mieux que cela et lire *Histoire d'une âme*. Tu es peut-être encore un peu jeune. Elle te fera un excellent guide.

L'allusion à son immaturité piqua le garçon au vif. Il se promit d'émailler le prochain cahier de son journal des citations des saints évoqués par son directeur de conscience.

— Maintenant, fit Buteau en quittant son siège, agenouille-toi pour recevoir l'absolution.

Cela mettait fin à une bien curieuse confession. En se retirant, comme si le souvenir lui revenait soudainement, Raymond déclara :

— Hier, je suis allé prendre un café avec une parente à vous. La femme médecin…

— Mais en quel honneur ? Et où cela ?

Un bref moment, le saint homme soupçonna un commerce illicite entre sa nièce et ce séminariste exalté. En quelques mots, Raymond lui narra sa dernière visite au dispensaire des pauvres.

— Mais cette histoire de café ?

— Elle m'a invité à la rencontrer juste en face, au restaurant chez PICARD.

Seule l'heure tardive empêcha le prêtre de lui demander de raconter en détail leur conversation. Il chassa le garçon avec une recommandation exprimée du ton le plus ferme :

— Ne lui parle plus jamais. Je te l'interdis.

— Mais elle est gentille…

L'homme n'entendait pas lui expliquer en quoi le mode de vie de cette femme constituait une insulte à l'enseignement de l'Église.

— C'est une mauvaise chrétienne, résuma-t-il. Ne lui parle plus jamais.

Raymond rentra chez lui en se remémorant les échanges de la veille, cherchant dans les mots de Thalie des signes d'impiété.

De retour dans sa chambre, Raymond sortit son cahier, les notes de lecture des derniers mois, puis il concocta une section de son journal faisant référence aux modèles de sainteté présentés par Jean Climaque, Vincent Ferrier et sainte Thérèse. Après une heure d'effort, le résultat lui parut un peu faible.

L'abbé Renaud, le maître de la classe de Belles-Lettres, aimait souligner son propos de citations de bienheureuses peu connues. L'écolier se félicita de la façon studieuse dont il mettait tout par écrit. Il exhuma de ses feuilles éparses le nom d'une carmélite italienne du XVIᵉ siècle, Marie-Madeleine de Pazzi. Il écrivit dans son journal : «Elle nous assure que pour être un vrai serviteur de Dieu, il faut : Premièrement, mourir à son jugement et à sa volonté en se soumettant à l'avis des autres. » Le directeur de conscience volontiers autoritaire apprécierait cette totale soumission.

Après réflexion, il rédigea encore : «Deuxièmement, mourir à son amour-propre et à l'estime des autres en faisant continuellement des actes d'humilité. » Cela lui permettrait de se blinder contre les railleries de ses camarades, si prompts à évoquer les amitiés particulières. Puis encore : « Troisièmement, surtout faire mourir ma sensualité en m'interdisant les plaisirs qui flattent les sens. »

Il manquait encore une conclusion à cette section. Un pli au milieu du front, il ajouta : « Oui, je veux anéantir mon corps, ne lui laisser que ce qu'il lui faut pour supporter mon âme. Pour cela, je contredirai partout mes goûts, mes inclinations. Ma chair, je la meurtrirai jusqu'à ce qu'elle ne se révolte plus. »

Thalie se tenait près du quai, les yeux fixés sur les rails.

— Ce train n'arrivera donc jamais ! grommela la jeune femme.

Un coup d'œil sur l'horloge placée entre les voies lui permit de constater que s'il arrivait à cette minute précise, il serait un peu en avance. Même le Canadien Pacifique ne s'obligeait pas à une telle ponctualité.

Finalement, la grosse locomotive noire s'immobilisa devant elle à l'heure prévue dans un grand nuage de vapeur blanche. Bientôt, elle reconnut la silhouette familière, une grande femme aux cheveux châtains.

— Catherine, par ici, cria-t-elle en levant un bras pour attirer son attention.

L'autre l'aperçut, attendit qu'un employé lui tende sa petite valise avant de venir vers elle, un sourire éclatant sur les lèvres.

— *Thalia*, comme cela fait longtemps !

De son bras gauche, elle entoura les épaules de son amie pour la presser contre elle. Un long moment, elles restèrent enlacées, forçant les autres passagers à les contourner pour quitter le quai.

— Notre dernière rencontre remonte au printemps dernier en fait, à la collation des grades, précisa la plus petite des deux en se reculant un peu. Je suis tellement heureuse de te voir. Viens.

En se tenant par le bras, elles quittèrent le grand édifice. Tous les chauffeurs de taxi de la ville semblaient connaître les horaires des trains, aussi trouvèrent-elles sans mal une voiture pour les conduire à la Haute-Ville.

— J'ai hâte de revoir ta famille, confia Catherine Baker pendant qu'elles gravissaient la côte d'Abraham.

— Pour tout de suite, nous ne ferons que passer au magasin. J'ai réservé une table au *Kerhulu*. C'est un nouveau restaurant. La cuisine française te fera du bien, après plus d'un an passé à Toronto.

— Mais est-ce bien nécessaire ? Votre domestique doit bien cuisiner à la française.

— À la canadienne-française, plutôt. Ce ne sera pas pour cette fois. Je souhaitais nous réserver du temps entre nous.

Sur la banquette, la visiteuse lui serra la main. Elles descendirent devant la boutique. La mère de Thalie fit la bise à Catherine, qui accepta avec plaisir les compliments sur sa bonne mine. Amélie lui réserva un bon accueil, de même que Paul Dubuc, à son retour de l'Assemblée législative.

— Je ne veux pas vous chasser, les filles, conseilla bientôt la marchande, mais si vous souhaitez aller manger…

Marie montrait la montre à son poignet. Elle avait fermé le commerce un peu plus tôt, mais la conversation se prolongeait encore.

— Tu as raison, répondit Thalie, d'autant plus qu'en haut, on doit t'attendre. Nous laissons la valise dans un coin, nous la monterons tout à l'heure.

— Je vais m'en occuper. Sauvez-vous, maintenant.

Elle les poussa vers la porte et verrouilla derrière elles. Le restaurant se trouvait à trente verges tout au plus, dans la rue de la Fabrique.

— Tout le monde paraît resplendissant, chez toi, remarqua Catherine en s'asseyant à une petite table près de la vitrine.

— La vie se montre bonne pour nous. Quand des gens ont la santé, assez d'argent pour bien vivre, des proches aimants, les ennuis habituels de l'existence deviennent presque divertissants. Ils rompent la monotonie du bonheur.

— Oh! Toi, pour débiter des sottises pareilles, tu dois avoir de grosses contrariétés. Que se passe-t-il?

— Non, toi d'abord. Que viens-tu faire dans la belle ville de Québec un 15 décembre?

Le serveur vint les interrompre, afin de prendre leur commande. Catherine se laissa guider dans le choix des plats et du vin. Quand le garçon s'éloigna, elle commença:

— Une riche héritière de la Grande Allée a commis la folie de se marier avec un coureur de fortune. Elle l'a rencontré sur un bateau de croisière dans la Méditerranée.

— Des histoires comme celles-là existent? On dirait un roman d'Agatha Christie.

— Elles existent, je t'assure. Et l'histoire ne se terminera pas par un meurtre, mais par un coûteux divorce dont je suis venue présenter les conditions au papa de la sotte épouse.

— C'est vrai, ailleurs au Canada, les avocats ne se contentent pas de s'enrichir avec la signature des contrats de mariage, ils ajoutent ceux du divorce.

Catherine inclina la tête, adressa un sourire amusé à son amie.

— Est-ce que je viens d'entendre s'exprimer la morale catholique de la province dans toute sa rigueur? Tu ne m'avais pas habituée à cela.

— Ces jours-ci, je baigne dans la rigueur morale, juste-ment. Je loge près de la cathédrale. Si je manque la messe un seul dimanche, la nouvelle se répandra très vite et, en trois jours, je n'aurai plus une seule patiente. Même les protestantes du Jeffrey Hale me quitteraient aussitôt, influencées par l'ostracisme ambiant. Je suppose qu'à la longue, cette pression fait son effet sur moi.

— ... En revenant ici, tu savais que le contexte religieux te pèserait.

La question de son avenir professionnel avait fait l'objet de longs échanges épistolaires entre elles, au cours de l'année précédente. Catherine lui avait proposé de s'installer en Ontario, là où les femmes de carrière soulevaient moins de soupçons.

— Je sais, je me suis moi-même mise dans cette situation. Après ces années à McGill, je crois que j'avais un peu oublié le climat ici. Tu sais, même dans les milieux canadiens-français de Montréal, l'atmosphère est moins... étouffante.

— Dans une agglomération d'un million d'habitants, les curés ont plus de mal à tenir tout le monde à l'œil. Ici...

— Ici, chacun de mes gestes est susceptible d'être discuté le lendemain à la table du curé de la cathédrale.

Thalie avait plutôt en tête le titulaire de la paroisse Saint-Roch. Après une seule véritable rencontre, monsei-gneur Buteau lui paraissait s'infiltrer dans ses pensés, comme un ver dans un fruit.

— Tu peux toujours revenir sur ta décision. Tu as quitté McGill avec une excellente réputation et de bons contacts dans les hôpitaux de Montréal.

— Tu imagines la réaction de maman. Elle me maudirait.

Son sourire contredisait ses paroles. Dans une telle éventualité, Marie la serrerait sans aucun doute dans ses bras et lui souhaiterait la meilleure chance possible.

— Non, ce n'est pas vrai, continua-t-elle après une pause, je ne me laisserai pas chasser de ma ville par ces terreurs en soutane, si disposées à ruiner des vies pour conserver leur pouvoir sur les esprits.

— Et en plus, renchérit Catherine, tu passes au moins une journée par semaine à travailler avec des religieuses !

— Tu vas rire, mais les nonnes me paraissent les seules à bien comprendre mes raisons de vouloir pratiquer mon métier. Tu vois, ces femmes préfèrent aussi mener une carrière, et leurs motivations ne sont pas très différentes des miennes.

À l'arrivée du premier service, elles mangèrent en échangeant de menus propos sur les personnes connues à l'université. Au dessert, Thalie demanda :

— Comment vont vraiment les choses à Toronto ? Je t'ai cassé les oreilles avec mes états d'âme, maintenant, c'est à ton tour.

— … En réalité, tout se déroule plutôt bien.

Catherine affichait la gêne de la personne choyée par la vie devant une amie moins chanceuse.

— Alors, raconte-moi, dit sa compagne, sincèrement réjouie.

— J'aurais préféré rester à Montréal, mais comme tu le sais, la pratique du droit y est impossible pour les femmes…

L'autre acquiesça. Même si la faculté de droit de McGill acceptait des étudiantes depuis plusieurs années, ses diplômées devaient soit s'expatrier, soit occuper des emplois subalternes. Le Barreau leur demeurait fermé.

— Honnêtement, la ville est bien un peu ennuyeuse, le cabinet qui m'emploie ne me permettra jamais de devenir associée et je me retrouve avec des mandats modestes, mais au moins, je fais du droit.

— Je me dis à peu près la même chose tous les jours… Les conditions ne sont pas parfaites, mais j'aime mon métier. Au sujet de ta vie personnelle, tu n'as rien à m'annoncer? Dans tes lettres, le nom d'un collègue est revenu souvent…

— Nous comptons nous fiancer bientôt. James passera une partie du congé de Noël à Sherbrooke, chez mes parents.

— Comme tu as de la chance!

Son plaisir devant la bonne fortune de son amie était honnête, de même que la petite piqûre de jalousie.

— Le fait que tu fasses carrière ne le dérange pas?

— À l'entendre, non. Il a un certain nombre de défauts, mais pas celui de croire que je doive un jour choisir entre mon travail et lui.

— C'est un avocat aussi?

— Voilà l'un de ses défauts, justement. Nous nous retrouvons souvent à parler de travail alors que nous devrions parler d'amour.

Le sourire de Catherine montrait qu'elle s'accommodait tout de même très bien de ce petit travers. Elle eut envie de s'informer des affections de son amie, mais comme Thalie n'avait évoqué personne au gré de leur correspondance, elle demanda plutôt:

— Ton charmant grand frère a aussi commencé à travailler. Comment se porte-t-il?

— Un peu torturé encore, comme la plupart des vétérans, mais il paraît déterminé à être heureux. Maintenant, il regarde le ventre de sa femme grossir au fil des semaines, un air béat sur le visage.

— Il fait un joli pari sur la vie.

Thalie hocha la tête. Mathieu se montrait fébrile depuis quelques semaines. L'achat d'une nouvelle part du magasin PICARD et une naissance prochaine le faisaient rêver d'une grande revanche sur le mauvais sort.

— Et ton frère à toi ? questionna-t-elle.

— Il parle maintenant de sa canne comme de sa meilleure amie. Il marche à la vitesse d'un vieillard, grimace souvent de douleur. Mais il a rencontré une gentille fille qui devrait lui faire une excellente épouse. Mes parents rêvent déjà d'un mariage double cet été. Tu viendras ?

— Je ne raterai cela pour rien au monde, même si assister au mariage des autres à titre d'invitée devient un peu lassant.

Toutes ses amies de l'université l'invitaient à tour de rôle. Catherine allongea la main pour saisir la sienne sur la table. Au lieu d'exprimer sa frustration, Thalie dit, en faisant signe au serveur :

— Allons à la maison. Gertrude a très hâte de revoir sa protestante préférée.

— Et moi d'exercer mon oreille française en l'écoutant.

Quelques instants après, sur le trottoir, elles se tenaient la tête rejetée en arrière, la bouche ouverte pour avaler quelques-uns des gros flocons de neige tombant du ciel.

Pendant une heure, peut-être deux, la conversation alla bon train dans l'appartement de la rue de la Fabrique. Puis les plus raisonnables allèrent se coucher. Les deux jeunes femmes ne comptaient pas parmi ceux-là. En chemise de nuit, Catherine rejoignit Thalie dans sa chambre et s'étendit sur le dos près d'elle, la tête sur le même oreiller.

— Toi, tu n'as personne dans ta vie ? demanda-t-elle bientôt.

— Non. Je deviens une vieille fille revêche. Les hommes comme ton fiancé sont soit apparentés à moi au point où m'intéresser à eux tiendrait de l'inceste, ou alors ils sont mariés, ou encore ils ont migré en Ontario.

— Tu ne seras jamais revêche. Et j'ai du mal à penser que personne ne s'intéresse à toi.

— Peut-être un jeune homme timide se languit-il quelque part. Si c'est le cas, il est si discret que je ne m'en suis pas aperçue.

La main de la visiteuse serra la sienne. Cette présence la rassurait un peu, la ramenait à l'époque des rêves d'avenir partagés à la pension Milton.

— Mais ta grande tristesse ne tient pas au prétendant qui tarde à venir, n'est-ce pas ?

— Non, tu as raison. Les choses sont moins faciles que je ne croyais. Je m'imaginais que le monde attendait un nouveau médecin en jupon. En réalité, le monde se passait très bien de moi avant, et il semble résolu à s'en passer encore.

— Ne t'en fais pas. Ta clientèle commence à prendre forme. Du moins, c'est ce que tu disais dans l'une de tes lettres.

Soudainement, Thalie se tourna sur le ventre, enfonça son visage dans son oreiller, puis confia :

— L'un de mes patients m'a rendue particulièrement triste. Un garçon de seize ans. Il y a dix jours, je suis allée prendre un café avec lui.

Elle lui parla du cilice, des coups de griffe, de la présence continuelle de Charlot. Sa compagne grimaça à quelques reprises, résista mal à l'envie de formuler une remarque sur une pratique religieuse si malsaine. Devant son amie, elle se refusait à répéter les nombreux préjugés de ses compatriotes sur le catholicisme.

— Tout cela, tuer sa volonté, renoncer à tout, remarqua Catherine… c'est comme un suicide.

— Le pire des suicides. Au lieu d'accepter ses envies, ses pulsions, il va se vêtir d'une soutane pour les ignorer. Bien sûr, cela ne fonctionnera pas. Alors, plus son propre désir sera grand, plus il traquera celui des autres farouchement. C'est une véritable folie.

— Tu sais, ce n'est pas parfait chez nous non plus.

Elle voulait dire chez les protestants.

— Y a-t-il des gens qui portent aussi une lanière en cuir garnie de pointes sur la cuisse ?

— J'en suis certaine.

— Cela me déçoit. Je m'imaginais que, quelque part sur cette terre, des gens se faisaient une idée raisonnable de Dieu et de la religion. Je suis un peu lasse d'entendre sans cesse parler des dangers du cinéma américain, du jazz, de la danse et des tenues féminines immodestes. Je suis exaspérée d'entendre vanter la nécessité de mortifier sa chair pour se rapprocher de Dieu.

Comment répondre à cela ? Catherine passa un bras sur ses épaules, gardant un long silence.

— Il se fait subir tout cela parce qu'il est attiré par les garçons ? demanda-t-elle enfin.

— Je crois, oui. Il ne me l'a pas dit aussi clairement, mais cette attirance me semble être la raison la plus probable de son immense sentiment de culpabilité.

— Pauvre gamin.

Cinquante ans plus tôt, songeait Thalie, son père Alfred devait se débattre avec les mêmes difficultés. Son cynisme lui avait-il sauvé la vie, ou ce cynisme résultait-il justement de sa situation ? Un peu des deux, sans doute.

Elle se leva pour aller vers la fenêtre, s'asseoir sur la malle faisant office de banc depuis son retour de Montréal.

— Voilà mon poste d'observation de la ville de Québec. S'il ne faisait pas si froid, j'ouvrirais la fenêtre… Catherine, viens voir !

Le changement de ton inquiéta son amie. L'instant suivant, elle était penchée à la fenêtre. Sur le pavé humide de la rue, l'effet miroir laissait voir une lueur orangée.

— On dirait… un incendie.

— Je vais réveiller maman.

Dans les grands moments d'incertitude, se tourner vers sa mère constituait la meilleure décision. Plus tard, penché à la fenêtre ouverte du salon, Paul Dubuc confirmait son impression.

— Appelle les pompiers.

Quelques minutes après, avec des paletots enfilés sur leurs vêtements de nuit, tous les occupants de la maison se tenaient sur le trottoir opposé. Le restaurant *Kerhulu* était en flammes. L'incendie avait pris naissance dans la cuisine, une heure plus tôt.

Au milieu de la chaussée, près de la boutique, Marie, Paul, Catherine, Thalie, Amélie et Gertrude formaient un petit groupe compact.

— J'espère que le feu ne se communiquera pas à mon commerce, murmura la marchande.

Paul l'entoura de son bras, la serra contre lui.

— Je ne pense pas. Avec ce camion, ils auront tôt fait de maîtriser les flammes.

Le député avait raison : un immeuble situé juste en face de l'hôtel de ville pouvait compter sur une intervention rapide du camion des pompiers et une pression d'eau suffisante dans les bornes-fontaines.

— Dans ce cas, décréta Gertrude, moi je retourne me coucher.

— Mais cela peut être dangereux, intervint sa patronne.

— Paul vient de le dire, ces gens vont s'occuper du feu. Vingt personnes en jaquette au milieu de la rue ne les aideront pas.

Sur ces mots, la domestique retourna en claudiquant vers le commerce. D'autres occupants de maisons en bordure de la rue se tenaient là aussi.

— Nous faisons comme elle ? interrogea Amélie.

— Je ne suis pas du tout certain de me rendormir, dit son père, mais je ne vois pas de raison de rester planté ici toute la nuit.

— Ma boutique ? plaida Marie.

— Au pire, ils devront arroser le toit pour empêcher les flammes de se communiquer aux autres édifices. Mais nous ne risquons rien en retournant à la maison.

Paul ressentait moins d'assurance qu'il ne le laissait voir. Comme il ne comptait pas fermer l'œil, il serait toujours temps de donner l'alerte afin de faire sortir tout le monde de nouveau, en cas de danger. Il demanda :

— Et vous deux, comment se fait-il que vous vous soyez rendu compte de ce sinistre ?

— Une lueur sur le pavé mouillé, expliqua Thalie.

— Aussi bavardes que des députés, donc. Vous trouverez la journée un peu longue, demain.

— Comme tout le monde dans cette rue.

Quand il pénétra chez ALFRED, il chuchota aux deux jeunes femmes :

— Merci. Si l'alarme avait été donnée une demi-heure plus tard...

— Les dégâts seraient infiniment plus graves.

Comme le député l'avait prévu, la famille demeura assise au salon, une tasse de thé à la main. L'agitation dans la rue dura jusqu'à quatre heures. Seule Gertrude connut une nuit passable. Après le petit déjeuner, Catherine embrassa tout le monde, les remercia de leur accueil, puis elle descendit avec son amie. Ensemble, elles se mêlèrent aux curieux afin de constater l'ampleur des dégâts. De nombreuses personnes délaissaient leur trajet habituel pour se rendre au travail afin de venir contempler le gâchis.

Les murs du restaurant restaient debout, mais tout noircis. Par rapport aux bâtiments des alentours, on aurait dit une vilaine carie dans une mâchoire saine. Il ne devait rien rester des cloisons intérieures ou même des planchers. Quelqu'un déclara dans le rassemblement :

— Ils vont reconstruire, leurs affaires marchaient trop bien.

— C'est une opinion, ou une réalité ? demanda un autre badaud.

— Je connais quelqu'un qui connaît le propriétaire. De toute façon, ils sont assurés.

Thalie tira sur le bras de son amie pour l'entraîner de l'autre côté de la rue.

— Tu ne peux tout de même pas rencontrer ta cliente à huit heures du matin, déclara-t-elle.

— Nous avons rendez-vous à dix heures.

— Tu aurais pu rester à la maison.

— Mais tout le monde a ses occupations. Tu me vois passer une heure ou deux en tête-à-tête avec Gertrude ? demanda-t-elle, amusée.

Elles empruntèrent la rue Desjardins et passèrent près de l'église anglicane.

— Ton petit séjour parmi nous n'aura pas été très reposant, avec cet incendie.

— Mais j'ai été très heureuse de te revoir.

D'une pression de la main sur son coude, Thalie la remercia.

— Ce matin, j'ai des patientes à partir de neuf heures. Mais si tu t'arrêtes au cabinet, Élise te servira un café avec plaisir. Tu laisseras ta valise sur place, avant de reprendre le train.

— Je ne veux pas déranger…

— Crois-tu vraiment que ta présence, ou ta valise, va déranger qui que ce soit? L'endroit où tu veux aller se trouve tout près de mon bureau, de toute façon.

Finalement, la jeune femme acquiesça. Avant de la quitter, Thalie lui promit de se rendre à Sherbrooke pendant les fêtes de fin d'année. Elles se dirent au revoir dans le cabinet du docteur Caron.

Chapitre 20

Une joie suspecte aux yeux du candidat à la sainteté envahissait la maison de la rue Grant. Un petit sapin occupait un coin du salon. François se réjouissait à l'idée que le père Noël lui apporterait peut-être un camion d'un rouge éclatant. Les deux sœurs aînées passeraient la journée du lendemain chez leur prétendant respectif, signe que les choses tournaient au mieux pour elles.

Un peu avant onze heures, Raymond Lavallée décida de se rendre dans sa véritable demeure, l'église Saint-Roch. Un soir comme celui-là, bien des paroissiens ressentaient le besoin de se rapprocher de leur Créateur, ou peut-être des lumières multicolores et de la musique sacrée. La chorale se livrait à une dernière répétition avant la cérémonie. Les tuyaux en cuivre du grand orgue construisaient un véritable mur sonore.

Le garçon se rendit devant le petit autel au bout de l'allée latérale de droite. Une grande crèche le décorait, avec ses personnages en plâtre. Saint Joseph paraissait tout surpris de se tenir là. Après tout, le pauvre homme devenait le père d'un enfant sans avoir touché sa femme : cela aurait même troublé l'époux le plus débonnaire. Marie, près de lui, paraissait toute fraîche malgré l'accouchement récent, vêtue de son éternel voile bleu et de sa robe blanche. Sa tenue cadrait mal avec le dépouillement d'une étable.

— Ma mère, murmura le garçon. Maman.

Depuis des semaines, il l'appelait à son secours plusieurs fois par jour. Ajoutés à la douleur qu'occasionnait le cilice, ces appels paraissaient une bonne défense contre la tentation. Les agaceries de Charlot se faisaient moins fréquentes et il y résistait plus facilement.

Dans toute cette mise en scène, seuls le bœuf et l'âne paraissaient crédibles, justement parce qu'ils ne prétendaient pas être autre chose qu'un bœuf et un âne. Le personnage central de la crèche, Jésus, retint le plus longtemps l'attention du jeune paroissien. Il aurait mieux convenu attendre minuit pour le déposer dans la mangeoire. Tout de même, ce gros bébé joufflu fabriqué en cire par de saintes religieuses paraissait sur le point de lancer un cri. À en juger par son visage lisse, ses cheveux en lin d'un jaune peu réaliste, il devait avoir six mois environ. Là aussi, on s'éloignait du vraisemblable.

Une quinte de toux le tira de sa méditation pieuse. Afin de se reposer un peu, il choisit d'aller s'asseoir dans le banc numéro 21, celui de sa famille. Les yeux clos, bercé par la musique religieuse, il commença à réfléchir à ce qu'il allait inscrire dans son journal. Malheureusement, il n'avait pas pensé à prendre un carnet et un crayon avec lui.

«Dans une heure, Noël! Dans une heure, Jésus va naître.»

Cela ferait une entrée en matière à peine passable. Il fallait trouver mieux, pondre une formule digne d'un premier de classe... non, d'un second, à en juger par ses derniers résultats scolaires.

«Ô mystère ineffable, grandiose, terrible et consolant à la fois. Un Dieu, le seul maître souverain de tout ce que nous pouvons sentir.»

Cela faisait un peu pédant, mais monseigneur Buteau et la postérité devraient s'en contenter. En voyant les paroissiens arriver, de plus en plus nombreux, il chercha une finale:

«Un Dieu qui a tout créé, un Dieu qui s'est fait homme comme nous, descendu sur la terre, présent dans nos cœurs! Je vais le recevoir en moi tout à l'heure. Mystère!»

L'auteur dut mettre de côté ses belles phrases lorsque son père et François vinrent occuper le banc avec lui. La mère demeurait à la maison afin de terminer la préparation du réveillon. Ses deux sœurs se tinrent au fond, certaines que leurs cavaliers ne tarderaient pas à venir se planter près d'elles. La cérémonie leur paraîtrait plus courte, émaillée de fous rires discrets. Les froncements de sourcils des zouaves censés maintenir l'ordre ne réussiraient pas à gâcher leur plaisir.

Pour les autres paroissiens privés de la proximité d'une âme sœur, la messe parut plus longue. L'orgue manipulé avec compétence et le talent des chanteurs de la chorale ne suffisaient pas à compenser la voix grinçante et le rythme lent du curé Buteau. Cette célébration se voulait joyeuse et optimiste. Même les paroissiens les plus indulgents se crurent pourtant transportés au Vendredi saint.

Au retour à la maison, une odeur de pâtés et de tartes envahissait les lieux. François découvrit sous l'arbre le camion tant convoité. Un seul autre présent s'y trouvait, destiné à Raymond, dans un emballage d'un vert sombre. Celui-ci se montra hésitant à le prendre, ce fut son cadet qui le lui tendit finalement. Cette nouvelle habitude de se donner des présents à Noël lui paraissait une dangereuse importation païenne des États-Unis.

Il découvrit un chapelet en cristal assez joli. Cela racheta un peu l'idée des étrennes à ses yeux.

— Merci, maman, dit-il en la serrant dans ses bras.

Il hésita juste un peu trop longtemps avant de dire «merci, papa». Les mots se heurtèrent au dos de l'homme, qui ne vit pas la main tendue.

À table, Raymond accepta une toute petite part de pâté avec un peu de thé noir, refusa la tarte et les autres sucreries. Se mortifier par le goût. Depuis septembre, il avait perdu une dizaine de livres.

Un peu plus tard, alors qu'il montait l'escalier, plaidant la fatigue, une toux sèche le stoppa de nouveau.

— Mais c'est très bon, décréta Gertrude en se servant une nouvelle portion.

Flavie allait commettre un gros péché d'orgueil quand la suite de l'intervention la ramena sur terre.

— On voit tout de suite que tu as eu un excellent professeur de cuisine.

La future parturiente se trouvait à la meilleure place, au bout de la table, rayonnante avec son gros ventre. Au septième mois de sa grossesse, tout allait bien. Elle vaquait encore à ses activités et se permettait des marches quotidiennes dans les environs.

— C'est vrai que tu as eu un bon professeur, mais tu as du talent, dit Paul en se penchant vers elle.

À la fin, elle en arrivait à trouver ce politicien gentil, attentionné. Sa belle-famille ne l'intimidait plus du tout. En rendant Marie grand-mère pour une première fois, elle s'assurait de son amour inconditionnel. Sous la table, Mathieu allongea la main pour la poser sur sa cuisse. C'était là un autre motif de se montrer satisfaite de son existence : sa grossesse, loin de rebuter son époux, l'amenait à multiplier les attentions délicates.

À l'autre bout de la table, Thalie se tenait en face de David, Amélie à ses côtés. Depuis les dernières semaines, son amie affichait une bonne humeur inattaquable, proportionnelle à la satisfaction de son « fiancé » à l'égard de son premier emploi. S'il ne parlait pas encore de carrière, au moins il pouvait en rêver.

— Avez-vous été embêtée par les travaux au *Kerhulu*? demanda-t-il à Thalie.

— Pas tellement. Bien sûr, la rue a été fermée à moitié à cause des travaux de consolidation des ruines, mais c'est juste assez loin du commerce pour ne pas nuire à l'affluence.

— Tout de même, précisa à son tour la jolie blonde, des clientes ont demandé une réduction de prix car elles reniflaient une odeur de fumée dans les vêtements.

— Avez-vous accepté?

— Certainement pas, intervint Marie, mais j'étais prête à offrir une dose de savon à lessive aux plus insistantes.

Son attitude ne rebutait pas les acheteuses. Le chiffre d'affaires de décembre la laissait encore sur un nuage.

— Les propriétaires ont-ils l'intention de reconstruire le restaurant? interrogea Mathieu à son tour.

— En tout cas, ils l'affirment, répondit sa mère. Mais je n'ai vu personne sur le chantier ces derniers jours.

— Les ouvriers ont sans doute sécurisé l'endroit, dit David. Mais comme les grands froids arrivent, ils ont dû préférer en rester là. Les travaux reprendront très probablement au printemps.

Sa formation en faisait le spécialiste incontesté des entreprises de construction. La population de Québec se passionnait alors pour le sort de l'un de ses meilleurs restaurants, et surtout l'un des plus sympathiques.

— Espérons le voir ouvrir au printemps, intervint Mathieu, car nous aimions bien aller manger là, avant de nous rendre au cinéma.

— Pour tout de suite, précisa Flavie, nous ne serons plus en mesure de nous y rendre au cours des prochaines semaines. La distance, la glace sur les trottoirs…

L'homme porta son regard vers sa sœur. Celle-ci confirma en riant :

— À sept mois de grossesse, cette marche est assez longue. Surtout, le risque d'une chute doit inciter à la prudence. Remarque, si vous prenez un taxi, aucun problème.

La conversation porta sur les péripéties des grossesses de Marie. Enceinte de Mathieu au moment de l'ouverture du magasin ALFRED, elle avait travaillé jusqu'à la toute fin de l'attente. Elle réitéra sa promesse de venir assister sa belle-fille lors de l'accouchement, mais la dernière mode chassait les sages-femmes et les parentes du processus. Maintenant, les médecins et les hôpitaux prenaient le relais. Une entente avait déjà été prise avec le Jeffrey Hale.

— N'oublie pas, ajouta la future grand-mère en fixant sa bru dans les yeux, que lorsque les tâches quotidiennes seront trop difficiles pour toi, Gertrude viendra s'installer ici, et elle y restera le temps nécessaire.

— Voyons, comme toi et Amélie travaillez toute la journée, vous avez besoin d'aide à l'appartement.

— Nous nous débrouillerons.

— Ma petite, dit Gertrude, je t'aime bien. Tu t'occuperas de ton petit ange, je m'occuperai de toi.

Les larmes vinrent aux yeux de Flavie. Cette sensibilité exacerbée faisait aussi partie des effets de la grossesse. À l'autre bout de la table, Amélie regardait son compagnon dans les yeux, un peu impatiente. Finalement, elle articula un « vas-y » muet. Se raclant la gorge, il commença :

— Hum ! Pardon. Je voulais juste vous dire que cet après-midi, je me suis entretenu avec monsieur Dubuc. Je lui ai demandé d'épouser Amélie l'été prochain, et il a accepté.

Pour lui, il s'agissait d'un long discours. Tout le monde parla en même temps pour les féliciter. Mathieu profita d'une accalmie pour demander :

— Mais ma charmante demi-sœur a-t-elle dit oui?

— Bien sûr, idiot, j'ai dit oui.

Son sourire donna à l'insulte un côté très affectueux. Quelques minutes plus tard, tous convinrent de passer au salon. Flavie s'aida du bras de son mari pour se lever, fit mine de prendre des assiettes pour les rapporter à la cuisine. Gertrude montra combien elle entendait prendre son futur rôle au sérieux:

— Non, ma belle. Toi, tu vas t'asseoir dans le meilleur fauteuil du salon, avec Thalie pour te tenir compagnie. Les autres vont participer aux tâches ménagères afin que tu trouves tout en ordre demain matin.

— Voyons, cela ne se fait pas.

— Tu vas voir, cela se fait très bien. Va.

La domestique attendit que la femme enceinte se dirige vers la grande pièce à l'avant de l'appartement pour continuer:

— Vous autres, essayez de ne rien casser. Si vous travaillez bien, nous n'en aurons que pour une petite demi-heure.

Le «vous autres» s'adressait aux hommes parmi cette assemblée. Chacun obtempéra avec un sourire amusé. Pendant ce temps, Thalie aidait sa belle-sœur à s'asseoir, tout en remarquant à mi-voix:

— Maintenant, tu sais à quoi t'attendre sous ses bons soins.

— C'est un amour un peu... rugueux.

— Je l'endure depuis plus de vingt-cinq ans, vingt ans si l'on enlève mes séjours à Montréal, et je ne m'en porte pas mal. Bien sûr, comme je ne porte pas l'enfant de son chouchou, elle me laisse un peu plus de liberté.

Le petit dépit n'échappa pas à sa parente. Ne sachant pas comment aborder ce sujet délicat, elle préféra dire:

— Cela peut devenir un peu... étouffant.

— D'un autre côté, elle vient de me dire de venir m'isoler avec toi pour que je puisse te rassurer à ce sujet. Au fond, Gertrude n'est pas une idiote. Pour revenir souvent ici, elle doit faire en sorte que tu sois enchantée par sa présence. Ne t'inquiète pas...

Thalie marqua une pause avant d'ajouter en souriant :

— Comme ton médecin entend te suivre de près à la suite de l'accouchement, si jamais cette présence devient un peu... envahissante, tu m'en glisseras un mot.

— Mon médecin, ou ma belle-sœur ?

— Ta belle-sœur.

Cela valait mieux. La présence trop fréquente d'un professionnel de la santé laissait présager des complications.

— Pendant les fêtes, tu auras la possibilité de te détendre un peu ? demanda encore Flavie.

— J'irai voir une amie à Sherbrooke... Là aussi, ce sera pour être témoin d'une promesse de mariage, dit-elle, la mine triste.

La future parturiente eut la délicatesse de ne pas dire quelque chose comme : « Un jour, ce sera ton tour. » Au passage de la dernière Sainte-Catherine, Thalie avait vingt-cinq ans révolus. Désormais, elle comptait parmi les vieilles filles.

— Demain, iras-tu chez Françoise et son mari ? interrogea-t-elle plutôt.

— Demain, je suis préposée aux diarrhées et aux vomissements au cabinet du docteur Caron. Le brave homme se montre prêt à faire fi des interdits : une femme recevra les messieurs coupables des excès du temps des fêtes.

— Cela les incitera à mieux se contenir au jour de l'An.

Peu après, le reste de la famille vint les rejoindre. Les visiteurs ne restèrent que quelques minutes encore. Marie décréta que la jeune femme devait se reposer. Quand Mathieu revint de la salle de bain, elle dormait déjà.

Un bruit de sirènes réveilla Élisabeth à cinq heures trente. Elle se retourna dans son lit, ferma les yeux de nouveau, espérant se rendormir, sans succès. Elle se leva, un peu déçue de sa nuit écourtée.

La femme se tint un moment devant la fenêtre donnant sur le jardin. Janvier tenait Québec dans un étau de froid. L'essentiel des travaux commencés l'automne précédent seraient terminés dans quelques jours. Le constructeur prenait plus de temps que prévu, demandait aussi plus d'argent en plaidant de « mauvaises surprises ». Sur tous les chantiers, paraissait-il, les ouvriers découvraient une poutre totalement pourrie, des bardeaux percés, une infiltration d'eau dans un cadre de fenêtre. Malgré tous ces retards accumulés, l'échéancier respectait tout de même ses prévisions initiales.

Maintenant, son petit chez-soi se trouvait au rez-de-chaussée, aménagé dans l'ancienne salle à manger et un petit boudoir. Elle y gagnait des plafonds plus hauts, mieux décorés, de grandes fenêtres, et un peu plus d'espace. Dans les deux maisons, les chambres offraient pour la plupart une nouvelle allure. Dans celle de la rue Sainte-Geneviève, les logis se composaient désormais de pièces doubles. Élisabeth espérait y attirer une clientèle capable de verser un loyer conséquent. Les étudiants se concentreraient dans celle de la rue Saint-Denis, dans des locaux à la fois plus spartiates et moins coûteux.

Bien sûr, l'aménagement le plus important se tenait sous ses yeux, sur sa droite : une nouvelle aile de deux étages unissant les maisons. Élisabeth regrettait l'amputation d'une bonne partie du jardin. En échange, une cuisine et une salle à manger au goût du jour, bien plus faciles à entretenir, occupaient tout le rez-de-chaussée de cette nouvelle section, alors que deux grands logements et des pièces de service s'étendaient au premier étage. Son pari lui donnait le vertige. Si sa décision n'était pas la bonne, sa situation en souffrirait cruellement.

Le sort allait servir ses intérêts. De petits coups la sortirent de sa rêverie. Elle revêtit sa robe de chambre, la serra d'une main contre son cou et ouvrit de l'autre la porte de deux pouces.

— Madame, dit Jeanne d'une voie alarmée, le *Château Frontenac* est en flammes.

— … Tu es certaine ?

La stupeur affectait son ton.

— Du salon, nous voyons la lueur.

Le grand hôtel de luxe se trouvait tout près, dangereusement près. Sans se soucier de sa tenue, Élisabeth traversa le couloir pour aller voir elle-même. À cette heure, le soleil n'était pas encore levé. Une lueur orangée apparaissait distinctement au-dessus des toits des résidences d'en face.

— Grands Dieux ! s'exclama-t-elle. Cela semble un incendie important.

Parfois, dans les restaurants, un feu de cuisine éclatait. La mésaventure récente du *Kerhulu* imprégnait toutes les mémoires. Mais un endroit comme le *Château Frontenac* comptait sur un personnel important, capable de maîtriser bien vite un début d'incendie. Pareille catastrophe semblait inexplicable.

— C'est le drame de nos hivers, commenta l'un des locataires, un député originaire de Montréal. Nous surchauffons, et les gros poêles à bois ou à charbon deviennent de vraies bombes incendiaires.

L'homme avait bien raison. Tout au long de la mauvaise saison, les journaux évoquaient régulièrement des conflagrations importantes. D'abord, le vieux séducteur ne parut pas se rendre compte que sa voisine se trouvait en peignoir. Le vêtement révélait ses jambes nues jusqu'au milieu des mollets. C'était compter sans le retour rapide du naturel.

— Vous savez, on voit mieux de ma chambre. Si vous voulez venir...

— Non merci, sans façon, fit-elle en retournant chez elle pour s'habiller.

Ou celui-là dominerait bien vite son démon de fin d'après-midi, ou il chercherait très bientôt un nouveau logis.

Le déjeuner s'était déroulé dans une atmosphère fiévreuse. Un pareil brasier risquait de lancer dans le ciel des tisons susceptibles de mettre le feu aux immeubles voisins. Personne ne pouvait prendre cette menace à la légère.

Vers huit heures, Élisabeth revêtit son manteau de fourrure, un souvenir de ses années fastes, pour aller constater elle-même la situation. Elle descendit sur la terrasse Dufferin et, d'une distance de mille pieds peut-être, contempla la scène dantesque. Si les murs du grand hôtel tenaient toujours, toutes les fenêtres avaient éclaté et le toit n'existait plus. Les flammes montaient vers le ciel. Heureusement, le vent très faible soufflait vers le fleuve.

— C'est une perte complète, chère madame.

La femme se retourna pour voir à ses côtés un autre membre du trio de députés comptant parmi ses locataires. Celui-là, plus jeune, ne donnait pas dans le genre énamouré. Aussi n'hésita-t-elle pas à engager la conversation.

— Les murs…, glissa-t-elle.

— Il faudra les abattre afin de tout reconstruire.

— Si les propriétaires décident de le faire. Cela doit représenter plus d'un million de dollars.

— Mais regardez le point de vue.

Machinalement, la femme effectua un demi-tour sur elle-même pour voir le magnifique paysage de l'île d'Orléans, le fleuve et la rive sud au-delà.

— Il y aura un hôtel à cet endroit grandiose, insista l'homme. Il ne reste plus qu'à savoir si le Canadien Pacifique se lancera dans l'aventure. Je parierais que oui… Mais le nouvel établissement ne sera pas prêt avant de nombreux mois. Ce délai servira vos intérêts, si vous saisissez l'occasion.

— Que voulez-vous dire?

— Madame Picard, là, vous voulez me faire parler.

Comme elle ouvrait sur lui de grands yeux innocents, il continua:

— J'ai au moins six collègues qui habitent au *Château Frontenac* en permanence. Ils vont chercher un nouveau logis, ce sera un vrai jeu de chaise musicale. Puis l'été prochain…

— … Les touristes trouveront quelques centaines de chambres en moins.

— Voilà!

L'homme porta ses deux mains sur ses oreilles pour les réchauffer un peu, puis il la salua pour se rendre à son travail. Élisabeth ajusta sa toque en vison, contempla encore un peu le vaste incendie. Tous les pompiers de la ville s'étaient rassemblés là pour limiter les dégâts.

Très bientôt, ses plus beaux logis trouveraient preneur. Cet été, elle augmenterait ses prix. Les touristes ne sourcilleraient pas trop. Ses chambres demeureraient toujours moins chères que celles du *Château Frontenac*.

Un peu plus tard, le froid la ramena chez elle, un sourire sur les lèvres.

Alors que les habitants de la pension Sainte-Geneviève s'inquiétaient du grand incendie à proximité de chez eux, une demi-douzaine de travailleurs continuaient les travaux de réaménagement. Comme à son habitude, Jeanne s'occupa de les recevoir. Si Élisabeth Picard avait promis de les tenir à l'œil, elle ne se privait pas de confier la tâche à sa domestique. L'embauche récente d'une jeune bonne lui donnait le temps de jouer à la contremaîtresse.

— Les jeunes logés dans ces pièces ont-ils été jetés dehors? lui demanda un ouvrier occupé à condamner une porte.

— Mais non, vous le savez, ils habitent à côté.

Bien sûr, l'homme connaissait bien la nature de tous ces réaménagements. Mais depuis décembre, quand la jolie brune passait à portée de voix, il en profitait pour engager la conversation.

— C'est étrange, tout de même. De l'autre côté, on a divisé des pièces en deux et on a percé de nouvelles portes. Ici on défonce des murs entre des chambres et on condamne des portes.

— Dans la rue Saint-Denis, les locataires auront de petits logis. Ici, ce seront des suites de deux pièces, dont quelques-unes avec leur propre salle de bain.

— Là-bas, ce seront des bourgeois qui fréquentent l'université.

Habitant dans le quartier Saint-Sauveur, pour ce menuisier, seuls les notables traînaient encore à l'école après l'âge de vingt ans.

— Pas nécessairement. Si des travailleurs de la ville veulent payer une chambre de dix pieds par dix et utiliser une toilette commune, ils seront les bienvenus.

— Des travailleurs qui prennent un repas avec une veste et une cravate... Ça ne court pas les rues.

— Ce sont les règles de la maison.

L'autre lui adressa une grimace. Le beau monde lui donnait des démangeaisons.

— Mais personne n'est obligé de venir vivre ici, dit Jeanne avec un sourire moqueur.

— Encore heureux. Et dans cette maison, la patronne veut-elle faire quelque chose comme un club libéral ?

— Pourquoi dites-vous cela ?

— Les vieux messieurs, ce sont des députés, non ?

Devant son acquiescement, il continua :

— Elle souhaite augmenter le nombre de grands appartements pour en recevoir d'autres.

— Encore une fois, des personnes capables de se payer deux pièces seront les bienvenues, députés ou pas, libéraux ou pas.

Au total, huit hommes trouveraient là un logis confortable, et dix-huit, une chambre plus modeste dans la rue Saint-Denis.

— Ma patronne ne vous paie pas pour me faire la conversation, dit la domestique en tournant les talons, et moi non plus d'ailleurs.

L'homme à genoux, un rabot entre les mains, contempla la jeune femme qui s'éloignait, séduisante dans son uniforme noir.

— Mademoiselle...

Elle se retourna et posa les yeux sur le menuisier dans la fin trentaine. Il paraissait robuste, bon vivant, volontiers rieur.

— Oui?

— Nous en avons pour quelques jours encore ici, puis ce sera fini. J'aimerais vous revoir, ensuite.

La jeune femme ressentit un pincement au cœur, le souvenir de Fernand lui traversa l'esprit. Le notaire ne s'était plus présenté à la porte de la pension depuis sa conversation avec Élisabeth. Aucune journée ne passait sans qu'elle pense longuement à lui. Mais maintenant, la douleur faisait peu à peu place à une certaine sérénité.

— Mais je ne possède aucune maison où faire des travaux.

— Ne vous moquez pas de moi. Nous pourrions aller «aux vues», un de ces soirs.

— Si vous me dites le titre de la «vue» et le jour choisi, je verrai si je suis libre.

L'autre ne se soucia pas trop de la réplique ou du ton chargé d'ironie. Il savait représenter un bon parti pour elle.

— Ce soir, je regarderai l'horaire dans *Le Soleil*. Demain, j'aurai tous les renseignements.

— Alors, demain, je vous répondrai.

Elle fit mine de s'éloigner, puis s'arrêta pour demander:

— Vous avez un prénom, monsieur Bernier?

— Bien sûr, mademoiselle Jeanne, c'est Georges.

— Et vous avez deviné le mien?

— Ce n'est pas difficile. J'ai entendu votre patronne au moins cinquante fois dire «Jeanne, pourriez-vous venir ici?» ou «Jeanne, pourriez-vous faire cela?»

Il imitait bien le ton et le maintien d'Élisabeth. Comme il était toujours à genoux, cela rendait sa prestation assez amusante.

— Cinquante fois! fit Jeanne en mimant la surprise. Dans ce cas, elle a raison: vous ne passez pas assez de temps à travailler.

L'autre reçut la boutade avec un sourire, puis dit avec un clin d'œil :

— Je ne peux résister à une jolie femme.

La domestique affecta une mine sévère, puis elle monta à l'étage supérieur afin de constater les progrès des travaux.

Pendant des années, Édouard avait vécu dans la rassurante illusion d'être le seul propriétaire du magasin PICARD. Tenir une réunion avec les autres détenteurs de parts l'empêcherait désormais de se leurrer. Le lundi 1ᵉʳ février, un peu avant sept heures du soir, il attendait près de la porte arrière du commerce, celle donnant sur la rue Desfossés, pour recevoir ses visiteurs.

Le premier à arriver fut Mathieu. Pour se présenter ainsi à l'heure pile, le marchand le soupçonna d'avoir attendu dans l'encoignure d'une porte de la Basse-Ville.

— Bonsoir, grommela-t-il en s'écartant pour le laisser passer. Tu es presque en avance, tu devras patienter un peu.

— Je n'aurais pas voulu rater la rencontre pour rien au monde.

— Pourtant, l'exercice me paraît tout de même un peu futile. Tu vas recevoir en main propre ce que le facteur aurait déposé demain matin dans ta boîte aux lettres.

— Mais tu fais peu de cas de mon plaisir de voir à la fois mon cousin et ma cousine. Après tout, toi et Eugénie êtes mes seuls parents, si l'on excepte ma famille immédiate.

Édouard eut envie de crier : « Arrête de dire des sottises, nous sommes plus que des cousins ! »

Sachant depuis quelques mois la véritable nature de leur parenté, il le regarda attentivement, cherchant sur ses traits une ressemblance. Elle ne sautait guère aux yeux, excepté des traits communs aux Picard : les cheveux foncés, le visage régulier, la grande taille. Tout de même, son interlocuteur lui rappelait plus Alfred que Thomas.

— Tu peux monter t'asseoir dans la petite salle voisine de mon bureau, continua le marchand, tu connais le chemin.

— D'accord.

En progressant entre les étals de marchandises du rez-de-chaussée dans une quasi-obscurité, Mathieu ne cessait de se répéter : « Je possède le tiers de tout cela. » Après avoir gravi l'escalier, il s'arrêta dans l'espace réservé à la secrétaire, examina les lieux en se remémorant les années de travail de Flavie. Dans une pièce voisine, il trouva un homme penché sur un rapport d'activité. Celui-ci leva la tête et tendit la main en quittant son siège.

— Monsieur Picard, je veux dire Mathieu Picard ? Je suis Jules Deschênes.

— Bonsoir.

S'il le rencontrait pour la première fois, le personnage ne lui était pas inconnu. Les années précédentes, il avait signé les états financiers du commerce. Les convenances exigeaient d'attendre les autres. Aussi gardèrent-ils le silence, assis de part et d'autre de la table.

Eugénie Picard descendit de son taxi quinze bonnes minutes après l'heure convenue pour le rendez-vous. En arrivant à la porte, elle déclara :

— Je viens de renvoyer le conducteur. J'espère que tu me ramèneras à la maison.

— … Fernand ne t'accompagne pas ? demanda Édouard.

— Fernand ne possède pas un sou de ce commerce, donc je ne vois pas pourquoi m'encombrer de lui. Alors, tu me reconduiras ?

— Oui, bien sûr.

En réalité, depuis le mois d'octobre précédent, elle et son époux ne partageaient guère que les repas et la messe dominicale. Elle ne l'avait pas invité à venir avec elle, il n'avait exprimé aucun désir de le faire.

Le frère et la sœur traversèrent la moitié du commerce pour rejoindre l'ascenseur. Deux étages plus haut, ils entrèrent dans les locaux administratifs. Maladroitement, Édouard fit les présentations. Le comptable lui serra la main et reprit sa place aussitôt.

— Tu connais bien sûr notre cousin, Mathieu.

Le jeune homme accueillit la nouvelle venue en disant :

— Ah ! Si les relations de parenté ne nous ont pas permis de bien nous connaître, je me suis un peu repris au cours de mon année de cléricature chez Fernand… Vous allez bien, madame Dupire ?

La voix contenait une bonne dose de dérision. Pendant cette période, le jeune diplômé avait partagé de nombreux repas avec la famille. Il en gardait le souvenir d'une tension lourde, sans doute très malsaine pour les enfants.

— Je vais bien. Votre femme doit arriver bien près de son terme.

Les deux familles se croisaient sur le parvis de l'église Saint-Dominique tous les dimanches. Avec son dandinement de canard, Flavie ne pouvait songer à dissimuler le stade de sa grossesse.

— À en juger par son tour de taille, si elle n'accouche pas bientôt, nous aurons des jumeaux.

Quand tout le monde occupa son siège, Jules Deschênes commença :

— Je vous ai préparé les états financiers.

Il en distribua les copies, chacune comptant une dizaine de pages agrafées.

— Comme vous pouvez le constater, 1925 a été une excellente année. Regardez au bas de la première page.

Mathieu apprécia le montant des profits annuels. Pour connaître sa part, il divisa le montant par trois. Il supputa ensuite le nombre d'années nécessaires, à ce rythme, pour venir à bout de la dette contractée en octobre dernier.

— Maintenant, continua le comptable, si vous tournez à la page suivante…

Pendant une bonne heure, d'une voix lassante, l'homme aligna les chiffres, évoquant le coût de la main-d'œuvre, l'entretien de la bâtisse, les taxes municipales et la part des chefs des rayons. À la fin, Eugénie montra qu'elle s'y connaissait plutôt bien en la matière :

— Édouard, c'est bien ta rémunération, ici ?

Elle se penchait vers lui, l'index posé sur une ligne des états financiers.

— Oui, à titre de directeur général du commerce.

— Tu ne te prives de rien. Cela représente plus que le salaire d'un ministre.

— Diriger ce magasin prend plus de temps et plus de compétence que n'en demande un département du gouvernement provincial, je t'assure.

— Tu m'en diras tant. Je comprends maintenant pourquoi les nouvelles automobiles se succèdent dans ta cour.

Penché sur les chiffres, Mathieu sourit. Lui aussi trouvait le salaire un peu élevé. D'un autre côté, comme les profits se trouvaient au rendez-vous, l'homme devait faire un bon travail. Quelques minutes plus tard, Deschênes arrivait au terme de son exposé.

— Vous avez des questions pour moi ?

Édouard n'en avait pas, puisque ces chiffres lui étaient familiers depuis dix jours. Eugénie avait eu son petit effet en parlant de la rémunération de son frère. Cela lui suffisait. Mathieu demeurait le seul susceptible de prolonger indûment la soirée.

— Non, je n'ai pas de question, dit-il finalement. Tout cela me convient très bien. Merci, monsieur Deschênes.

Ne voulant pas être en reste, Édouard réitéra les remerciements. Tout le monde retrouva son paletot et ses couvre-chaussures. Quelques minutes plus tard, le directeur général se tenait de nouveau à la porte arrière, son trousseau de clés à la main. Après l'échange des poignées de main, Deschênes et Mathieu se perdirent dans la nuit. Songeur, le second marcha dans la rue Desfossés pour aller prendre le tramway. Si les choses continuaient de cette façon, son initiative d'acheter la part d'Élisabeth se révélerait très rentable. Mais si une crise soudaine survenait, tout pouvait se dégrader très vite.

— Une crise ! prononça-t-il à mi-voix. Je deviens aussi inquiet que Flavie. Toute la province semble devenir un grand chantier.

Dans la cour arrière du magasin PICARD, le marchand ouvrit la porte du passager de son automobile à sa sœur. Quand il démarra, Eugénie commenta :

— Tu aurais pu lui offrir de le reconduire. Il habite à deux pas de chez toi.

— Si un jour je songe à devenir chauffeur de taxi, j'y verrai.

— Alors, j'ai eu de la chance de ne pas rentrer à pied.

— Mais toi, tu es ma sœur.

L'allusion à son lien de parenté lui tira un sourire désabusé. En se tournant vers la droite, il contempla la jeune femme. Elle ne paraissait pas vieillir, mais au fil des ans, le visage devenait plus dur, continuellement buté. Elle n'avait aucune raison de se douter que Mathieu était son demi-frère. Un moment, Édouard eut envie de la mettre dans la confidence.

Puis il renonça. Mieux valait changer le cours de la conversation.

— Tu es toujours heureuse de tes nouvelles domestiques ?

— La bonne apprend son métier sans mal. Mais la cuisinière… Tu as vu, aux fêtes de fin d'année ? Quel repas pitoyable !

— Tu devrais lui acheter des livres de recettes.

— Je ne pense pas qu'elle sache lire.

Jusqu'à leur arrivée dans la rue Scott, les questions domestiques les retinrent. Lorsqu'elle rentra chez elle, Eugénie entendit une conversation provenir de la cuisine. Elle se rendit dans la pièce et vit la porte de communication donnant accès aux appartements de sa belle-mère ouverte.

— Grand-maman, énonçait Béatrice d'une voix enjouée, je ne pense pas que tu as le droit de prendre cette carte.

— Ma chérie, serais-tu en train d'accuser une vieille dame de tricher ?

— Je ne veux pas vraiment dire tricher… Mais tu joues de façon fantaisiste…

L'aïeule rit de bon cœur, répéta « fantaisiste » en allongeant la main pour caresser les cheveux de sa petite-fille.

— Je peux jouer avec vous ?

La voix de la nouvelle venue, depuis l'embrasure de la porte, agit comme une douche froide. Comme prises en défaut, l'enfant et sa grand-mère perdirent leur sourire.

— … Ça se joue à deux seulement, dit la première.

Le rose lui monta aux joues. Elle posa les cartes face contre table, puis continua :

— De toute façon, il est tard. Je dois aller me coucher… Grand-maman, veux-tu que je range le jeu ?

— Non, ma belle. Comme mes rhumatismes me volent du temps de sommeil, je ferai des patiences une partie de la nuit.

Pressée de se réfugier dans sa chambre, la fillette embrassa la vieille dame à la sauvette, passa la porte en essayant de se faire toute petite pour ne pas effleurer sa mère. Elle s'engagea dans l'escalier deux marches à la fois.

— Vous portez-vous bien, madame Dupire ? demanda Eugénie. À part vos rhumatismes, bien sûr.

— Je me porte bien, merci.

— Je peux me joindre à vous, un moment ?

— Malheureusement, je comptais me mettre au lit tout de suite.

Sans rougir le moins du monde de son mensonge, elle allongea la main afin de tirer sur le ruban près d'elle. Le timbre d'une clochette résonna dans la chambre de sa vieille domestique. Elle descendrait dans une minute.

Sa bru la dévisagea, puis elle monta à son tour. Ses efforts pour rétablir les liens avec les membres de la maisonnée se heurtaient à la plus totale indifférence.

Chapitre 21

À l'approche de l'heure de la messe, Flavie était venue le rejoindre dans la petite pièce lui servant de bureau, toujours vêtue de son peignoir, les deux mains sur les reins. Une grimace sur le visage, elle expliqua :

— Je reste à la maison. Je ne peux pas me risquer sur les trottoirs dans cet état.

Son mari leva les yeux de son travail pour lui faire signe de s'approcher.

— Tourne-toi.

Avec les pouces, il commença à la masser au bas du dos.

— Tu as bien raison. La moindre chute serait dangereuse. Bébé devra bientôt cogner à la porte, sinon tu ne pourras plus marcher.

L'homme exagérait juste un peu. L'ampleur du ventre, sur une aussi petite personne, ne cessait de l'impressionner.

— Mais toi, tu dois te mettre en route bientôt, si tu ne veux pas rater la cérémonie.

— Je ne te laisserai pas seule. Mon devoir d'époux exige que je te masse longuement.

Les mains tendaient à descendre sur les fesses. L'encens et les incantations risquaient de céder la place à des jeux un peu moins élevés pour l'âme.

— Non, tu vas y aller. Ce n'est pas le temps de prendre de risques avec ça.

La jeune femme voulait dire négliger ses devoirs religieux alors qu'une naissance viendrait bientôt. À ses yeux, ce serait tenter le sort. Tellement de choses pouvaient arriver durant un accouchement, à la mère ou à l'enfant.

— Dans ce cas, je vais y aller, accepta-t-il pour la rassurer. Prends soin de toi pendant mon absence, et surtout attends-moi pour préparer le repas. Je ne veux pas te voir faire d'efforts.

La laisser seule l'inquiétait. Le jour même, il entendait parler à sa mère afin de voir si Gertrude ne viendrait pas tout de suite lui tenir compagnie.

— Et demain, continua Flavie, je ne pourrai pas me joindre à vous au théâtre. Dans mon état…

— Je vais demeurer avec toi.

— Non, Thalie compte sur ta présence.

— Je vais aller à la messe comme tu me le demandes, mais pas question de sortir sans toi. Ma sœur est une grande fille, elle peut se débrouiller. Sans compter qu'elle ne sera pas seule.

Des semaines plus tôt, sans réfléchir à la progression de la grossesse, ils avaient acheté des billets pour assister à une représentation donnée par la troupe de Louis Jouvet. La visite d'artistes français de cette qualité se faisait trop rare pour ne pas sauter sur l'occasion.

— Que feras-tu des billets ?

— Je vais les offrir sur le parvis de l'église. Comme on fait une criée pour vendre un cochon à la campagne.

Tout en disant ces derniers mots, Mathieu s'était levé pour prendre sa veste à la patère. Une fois près de la porte, pendant qu'il mettait son paletot, elle insista :

— Ne te moque pas. Comme ils ont coûté assez cher, tu devrais essayer de les vendre.

— Entendu. Si j'en ai l'occasion, je le ferai.

Après un baiser, il sortit pour affronter le froid de février.

À l'église, il apprécia le sermon du dominicain présidant la cérémonie. Celui-là s'abstenait des envolées rappelant souvent les discours politiques. En sortant, une heure plus tard, il s'imagina crier à la ronde : « J'ai deux billets pour la représentation de demain, à l'Auditorium. » À cet endroit, l'exercice ferait son petit effet : la plupart des prêtres voyaient dans le théâtre une occasion de péché mortel.

« Dommage, grommela-t-il entre ses dents, procéder de cette façon me permettrait de doubler ma mise. » Sa fibre marchande commençait à se développer. Faute de recourir à une stratégie gagnante, Mathieu chercha des yeux sa seule relation fréquentant l'église Saint-Dominique. La famille Dupire sortait justement du temple.

— Madame, commença-t-il en touchant son chapeau de feutre du bout des doigts.

L'hiver, les convenances lui permettaient de ne pas l'enlever pour la saluer. Pendue au bras de son fils, la vieille dame leva les yeux.

— Monsieur Picard, comment allez-vous ?

— Très bien. Et vous ?

— À mon âge, on ne répond plus à cela. Pour ne pas décourager les plus jeunes de vieillir, il me faudrait mentir. Devant la porte de l'église en plus...

Au moins, jugea le jeune homme, son moral semblait bon.

— Madame, répéta-t-il, cette fois à la jeune madame Dupire, et vous ?

— Je vais bien. Mais je ne vois pas madame votre épouse, enchaîna Eugénie en cherchant des yeux.

— Dans son état, il ne serait plus prudent de marcher cette distance.

Les derniers investissements de Mathieu lui interdisaient de songer à l'achat d'une voiture. Il en avait encore pour quelques années à se contenter du statut de piéton.

— Quand l'heureux événement aura-t-il lieu ? demanda la vieille dame.

L'âge aidant, elle se passionnait pour toutes les nouvelles naissances. Cela lui donnait l'impression de toucher une petite part d'éternité par personne interposée.

— D'un jour à l'autre.

— Vous viendrez me montrer le bébé ? Avec votre femme, bien sûr ?

— Promis.

Comme la famille s'apprêtait à se diriger vers la Chevrolet stationnée juste en face de l'église, Mathieu demanda à Fernand de s'attarder un peu.

— Antoine, dit le notaire, offre ton bras à ta grand-mère et aide-la à s'asseoir. Je vous rejoins tout de suite.

Comme le groupe s'éloignait, Fernand demanda :

— Tu as été satisfait de la présentation des états financiers, lundi dernier ?

Avec sa femme, il n'avait même pas abordé le sujet.

— Oui, les profits demeurent intéressants. Si la situation se maintient…

— Cela signifiera que l'économie se porte bien… Mais je ne te referai pas ma petite leçon. Maintenant, si tu permets…

L'homme s'apprêtait à rejoindre sa voiture.

— Un instant, s'il te plaît. Aimerais-tu aller au théâtre, demain ? Flavie n'est plus en état de se livrer à cette sortie, et j'entends rester avec elle.

Songeur, le notaire conservait les yeux fixés sur sa voiture. Sa mère était maintenant installée sur le siège du passager à l'avant, les garçons s'apprêtaient à grimper dans le *rumble seat*.

— Sortir un peu de la maison me ferait certainement du bien.

— J'ai deux billets, se dépêcha de dire Mathieu en les sortant de la poche intérieure de son paletot, pour une loge près de la scène. Tu apprécieras.

— Non, non. Si j'y vais, ce sera seul. Enfin, seul avec les autres occupants de la loge.

— Tu pourrais inviter quelqu'un…

Fernand songea un bref instant à Jeanne, pour chasser cette pensée de son esprit. Depuis octobre, toute communication avait cessé entre eux.

— Ma mère est encore moins mobile que ta femme, conclut-il. Dans ta famille, quelqu'un voudra certainement profiter de l'occasion. Ou alors l'un de tes collègues de l'université… Crois-moi, comme voisin de fauteuil, n'importe qui me conviendra. Le cardinal Roy lui-même me semblerait bien plus amusant qu'Eugénie.

De mauvaise grâce, Mathieu lui tendit l'un des rectangles en carton. Fernand Dupire le salua en mettant la main sur le bord de son chapeau. Après avoir parcouru la moitié de la distance le séparant de sa voiture, il se retourna pour dire encore :

— Demain, je te poste le montant de ce billet. Si c'est bien, j'enchaînerai avec une critique mardi matin.

L'éventualité fit sourire son interlocuteur. Il demeurait tout de même avec la moitié de son problème sur les bras.

De retour à la maison, après avoir mis le dîner au four, il décrocha le téléphone afin de contacter sa mère. En quelques phrases, il commença par s'entendre avec elle pour obtenir les services de Gertrude dès le lendemain.

— Tu comprends, expliqua-t-il, comme je passe toute la journée au bureau, cela m'inquiète de la laisser seule.

— Mais bien sûr. Il faut en prendre soin.

— Tu peux me passer Thalie, maintenant?

Quelques mots suffirent pour mettre sa sœur au courant de la situation.

— Tu connais quelqu'un susceptible d'être intéressé par cette pièce? Une personne solitaire, car il ne me reste qu'un billet.

— C'est vraiment ironique. D'habitude, je te dirais «Oui, moi». Pour une fois, je ne serai pas seule. Je ne vois pas… Attends, Élise m'a dit s'y être prise trop tard pour obtenir une place. Je la prends.

— Tu n'attends pas de savoir si elle peut se le permettre?

— Je vais la lui offrir. Je dois ma carrière à son père, dans une certaine mesure.

Mathieu se priva de lui dire que sa logique lui échappait un peu: étant redevable au docteur Caron, c'était à lui qu'elle devrait montrer sa reconnaissance.

— Dans un autre ordre d'idées, ajouta Thalie, comment se porte ma patiente?

— Bien, je pense. Elle est étendue. Le poids de deux personnes sur ses jolies jambes…

— Je sais, elle doit être épuisée. Si jamais elle a la moindre inquiétude, fais-le-moi savoir.

La femme enceinte fit encore l'objet de quelques échanges, puis il raccrocha. Il lui restait à terminer la préparation du repas.

Un peu avant sept heures, Georges Bernier sonna à la porte de la pension Sainte-Geneviève. Comme Jeanne l'attendait, elle répondit bien vite, son paletot déjà sur les épaules.

— Bonsoir, mademoiselle.

— Entrez, je serai prête dans un instant.

— … Je préfère vous attendre ici.

Le menuisier se voyait mal debout dans le petit hall de cette demeure de notables. Il gardait une conscience aiguë de sa condition et regardait les «bourgeois» – pour lui le terme couvrait un vaste éventail de fortunes – à la fois avec envie et méfiance.

La femme le rejoignit bientôt sur le trottoir, soigneusement boutonnée, son chapeau bas sur le crâne. Les soirées de février étaient froides, et tous les deux avaient convenu de se rendre au cinéma à pied. Ils sortaient ensemble pour la troisième fois. Lors de la seconde, une longue marche avait permis le nécessaire échange de certains éléments de leur biographie respective.

— Ce soir, commenta Georges, tous les habitants de la Haute-Ville vont se trouver à l'Auditorium pour voir des comédiens français. Je me demande bien quel est leur intérêt. Moi, ça ne me dirait rien.

Sa compagne préféra taire sa propre opinion sur le sujet. Les journaux avaient souligné la qualité de la troupe de Louis Jouvet. L'idée de sacrifier quelques sous de ses modestes économies pour se procurer un billet lui avait traversé l'esprit. Elle avait abandonné ce projet en recevant l'invitation de son ami.

— Ma patronne ira, commenta-t-elle pour rompre le silence.

— C'est ce que je disais. Un gros incendie, et tous les bourgeois disparaîtraient.

— Quelle drôle d'idée...

— Je n'ai pas dit que je mettrais le feu. Mais les conseillers municipaux, les députés, les avocats, les médecins, les propriétaires d'entreprise, ils seront tous là.

L'homme avait raison. Ce spectacle plus relevé permettrait aux élites de la ville de se rencontrer. Les femmes montreraient leur toilette la plus dispendieuse, le statut des époux se mesurant à cela. Le couple pressa le pas pour se rendre au Théâtre canadien, dans la rue Saint-Jean. Georges Bernier paya les deux entrées. Après avoir trouvé leur siège dans la grande salle, il déclara :

— Je suis très heureux d'être avec vous ce soir.

— Je suis heureuse aussi.

Les lumières toujours allumées leur permirent d'échanger un regard, leurs mains s'effleurèrent brièvement. Quand l'homme ne pestait pas contre les classes supérieures, il se révélait charmant, souvent drôle.

— Vous avez trouvé un autre engagement, depuis la fin des travaux à la pension ? demanda Jeanne.

— J'ai travaillé une demi-journée chez un voisin, c'est tout. En hiver, tous les chantiers sont arrêtés. D'ici le printemps, je ferai une journée ici et là, rien de plus.

Le travail domestique mettait la jeune femme à l'abri des rythmes inhérents aux chantiers ou aux manufactures. Devant l'inquiétude dans son regard, son compagnon enchaîna :

— Heureusement, l'année 1925 a été bonne, j'ai ce qu'il faut pour vivre un certain temps sans trop m'en faire. Mais mes collègues moins économes se trouvent parfois à court, une fois le froid venu. Ceux-là sont obligés d'offrir leurs services pour pelleter les rues, les devantures des commerces...

L'homme lui signifiait ainsi compter parmi les travailleurs sobres et prudents, disposés à économiser pendant les beaux jours afin de survivre aux mauvais. C'était là une qualité appréciée.

— Vous n'avez jamais eu envie de chercher à vous embaucher dans un atelier?

— Ce n'est pas mieux que la construction, vous savez. Les journées s'allongent au moment de remplir les commandes, ensuite la moitié des gens sont mis à pied. J'ai de nombreux parents dans les usines de chaussures. Cette année, le chômage saisonnier est plus long que d'habitude, et en plus ils reçoivent des salaires réduits depuis des mois.

Quand monseigneur Langlois avait accepté de servir d'arbitre entre les patrons et les ouvriers, ces derniers avaient déjà subi une coupure de dix pour cent de leur rémunération. Le salaire définitif serait fixé par le digne prélat.

— Leur conflit n'est pas encore réglé? questionna la femme.

— Sa Grandeur prend son temps, dit l'autre avec ironie, elle examine la situation avec soin, selon l'aumônier de mon syndicat. Je suis prêt à parier que ça finira mal pour les ouvriers.

Après une enfance particulièrement misérable, Jeanne avait connu une certaine sécurité matérielle pendant près de deux décennies. Seule la lecture des journaux l'avait informée du long ralentissement économique de 1919 et 1920.

— Les gages des domestiques sont modestes, mais au moins ils sont réguliers, observa-t-elle.

— Mais la présence continuelle d'une patronne, les journées sans fin… Moi, je ne pourrais pas. J'aime mieux le travail du bois.

Sa compagne se remémora ses dernières années, à la tâche depuis les premières heures du matin jusque tard en soirée, la surveillance continue d'Eugénie, les paroles mesquines, souvent cruelles et insultantes. Elle se demandait parfois comment elle avait pu endurer tout cela.

— Avec madame Picard, je suis très bien, remarqua-t-elle à voix haute.

— Elle m'a paru sévère…

— Elle se donnait ce genre pour ne pas se faire charrier par les travailleurs de la construction, dit-elle avec un clin d'œil. Le contremaître paraissait tout à fait disposé à profiter de la situation, surtout devant une femme.

— Peut-être, convint le menuisier avec un sourire narquois.

Le bruit du rideau sur la tringle d'acier leur imposa le silence. Pendant ce temps, à l'Auditorium de Québec, les comédiens s'apprêtaient à monter sur scène.

La troupe de théâtre de Louis Jouvet avait traversé l'Atlantique pour venir se produire en Amérique. Si des villes comme New York ou Boston comptaient assez de francophiles pour y donner une ou deux représentations, le Canada l'occuperait un peu plus longtemps.

Dans une loge de l'Auditorium de Québec, ce qui devait être une réunion du frère et de la sœur Picard devenait plutôt un assemblage disparate de laissés-pour-compte. Thalie la partageait avec un avocat d'un peu plus de trente ans ayant perdu sa femme lors de la grippe espagnole. Mathieu avait eu l'idée de leur permettre de se rencontrer. Après quelques minutes côte à côte, si aucun des deux ne voyait les indices d'un coup de foudre, la soirée promettait tout de même d'être plaisante.

De leur côté, Fernand et Élise renouaient avec plaisir. Au moment où tous les deux fréquentaient assidûment la demeure de Thomas Picard, ils avaient entretenu des rapports courtois. Maintenant, ils se découvraient des choses en commun. Avant le lever du rideau, leur conversation porta surtout sur leurs enfants respectifs.

Louis Jouvet avait choisi de présenter *Knock ou le Triomphe de la médecine*, de Jules Romains. Les bonnes gens de Québec voulurent bien se passionner pour ce médecin résolu à étendre à sa profession les pratiques de la publicité moderne, au point où, quelques mois après son arrivée au village de Saint-Maurice, les habitants trop bien portants en venaient à se croire malades.

À l'entracte, Thalie se pencha un peu sur la balustrade afin de voir lesquels de ses concitoyens profitaient du théâtre français. De l'autre côté de la salle, également dans une loge, elle reconnut une silhouette familière à ses cheveux blonds relevés, au cou gracile, aux traits réguliers.

— Il s'agit d'Élisabeth Picard, dit-elle à son compagnon. Mais je ne connais pas l'homme avec qui elle se trouve.

— C'est Hector Perrier. Il a été ministre libéral il y a quelques années. Maintenant, il siège au Conseil législatif. Je les ai vus à quelques reprises ensemble. Si c'est sérieux, il s'est trouvé une prétendante charmante.

Le Conseil législatif jouait le rôle d'un « petit Sénat » provincial. Et comme pour son équivalent fédéral, personne ne savait précisément à quoi il servait.

— Dans la loge voisine, je reconnais l'un de vos parents, le commerçant Picard, continua son cavalier.

Inventorier les personnes présentes représentait un passe-temps comme les autres, cela d'autant plus que la jeune femme avait décliné son offre d'aller boire quelque chose.

— Vous avez raison. Sa femme se trouve avec lui, mais je ne connais pas les autres.

— Il est avec l'un de ses beaux-frères avocat, et la femme de celui-ci.

D'un sourire, Thalie remercia André de son effort pour meubler la conversation.

« Je suis vraiment incorrigible, se dit-elle. Ce garçon est charmant et il fait tout pour incarner le meilleur compagnon et moi, je dresse la liste des spectateurs. » Remplie de bonne volonté, elle déclara :

— Allons nous dégourdir un peu les jambes. Il reste encore quelques minutes.

En se levant, elle lui tendit le bras. Il le prit avec plaisir. Le couple revint juste avant le lever du rideau. Quand Thalie reprit sa place, Élise lui demanda :

— Sa vision de la médecine doit te faire grincer des dents, n'est-ce pas ?

— Au contraire, répondit Thalie, je la trouve non seulement amusante, mais elle s'applique un peu à moi. Tu vois, Knock offre des consultations gratuites un jour par semaine pour se faire un nom, et il se soucie d'identifier les clients capables de payer des traitements coûteux. Moi, je passe une journée par semaine au dispensaire des pauvres.

— Mais l'idée de trouver des clients susceptibles de t'enrichir me semble bien irréaliste, ricana son amie.

— Je vais donc écouter la suite des choses très attentivement, pour apprendre, répondit-elle avec un sourire.

Le retour des comédiens sur scène les ramena au silence.

« Jésus tombe pour la troisième fois. »

Raymond Lavallée se tenait debout dans l'allée centrale de l'église Saint-Roch, les yeux sur un tableau un peu sombre représentant la neuvième station du chemin de croix. Il obéissait à une nouvelle routine, mise au point au fil des dernières semaines.

— Les souffrances de Jésus, c'est moi qui les lui inflige, marmonna-t-il. Par mes péchés.

Le personnage barbu du tableau paraissait écrasé sous la lourde croix. Autour de lui, des badauds bien sûr, mais aussi des soldats, ne se montraient guère disposés à lui venir en aide.

— Et par ses souffrances, Jésus fait mon salut.

Cette habitude de parler seul dans le temple attirait l'attention des autres paroissiens venus faire des dévotions, essentiellement des femmes âgées. Elles le regardaient avec une sympathie certaine. Dans ce milieu de dévotes, une rumeur commençait à circuler : « Nous avons un petit saint dans la paroisse. »

— Bafoué, méprisé, condamné, martyrisé, continuait-il, Jésus m'apprend à souffrir en silence, avec joie même, pour expier les maux que je lui ai fait endurer, pour expier ceux des autres, pour faire sa volonté.

De manière diffuse, Raymond sentait que ses propres fautes, toutes les fois où Charlot se révélait plus fort que sa volonté, augmentaient les souffrances de Jésus. À l'opposé, par un étrange jeu d'équilibre, sa propre douleur permettait d'alléger celle de son Dieu.

— Je ne souffrirai jamais autant que Toi. Puis Toi, Tu n'as jamais mérité tout cela. Alors que moi, avec mes fautes...

De la neuvième à la quatorzième station, l'adolescent répéta encore et encore le même discours culpabilisant. Puis il revint s'agenouiller à la balustrade, le plus près possible des lumières, des statues en plâtre, du chœur où se trouvait Dieu, incarné dans l'eucharistie.

— Fais-moi souffrir, moi aussi, pour que je puisse te soutenir. Et soutiens-moi dans ma douleur. À deux, ce sera plus facile. Si tu es avec moi, je pourrai faire face à toutes les épreuves sans me troubler. Plus je souffrirai, mieux ce sera. Plus les épreuves seront nombreuses, plus elles seront cruelles, plus l'échelle sera belle pour me conduire à Toi.

Son mot d'ordre, «AIMER! SOUFFRIR! AIMER!» prenait tout son sens.

La suite de la représentation tira suffisamment d'éclats de rire pour convaincre les comédiens que l'humour français pouvait traverser l'Atlantique sans trop de mal. Même l'accent était accessible à la plupart. Après la fermeture du rideau, les applaudissements nourris amenèrent les comédiens à venir saluer deux fois.

Puis l'assistance se retira lentement. Dehors, après les salutations à leurs voisins de loge, André demanda à sa compagne:

— Mademoiselle Picard, puis-je vous raccompagner jusque chez vous?

— Bien sûr, cela me fera plaisir. Comme vous le savez, j'habite tout près.

— Alors nous marcherons lentement, car je veux obtenir quelques réponses… D'abord, est-il vrai qu'aux yeux des médecins, nous sommes tous des malades qui nous ignorons?

— Honnêtement, nous avons peut-être un peu tendance à chercher des symptômes chez tous les gens que nous rencontrons…

Élise Hamelin regardait le couple s'engager dans la rue Saint-Jean, imaginant le résultat de cette première rencontre. Son amie se montrait charmante depuis plus de deux heures, une espèce de record pour elle.

— Je serais aussi heureux de vous reconduire chez vous, murmura Fernand à ses côtés. Mais peut-être préférez-vous prendre un taxi…

Plusieurs voitures s'alignaient près du trottoir. Après une hésitation, la femme déclina la seconde offre.

— Ce n'est pas loin. Marcher me reposera un peu de toute cette fumée de cigarettes.

En quittant la salle, de nombreux hommes s'étaient empressés d'«allumer». Le duo avait progressé vers la sortie dans un nuage bleuté. Tout en se dirigeant vers la rue Saint-Cyrille, elle continua :

— Je ne m'attendais pas à votre présence ce soir, mais elle m'a fait plaisir.

L'homme déplaça sa main pour serrer légèrement les doigts posés sur le pli de son coude.

— Nous nous sommes vus tellement souvent, chez les Picard, rappela-t-il. Mais je ne crois pas que nous ayons jamais eu une conversation. Je ne voyais personne, sauf elle… Comme j'ai été stupide.

La confession troubla un peu sa compagne. Dans quelques minutes, cet homme rejoindrait cette épouse qui l'aveuglait vingt ans plus tôt. Puis Élise trouva son sursaut de pudibonderie un peu ridicule. Le souvenir de plusieurs confidences d'Eugénie lui revenait en mémoire. Cet homme avait été trompé de la pire façon qui soit, sa femme avait abusé d'un amour sincère.

— Je pense, se souvint-elle, que mes yeux étaient aussi aveugles que les vôtres, à cette époque.

— Édouard ?

— Oui, Édouard. C'est ridicule, n'est-ce pas ? Il était plus jeune que moi. Quelle sotte…

— Élise, entre nous deux, je suis le plus sot. Vous êtes revenue bien vite de votre infatuation pour connaître un mariage heureux. De mon côté, je dois vivre avec une magistrale erreur...

La voix ne contenait aucune colère, seulement une infinie tristesse. La situation toucha son interlocutrice au cœur. Un moment, elle chercha ses mots.

— Avec votre femme?...

— Depuis des années, je n'ai pas de femme. J'avais une maîtresse il y a quelque temps. Mais maintenant, je suis tout à fait seul...

Évoquer une réalité si intime avec une étrangère bouleversait les usages. L'homme se sentait un peu ridicule. D'un autre côté, dans cette nuit froide, après un spectacle léger, les convenances lui paraissaient perdre beaucoup de leur signification.

— En soi, ma situation n'est peut-être pas si difficile à vivre, continua-t-il. Ce qui m'inquiète le plus, ce sont mes enfants. Je songe à les mettre au pensionnat l'automne prochain, pour leur éviter... la tension qui pèse sur eux.

— Même les plus jeunes?

— Surtout les plus jeunes. Antoine me paraît imperméable à sa méchanceté. Pour les autres, je songe à ce jardin d'enfance qui ouvrira ses portes prochainement à Charlesbourg.

Élise ne songea même pas à dire «Eugénie ne peut pas être aussi terrible que vous le dites» ou encore «Nul ne peut remplacer une mère pour élever des enfants». Elle connaissait trop bien son ancienne camarade de couvent, cette «meilleure amie» qui la traitait déjà avec une infinie condescendance.

— Je ne sais pas pourquoi je vous raconte tout cela, commenta bientôt le gros homme. Je suppose qu'avec le temps, j'ai totalement perdu l'habitude de la compagnie d'une personne agréable et sympathique. J'abuse de votre bonté.

— Ne dites pas cela. Je suis à la fois touchée et heureuse de la confiance que vous me témoignez. Et puis, dans une certaine mesure, je vous comprends. Nous sommes privés tous les deux du contact quotidien d'une personne aimante, bien que ce soit pour des raisons différentes.

Fernand eut envie de protester. Regretter un mari adoré, cultiver de bons souvenirs de sa relation avec lui, paraissait infiniment préférable que de vivre tenaillé par la haine d'une femme détestable, tout en devant passer toutes ses journées à ses côtés. Il se tut pourtant.

Ils gardèrent le silence jusqu'à la rue Claire-Fontaine.

— Nous avons tous les deux la chance d'avoir nos enfants, dit encore Élise en s'approchant de la maison paternelle.

— Oui, vous avez raison.

Ils montèrent sur le perron. Toutes les lumières de la grande demeure étaient éteintes, sauf un petit luminaire dans le hall d'entrée.

— Fernand, commença-t-elle en cherchant dans son sac, ce fut une très agréable soirée. Je vous remercie.

Élise disait cela comme s'il l'avait invitée, alors que leur rencontre avait été tout à fait fortuite. Ces mots donnèrent à son compagnon le courage de formuler ceux qui lui brûlaient la langue depuis un long moment.

— Si vous le voulez, j'aimerais beaucoup que nous puissions nous revoir… Je veux dire aller prendre un café, par exemple, ou encore marcher sur les plaines d'Abraham.

Elle posait sur lui des yeux un peu désemparés. Avant qu'elle ne dise «Voyons, cela ne se fait pas. Vous êtes marié», il s'empressa de continuer :

— Comme les bons amis que nous aurions pu devenir en 1908. Vous vous souvenez ? Nous aurions pu voir ensemble toutes les activités du troisième centenaire.

La répartie la laissa bouche bée. Cet été-là, les convenances avaient été un peu adoucies : de nombreux jeunes gens avaient assisté ensemble à des représentations ou à des bals sans s'encombrer des chaperons habituels. Elle l'avait d'ailleurs fait avec Édouard. En alignant la clé dans la serrure, sa main tremblait un peu.

L'homme posa ses doigts sur les siens en disant :

— Je vais t'aider, Élise.

Elle se laissa guider. Le petit morceau de métal glissa dans la serrure. Le passage au tutoiement leva ses dernières hésitations.

— En toute amitié, alors, chuchota-t-elle.

— En toute amitié.

Elle se tourna vers lui pour dire :

— Bonsoir, Fernand.

— Bonsoir, Élise.

Ils demeurèrent immobiles l'un près de l'autre quelques secondes. Puis, l'homme toucha son chapeau en guise de dernier salut, elle hocha la tête. Il regagna le trottoir un peu plus serein.

Élisabeth Picard était rentrée en taxi, Hector Perrier à ses côtés. Lorsque la voiture stationna devant la pension Sainte-Geneviève, elle proposa :

— Voulez-vous descendre un moment ? Ces messieurs seront sans doute disposés à discuter un peu de cette représentation.

— Je serai heureux de m'arrêter chez vous, mais je vous assure que ce ne sera pas pour ces messieurs.

Il avait affecté un peu de dépit sur les deux derniers mots, pour bien signifier à sa compagne qu'elle seule justifiait de se coucher tard. Comme prévu, quatre des habitants de la maison occupaient le salon. L'un d'entre eux était monté dans sa suite pour revenir avec une bouteille de Glenfiddich. Il entendait la partager avec ses voisins.

— Madame Picard, je peux vous verser un verre?

— Merci, mais je préfère m'en tenir à une boisson moins forte.

— Et vous, Hector?

— Je veux bien, dit celui-ci en prenant place sur la causeuse.

L'homme occupant l'autre place eut la délicatesse de l'abandonner quand Élisabeth revint de son appartement avec un verre de sherry à la main. Elle put s'asseoir à côté de son compagnon de la soirée.

— Madame, commença l'un des députés, vous avez vraiment rafraîchi ces lieux d'une façon charmante.

De la main, il désignait la grande pièce, mais il sous-entendait toute la maison. Le nouveau papier peint et les meubles venus du grand magasin PICARD rappelaient l'intérieur d'une maison bourgeoise. Les vieux fauteuils ornaient désormais le salon aménagé au sous-sol de la maison de la rue Saint-Denis. Les étudiants s'y réunissaient d'autant plus volontiers qu'ils ne partageaient plus les lieux avec des « vieux ».

— Ainsi, vous reconnaissez que la petite augmentation du loyer se trouve justifiée?

L'autre grimaça un peu avant de rétorquer:

— C'est la malédiction de la décennie, ces prix qui montent sans cesse. Je suppose que vous n'avez pas eu le choix.

Si le sujet lui avait valu une discussion un peu vive avec certains de ses locataires, aucun d'entre eux ne paraissait enclin à quitter la pension. La conversation porta bien vite sur la pièce *Knock ou le Triomphe de la médecine*. Chacun convenait qu'il s'agissait d'un très agréable divertissement.

— Tout de même, ces Français s'élèvent un cran au-dessus des troupes locales, même celles de Montréal, opina l'un des députés originaire de la métropole.

— Je dirais même deux ou trois crans, proposa un autre.

— Et dimanche prochain, déclara Perrier, nous entendrons le curé de la cathédrale s'insurger contre les dangers de ces spectacles indécents.

L'homme d'une soixantaine d'années, grand et mince, la tête couverte de cheveux gris, regardait sa compagne avec un sourire satisfait. Depuis quelques mois, par sa présence, elle rendait son veuvage considérablement plus léger.

— Pensez-vous qu'ils trouveront des motifs de colère à propos de cette comédie très innocente, au fond? demanda-t-elle.

— Quelle était la phrase exacte? «La bonne enfile des perles», je crois.

Sa compagne hocha la tête. Le seul mot «enfiler» soulèverait sans doute le courroux des soutanes.

En avalant son whisky à petites gorgées, Hector Perrier participa à la discussion avec les autres locataires tout en couvant Élisabeth des yeux. Les nombreux témoins empêchaient toutefois tout tête-à-tête. Peut-être, songea-t-il, en viendrait-elle bientôt à le recevoir dans ses appartements particuliers. Cet espoir lui gardait sa bonne humeur.

Bientôt, il posa le verre vide sur une table basse en disant:

— Messieurs, j'ai été heureux de converser avec vous. Maintenant, l'heure est venue de rentrer à la maison. Je vous souhaite le bonsoir.

Les autres lui rendirent son souhait, la plupart saisirent l'occasion pour regagner leur chambre. Dans le petit hall, Élisabeth aida son compagnon à mettre son paletot.

— Hector, je vous remercie pour cette excellente soirée. Il est dommage que ce genre de spectacle ne nous soit pas offert plus souvent.

— Avec vous, ma chère, même l'Hercule du lac Saint-Jean me paraîtrait divertissant.

Elle le remercia d'un sourire, tout en souhaitant qu'il ne l'invite pas lors des passages d'hommes forts à l'Auditorium. L'odeur de sueur et les muscles saillants ne lui disaient rien.

— Souhaitez-vous que j'appelle un taxi ? demanda-t-elle.

— Non, marcher me fera du bien.

— Il gèle, dehors.

— Je me réchaufferai en pensant à vous.

Elle accueillit la répartie avec un sourire amusé. Encore à son âge, il débitait les mêmes paroles romantiques que les étudiants, dans des circonstances analogues.

— Bonne nuit, Élisabeth, dit-il en prenant sa main.

— Bonne nuit, Hector.

Après une brève hésitation, il se pencha pour lui embrasser les lèvres.

Chapitre 22

Le calvaire de monseigneur Paul-Eugène Roy prit fin le 20 février 1926, à l'heure de l'*Angélus*. Après une exposition de quelques jours en chapelle ardente au palais archiépiscopal, un endroit qu'il n'avait jamais habité depuis sa nomination, ses funérailles étaient prévues le vendredi 26 février dans la cathédrale Notre-Dame-de-Québec.

Une nouvelle fois, pendant la semaine, tous les notables de la ville durent parader devant le cadavre portant les traces d'une agonie longue de trois ans. Et chacun viendrait assister aux funérailles. Les autorités du Petit Séminaire souhaitaient y conduire tous leurs élèves, mais devant une semblable affluence, la chose devenait impraticable. Une solution s'imposa bien vite : obliger tous les jeunes gens à assister à une messe basse pour le repos de l'âme du prélat.

Feu l'archevêque de Québec, né dans une famille nombreuse de Berthier-en-Bas, pouvait compter sur les prières de quatre de ses frères ayant aussi embrassé le sacerdoce, Camille, Phileas, Alexandre et Arsène, en plus de celles de quelques sœurs devenues religieuses. Les membres de la fratrie, de même que le curé de la paroisse d'origine du défunt, chanteraient cinq messes basses dans la cathédrale.

La classe de Belles-Lettres assista à celle célébrée par monseigneur Camille Roy. Tout au long de la cérémonie, Raymond se sentit fiévreux. Pendant l'éloge funèbre, le prélat insista lourdement sur les souffrances du défunt au cours des dernières années. À mots couverts, il évoqua l'action du cancer sur les intestins du pauvre homme.

— Dieu l'a beaucoup aimé, pour le torturer autant, songea l'écolier. Maintenant, Il demeure seul sur la croix.

Dans son esprit, l'archevêque incarnait un compagnon de souffrance. Jésus en serait privé, désormais.

Tout à ces réflexions, une longue quinte de toux le prit par surprise, le pliant en deux. Les germes et les microbes étaient familiers à la plupart des gens. Depuis la grippe espagnole, pareille expectoration troublait les voisins. Dans les bancs environnants, plusieurs personnes lui montrèrent un visage sévère.

Le sens des convenances amena l'adolescent à chercher son mouchoir dans sa poche pour l'appliquer sur sa bouche. En le remettant à sa place, il remarqua une petite tache vermillon. Une seule, vraiment minuscule...

Le garçon chercha des yeux l'autel dans le chœur, admira les lourdes décorations noires et violettes. Voilà que le célébrant ouvrait la petite porte du tabernacle pour en sortir un ciboire d'argent. Machinalement, comme ses camarades, il sortit du banc pour se diriger vers la sainte table. Avec Dieu dans sa bouche, le feu de sa poitrine s'éteindrait.

Mathieu ne se donna pas la peine de se présenter aux funérailles de monseigneur Roy, car des membres éminents de son cabinet paieraient de leur personne. Aucun badaud ne remarquerait l'absence du petit tâcheron du droit. De toute façon, il avait paradé avec la moitié de la ville devant la sainte dépouille deux jours plus tôt, au risque de se geler les oreilles dans la longue file d'attente.

Le téléphone sonna alors qu'il venait d'ouvrir une chemise épaisse de deux doigts.

— Allô! fit-il, les yeux toujours posés sur la première page du document devant lui.

— Si tu ne veux pas rater l'accouchement, tu ferais mieux de te presser.

C'était Gertrude. L'énervement rendait sa voix encore plus éraillée que d'habitude.

— Tu veux dire…

— Elle est montée de peine et de misère dans un taxi, il y a tout au plus deux minutes. Les douleurs ont commencé il y a une petite demi-heure.

— Elle allait bien?

— Comment veux-tu que je le sache? Une vieille fille comme moi.

Si elle prenait le temps de s'apitoyer ainsi sur son sort, cela signifiait que Flavie devait afficher une forme convenable, dans les circonstances.

— Je me rends là-bas tout de suite. Je te donnerai des nouvelles dès que possible.

— … Merci.

La maison se trouvait tout près du Jeffrey Hale, le trajet avait dû prendre cinq minutes, peut-être moins. Une fois à destination, le personnel de l'hôpital aiderait certainement sa femme à descendre. Ces réflexions rassurantes le calmèrent un peu. Laissant le dossier sur son bureau, Mathieu endossa son paletot à la hâte, coiffa son chapeau, puis se précipita vers la sortie.

— Mademoiselle, je dois m'absenter, annonça-t-il en passant devant la secrétaire.

— Le moment est arrivé?

— J'espère, car Flavie commence à se faire bien impatiente. Après tous ces mois…

— Bonne chance.

Le souhait se perdit dans le dos de l'homme en fuite.

Malgré la frustration évidente de l'abbé Renaud, obsédé d'ordre et de rangs bien alignés, les élèves de Belles-Lettres quittèrent le temple une demi-heure plus tard avec un empressement condamnable. Dans la cour du Petit Séminaire, Jacques Létourneau se trouva à la hauteur de son camarade.

— Lavallée, tu dois être déçu. À la place de la cérémonie grandiose, nous avons eu droit à une basse-messe.

— J'ai plutôt pensé au bonheur de cette famille. Elle a certainement été bénie de Dieu. Cinq prêtres parmi les garçons, dont deux élevés au titre d'évêque!

— Dommage que la fonction ne soit pas héréditaire... La province aurait tout un clergé de Roy.

Raymond songea à multiplier les reproches à son camarade. Faire du mauvais humour à ce sujet confinait au sacrilège. Ses paroles se noyèrent dans une nouvelle quinte.

— Tu devrais voir un médecin. Une toux comme la tienne...

— Tu le sais, convint l'autre après avoir un peu repris son souffle, je réussis à attraper le rhume même en été. Alors, imagine, nous sommes en février.

— Tout de même. Vois un médecin.

Sur ces mots, Jacques Létourneau se dirigea vers la porte de l'établissement d'enseignement. Son camarade le contempla jusqu'à ce qu'il disparaisse. Mince, la silhouette élancée, des cheveux blonds coupés très courts, c'était l'un des plus beaux garçons du Séminaire. Pourtant, cette fois, il n'eut pas à presser son cilice de la main.

Le Jeffrey Hale se trouvait dans la rue Saint-Cyrille. Matin et soir, Mathieu passait devant pour aller au travail ou en revenir. L'atteindre à marche forcée ne lui prit que quelques minutes. Dans l'entrée, une réceptionniste lui confirma l'arrivée de son épouse un peu plus tôt.

— Vous la trouverez étendue sur un lit de la maternité.

— Et ma sœur…, je veux dire, le docteur Picard?

— Comme elle travaillait ici aujourd'hui, elle est certainement déjà à ses côtés.

Le nouvel usage s'imposait lentement dans les villes: accoucher dans les hôpitaux. Avec lui en venait un autre, la procession des époux angoissés. Mathieu gagna le service de maternité, repérant sans mal l'endroit où se trouvait Flavie.

— Tiens, voilà l'homme, ricana Thalie en le voyant entrer.

— Tu vas bien?

Ignorant sa sœur, il marcha vers sa femme pour lui prendre une main, plein de sollicitude.

— Je vais bien…

Les contractions se succédaient maintenant à un rythme soutenu. L'une d'elles amena une grimace sur son visage.

— Tu ne peux pas faire quelque chose?

Cette fois, la question s'adressait au médecin.

— Non. Le corps se prépare à la naissance. Tout se passe normalement.

— Ne t'inquiète pas, renchérit la parturiente.

Une nouvelle grimace l'arrêta, puis elle respira profondément.

— Je vous laisse un moment, expliqua le médecin. En revenant, je devrai te chasser pour examiner madame. Nous allons sans doute la transporter dans la salle voisine tout de suite. Le travail progresse bien vite.

Afin de ne pas alarmer inutilement son frère, elle n'ajouta pas «pour une première naissance». Après tout, mieux valait un peu d'empressement que des heures de souffrance éprouvante.

Demeuré seul, le couple échangea un long regard. Finalement, plutôt que de se laisser envahir par un débordement d'émotions, Flavie demanda :

— Gertrude t'a joint au bureau ?

— Il y a quelques minutes.

— J'ai été heureuse de l'avoir, sinon je ne sais pas comment je me serais rendue à la voiture. Le chauffeur de taxi paraissait dépassé par les événements.

— Si j'avais su que cela arriverait si vite, jamais je ne t'aurais laissée seule. Gertrude a dû avoir du mal à t'aider. Elle n'est pas très forte.

— Tu serais surpris…

Une contraction plus douloureuse que la précédente l'interrompit. Heureusement, Thalie choisit cet instant pour revenir dans la pièce, car l'homme commençait à trouver son impuissance insupportable.

— Maintenant, Mathieu, dit-elle d'une voix ferme, tu vas aller dans la salle voisine. À en juger par le rythme de ces manifestations, nous allons passer bien vite aux choses sérieuses.

— … À tout de suite, formula l'homme à l'intention de sa femme, en pressant une dernière fois ses doigts dans les siens.

En sortant de la pièce, il entendit dans son dos :

— Je vais regarder de plus près la dilatation…

— Tout va bien ? s'inquiéta-t-il en voyant Thalie venir vers lui, son masque chirurgical pendu à son oreille gauche, une grande blouse blanche couvrant ses vêtements.

— Tout va bien. Je viens juste te rassurer un peu.

Elle se laissa choir sur la chaise près de lui, prit une grande inspiration.

— Tu vois, dans ces occasions, je suis totalement certaine d'avoir bien fait de m'entêter dans mes projets.

— Tu as procédé à plusieurs accouchements ?

— Toutes les semaines, depuis les fêtes. Cela deviendra sans doute mon activité première, si cela continue. De plus en plus de femmes enceintes me consultent, ou alors celles qui ont de tout jeunes enfants et qui sont susceptibles de connaître de nouvelles grossesses.

— Tu as un beau métier.

Elle chercha une trace d'ironie dans la voix, n'en trouva aucune. Elle comprit qu'après la tuerie de la dernière guerre, son frère se réjouissait de la beauté de la vie. Après un court silence, l'homme souffla :

— Souffre-t-elle beaucoup ?

— Les prochaines étapes seront difficiles. Mais tu sais, elle ne regrettera rien. Ce sera même sans doute l'un de ses meilleurs souvenirs.

Il hocha la tête. Marie disait la même chose de ses deux accouchements.

— Bon, maintenant, au boulot.

L'omnipraticienne se leva en accrochant le second ruban de son masque. La moitié du visage dissimulé, elle se lava longuement les mains. Près de la table, elle échangea d'abord quelques mots avec la future maman. Puis, penchée entre ses cuisses, elle prononça :

— Allez, ne sois pas timide, viens voir ta tante.

L'infirmière près d'elle eut un rire bref.

— Je ne deviens pas gâteuse, précisa Thalie à son intention, c'est vraiment mon neveu ou ma nièce qu'on attend là.

Elle marqua une pause, puis continua :

— Flavie, tu pousseras à la prochaine contraction. Ce ne sera plus bien long, maintenant.

Quand le médecin revint enfin dans la salle d'attente, les cheveux un peu en bataille, des taches de sang souillaient tout le devant de son vêtement. Son masque pendait maintenant sur sa poitrine. Dans un premier temps, l'inquiétude saisit le cœur de Mathieu, puis il aperçut le sourire de contentement sur le visage de sa sœur.

— Me voici la tante d'un garçon de sept livres et des poussières. Accessoirement, te voilà papa.

L'homme enregistra la nouvelle, puis demanda, anxieux :

— Et Flavie ?

— Elle se porte bien, même si elle est un peu affaiblie par la perte de sang. Dans un moment, tu pourras la voir.

— Le sang…

— Tu sais, sept livres pour un petit corps comme le sien, c'est gros. Mais enlève cette mine soucieuse de ton visage : tu es papa, junior et la mère se portent bien.

Si son frère y tenait, un jour elle lui parlerait de périnée déchiré et de points de suture réalisés avec un gros fil. Mais aujourd'hui, ce serait gâcher son plaisir.

Un peu plus tard, Mathieu rejoignit sa femme dans une petite chambre. Peut-être à cause de son lien de parenté avec un médecin de l'hôpital, personne n'occupait le lit voisin. De nouveau, leurs mains s'unirent, la conversation commençant par un long regard.

— Thalie m'a dit que tu allais bien.

Lui-même n'aurait pas nécessairement posé ce diagnostic. Flavie présentait un visage très pâle, des yeux creux, cernés.

— Oui, répondit-elle. Tu l'as vu ?

— Pas encore.

Comme s'il s'agissait d'un signal, une infirmière entra, un curieux colis dans les bras. D'abord, l'homme ne vit qu'une couverture en laine bleu pâle.

— Voilà ce Jésus, murmura-t-elle en plaçant son fardeau tout près de la mère.

Celle-ci se tourna sur le côté. Le mouvement lui arracha une plainte douloureuse. Mathieu s'approcha pour l'aider. L'infirmière fut plus rapide. Tout en mettant un oreiller derrière le dos de la patiente pour la maintenir sur le côté, elle se tourna vers lui en disant :

— Vous avez vu comme il est beau ?

— Oui, très beau, mentit-il.

Le petit visage chiffonné lui parut être celui d'un vieillard, la bouche s'ouvrait sur des gencives édentées. Amusée, la jeune femme continua :

— Vous savez, ils vont en s'améliorant pour devenir un jour de grandes personnes.

Si cela ne le rassura pas totalement, au moins la remarque lui amena un sourire. Quand elle se retira, Thalie revint, cette fois avec une blouse propre sur le dos, les cheveux bien en place.

— Alors, comment allez-vous appeler ce merveilleux chef-d'œuvre ?

— Alfred, répondit Flavie sans l'ombre d'une hésitation.

La décision toucha la jeune femme. D'une voix changée, elle dit :

— Oh! Si tu savais comme cela lui aurait fait plaisir! C'est comme si tu lui donnais la chance de se prolonger un peu.

Elle fixait son frère des yeux pour jauger l'effet de ses mots. Si l'on s'en tenait à la généalogie, cette naissance prolongeait la vie de Thomas, pas celle d'Alfred.

— C'est naturel, répondit Mathieu sur le même ton. Ce que je ne dois pas à ma mère, je le dois à mon père.

L'étrangeté de l'échange échappa totalement à la nouvelle maman, perdue dans la contemplation de son rejeton. Elle continua encore:

— Thalie, j'espère que tu voudras bien être sa marraine?

— Je ne sais pas…, balbutia-t-elle.

— Mathieu et moi sommes tout de suite tombés d'accord, renchérit la maman, dans le cas d'un garçon.

— En plus d'être ma sœur, tu es l'accoucheuse, ajouta l'homme. Cela lui vaudra sans doute des soins de santé gratuits. Puis maman et Gertrude approuvent totalement notre choix.

La question avait déjà obtenu un appui unanime en haut lieu. Thalie ne pouvait tout de même se priver de la satisfaction de résister un peu.

— D'habitude, la marraine vient avec un parrain.

— Comme on ne peut pas attendre plus d'une semaine, selon les usages, et que tu ne nous as annoncé aucun mariage immédiat, nous devrons chercher ailleurs un volontaire de sexe masculin. À la limite nous mettrons une annonce dans *Le Soleil* pour dénicher la perle rare, persifla Mathieu.

— Voyons, ne fais pas de mauvaises blagues avec ça.

De son lit, malgré son état de contemplation béate, Flavie suivait la conversation.

— Acceptes-tu ? demanda-t-elle encore.

— Évidemment, j'accepte. En fait, je me battrais pour avoir ce rôle. Mais la question demeure entière. Qui sera le parrain ?

— J'avais pensé à Fernand Dupire, dit Mathieu.

Le médecin imagina le gros notaire en face d'elle, près des fonts baptismaux.

— Cela fera jaser. En temps normal, on choisit un parent...

— Ce qui me laisse avec Édouard. Non merci.

— Ensuite, toujours selon nos habitudes, c'est la femme du parrain, s'il est marié, qui est la marraine.

— Eugénie, c'est pire encore qu'Édouard.

Thalie le reconnaissait facilement. Au fond, le couple devant elle n'avait pas vraiment le choix. La prudence voulait que l'on choisisse des personnes assez jeunes pour se substituer aux parents, dans l'éventualité d'un décès de ces derniers. Ce critère éliminait Marie et Paul.

— Je conviens que, comme compère, je pourrais tomber sur infiniment plus mal. Fernand est un homme bien. Maintenant, qu'arrive-t-il à ce poupon ?

Depuis quelques secondes, Alfred junior suçait le bout de l'auriculaire de sa mère.

— À peine une heure sur cette terre, et il a déjà faim. Ma belle, tu vas devoir payer de ta personne.

— Tant mieux, avoir de si gros seins me paraît un peu étrange, commenta-t-elle en cherchant les boutons de son vêtement.

Même inusités, les gestes lui venaient naturellement. Quand elle eut la conviction que l'enfant et la mère comprenaient bien leur rôle dans l'allaitement, Thalie dit à son frère:

— Tu devrais téléphoner à Gertrude, maintenant. Elle a dû alerter maman. Bientôt, toute la maisonnée va téléphoner à la réception de l'hôpital. Tu leur diras que le médecin traitant interdit les visites avant ce soir, et celles-ci devront être courtes. La maman doit se reposer.

Après avoir donné ses ordres, elle les laissa apprivoiser ensemble leur nouveau rôle de parents.

Le 2 avril, Raymond Lavallée résolut de passer toute la journée à l'église Saint-Roch. De toute façon, plus les jours passaient, plus les membres de sa famille lui semblaient être des étrangers, passionnés par les futilités de l'existence, négligeant l'essentiel.

En ce Vendredi saint, le temple s'offrait sous un jour nouveau, avec toutes ses statues couvertes de toile et la plupart des lumières éteintes. Dans cette semi-pénombre, le crucifié montrait ses plaies sanglantes. Lors de la célébration du matin, les officiants revêtus des ornements de deuil s'étaient allongés sur le sol, devant l'autel.

À trois heures, lui sembla-t-il, tout devint plus sombre encore, plus triste surtout.

— Jésus a cessé de souffrir, songea-t-il.

Une fois encore, une quinte de toux lui coupa le souffle. Il en était victime de plus en plus souvent, les taches vermillon sur son mouchoir témoignant d'une cruelle réalité. Après la cérémonie, il s'arracha péniblement à son banc pour faire un autre chemin de croix.

À Pâques, quelle que soit la température, il convenait de porter des couleurs pâles et d'étrenner un chapeau de paille. Élise Hamelin se pliait de bonne grâce à cette tradition. À la fin de la cérémonie religieuse, elle descendit l'allée avec Pierre et Estelle, ses parents derrière elle. Tout le monde, dans la paroisse Saint-Dominique, connaissait la jolie veuve. Malheureusement pour elle, aucun veuf d'un âge raisonnable n'avait exprimé son intérêt.

Une fois sur le parvis de l'église, elle s'approcha de la famille Dupire, un peu intimidée.

— Bonjour, Eugénie. Il y a longtemps que nous n'avons pas eu l'occasion de bavarder.

— Oh! Élise, rétorqua son interlocutrice après une hésitation, comme si elle avait du mal à la reconnaître. C'est vrai, la vie nous a séparées.

Rien, dans le timbre de la voix, n'indiquait de regret. Le rose monta aux joues de la veuve. Très vite, elle se tourna vers Fernand pour dire:

— Bonjour... Dans votre cas, il y a encore plus longtemps.

Le petit mensonge passa inaperçu.

— Vous et moi avons beaucoup fréquenté les Picard il y a longtemps, pour nous perdre de vue ensuite.

En disant ces mots innocents, l'homme inclina la tête. À son bras, sa mère regardait la nouvelle venue avec intérêt.

— Vous êtes la fille du docteur Caron, n'est-ce pas?

— Oui, c'est bien moi.

La vieille dame conservait une mémoire intacte. Pourtant, elle utilisait cette entrée en matière pour converser avec les plus jeunes.

— Et voilà vos deux beaux enfants, ajouta-t-elle.

— Oui. Il s'agit de Pierre et d'Estelle.

Ceux-ci murmurèrent un «madame» en guise de salutation. Ils se tenaient près de leur mère sans dire un mot, afin de ne pas déranger la discussion des grandes personnes.

— Comme ils sont grands... Le temps passe si vite. Ils sont certainement une grande consolation pour vous.

L'âge seulement permettait d'évoquer d'une voix douce les plus grands malheurs, et de résumer en quelques mots toute une existence.

— Vous avez raison...

Étrangement, la jeune femme eut envie de se confier. La vieille dame posa sa main gantée sur la sienne, le geste complice la toucha.

— Je vais rejoindre mes parents, dit-elle plutôt, un peu mal à l'aise. Au revoir, Eugénie.

— ... Au revoir.

Les Dupire se dirigèrent vers l'automobile stationnée dans la Grande Allée, le petit groupe s'adaptant au pas très lent de l'aïeule.

— Comme elle est bizarre, commenta l'épouse. On dirait qu'elle veut renouer avec moi.

— C'est compréhensible, répondit Fernand à voix basse. Tu es une personne tellement attachante.

Elle fixa sur lui un regard mauvais. Certains jours, elle en venait à regretter l'absence de Jeanne. Depuis son départ, son mari ne lui épargnait aucune remarque caustique. Même sa morosité commençait à lui peser. Mais pouvait-elle renvoyer la bonne maigrichonne pour faire revivre un amour ancillaire?

Quant à tenter un rapprochement avec lui, malgré l'insistance de son confesseur, elle n'y songeait même pas.

Au cours des derniers mois, Fernand consacrait de nombreuses heures à parcourir la ville à pied. La marche lui permettait de dominer la colère qui l'habitait si souvent.

En même temps, cette habitude lui valait d'éprouver une certaine culpabilité. En son absence, pour réduire leurs contacts avec Eugénie, les enfants tendaient à s'enfermer dans leur chambre.

Ces derniers temps, ses promenades trouvaient un nouvel objectif. À trois heures, il mit son chapeau de feutre et quitta la maison. Les plaines d'Abraham toutes proches lui permettraient de se délier les jambes, et cela en agréable compagnie. Quand il s'engagea dans une allée, il reconnut la silhouette familière. En se dirigeant vers elle, il afficha un sourire trahissant sa satisfaction.

— Bonjour, Élise, dit-il en soulevant son chapeau.

— Bonjour.

Dans un endroit aussi fréquenté, ils n'osaient pas toujours se serrer la main. Lors de belles journées comme celle-là, des centaines, peut-être des milliers de personnes venaient prendre l'air dans ce grand parc, dont plusieurs de leurs voisins.

— J'aime beaucoup ta tenue, murmura-t-il toutefois lorsqu'ils commencèrent à marcher côte à côte.

— ... Merci. Je suis allée à la boutique ALFRED la semaine dernière. Mon amitié pour Thalie me vaut une petite réduction sur les prix. Cela devient un peu gênant.

— Pourtant, cette attention me semble tout à fait naturelle. Madame Picard comprend très bien le rôle de ton père dans la carrière de sa fille.

La femme en tirait la même conclusion. Pourtant, elle avait toujours un peu de mal à accepter de faire l'objet de pareilles attentions.

— Thalie avait juste besoin de la chance de se faire connaître.

— Ce que monsieur Caron lui a gentiment offert.

Élise tourna la tête pour regarder son compagnon.

— C'est amusant, car mon amie me dit exactement la même chose à propos de toi. Tu as offert à Mathieu de travailler pour toi, et ensuite tu l'as reçu dans ton étude tout le temps de sa cléricature.

— Je ne l'ai pas regretté... Dommage, il a ensuite repoussé mon offre de se joindre à moi.

— Sans doute Thalie voudra-t-elle ouvrir son propre cabinet, l'un de ces jours. Si cela arrive, elle me manquera.

Élise préférait ne pas trop penser à cette éventualité. La vie entre ses parents et ses enfants lui valait trop peu d'occasions de se détendre vraiment. Les moments passés auprès de son amie le lui permettaient.

Fernand jugea avoir trop parlé des autres. Sa compagne lui semblait être un meilleur sujet.

— Continues-tu de fréquenter le gymnase de madame Hardy-Paquet ?

— J'essaie d'y aller deux fois par semaine. L'exercice a le meilleur effet sur mon humeur.

Elle n'osa pas ajouter « et sur mon corps ». Vanter ses charmes ne se faisait pas.

— Dommage qu'elle ne prenne pas les hommes. J'en aurais besoin pour améliorer mon caractère. Surtout, cela me donnerait une possibilité de te voir.

— Oh ! La présence d'un homme parmi nous ferait sensation.

Elle imaginait toutes ces dames dans leur costume matelot, haletantes et couvertes de sueur, dans des postures plutôt suggestives. Pendant une heure, tous les deux évoquèrent les événements, petits et grands, survenus au cours de la dernière semaine. Aux yeux des autres promeneurs, ils ressemblaient à des voisins s'étant rencontrés par hasard.

Les plus observateurs remarquaient peut-être que ce même hasard les conduisait dans la même allée du parc des

Champs-de-Bataille avec une certaine régularité. Comme ils prenaient garde de conserver un bon pied entre eux en marchant, de dissimuler leur plaisir de se voir, de se quitter sur une simple poignée de main, peut-être ne suscitaient-ils pas trop de conversations menées à voix basse. Et dans le cas contraire, les plus indulgents se souviendraient que la femme était veuve depuis maintenant près de huit ans, et que l'homme paraissait particulièrement malheureux en ménage.

Un peu après quatre heures, le couple rejoignit la Grande Allée.

— Les enfants doivent être revenus de leur expédition avec mes parents, remarqua Élise. Il vaudrait mieux que je rentre afin de les accueillir.

— Bien sûr, dit Fernand en s'immobilisant. Tu sais, nos conversations me font beaucoup de bien. Je ne saurais plus m'en passer.

— Je ne connais pas une situation aussi… tendue que la tienne, mais je suis toujours heureuse de te voir. Le dimanche, toutefois…

L'homme hocha la tête en se rappelant la scène étrange survenue sur le parvis de l'église Saint-Dominique en matinée. Eugénie était restée songeuse pendant tout le repas, ensuite.

— Nous devrions tous les deux rester avec nos enfants ce jour-là, approuva Fernand. Me réserver des moments libres pendant la semaine ne pose aucune difficulté, tu sais.

— Mais tu dois recevoir tes clients.

— Je leur conserve mes soirées. Ils ne perdent pas au change.

Son interlocutrice acquiesça d'un mouvement de la tête. Elle aussi arriverait sans trop de mal à se rendre disponible pendant la journée. Ses parents seraient peut-être surpris de la voir se rendre si souvent au gymnase, mais ils ne feraient jamais la moindre remarque.

— Vendredi matin…, suggéra-t-elle.

— Je me rendrai disponible. Nous verrons alors s'il est possible d'en faire une belle habitude.

Elle accepta la main tendue, mais le contact dura bien peu. Fernand regarda longtemps son amie qui rejoignait la rue, une jolie silhouette dans une robe d'un jaune clair, avec un chapeau de paille tout neuf. Elle lui parut terriblement séduisante.

Chapitre 23

La période d'étude s'allongeait indûment. Les dizaines d'élèves s'entassaient dans une grande salle, chacun assis à une petite table. À l'avant, sur une estrade surélevée, un surveillant maintenait l'ordre. Il s'agissait d'un étudiant du Grand Séminaire désireux de payer de cette façon une partie de sa scolarité. Un peu avant quatre heures, les écoliers s'agitaient sur leur siège au point où le planton frappa sur son bureau à quelques reprises avec une brosse à tableau, pour les rappeler à plus de discipline.

Depuis quelques semaines, Raymond Lavallée négligeait un peu ses études afin de s'absorber dans des biographies pieuses. Il venait de mettre de côté *La Vie de Gemma*, afin de revenir, pour la quatrième fois peut-être, à *La Vie de la petite sainte Thérèse*.

À quinze ans, celle-ci écrivait : « J'ai soif de Dieu. »

— Moi aussi, j'ai soif de Lui, murmura l'adolescent assez fort pour attirer l'attention des occupants des tables voisines.

Un toussotement sec, un seul, s'accompagna alors d'un petit jet de sang, qui cacha complètement le nom de Dieu sur la page. La scène attira une grimace de dégoût sur le visage de son voisin immédiat. L'adolescent chercha dans sa poche un mouchoir déjà un peu souillé pour essuyer soigneusement son livre.

Le surveillant consulta l'horloge au mur, sonna la cloche comme la grande aiguille toucha le XII. Il fronça les sourcils devant le désordre d'une horde de jeunes gens se dirigeant vers la porte. Raymond toutefois prenait son temps. Il rangea son livre dans son petit sac en toile, s'accorda le temps d'essuyer la sueur de son front sur la manche de sa jaquette.

Lorsqu'il passa la porte, il se retourna pour dire :

— Au revoir, l'abbé.

Le titre précédait d'au moins deux ans l'ordination. Les élèves du Petit Séminaire désignaient pourtant de cette façon les étudiants en théologie, un peu pour les flatter, un peu par dérision. L'autre répondit distraitement, sans remarquer que le garçon jetait un dernier regard circulaire à la grande pièce, comme pour mieux se la rappeler.

Dans la cour, Raymond fit la même chose, soucieux de fixer les lieux dans sa mémoire. En passant devant la basilique, il traça un signe de croix, puis il descendit la pente douce de la rue de la Fabrique. Rendu à l'intersection de la rue Saint-Jean, il s'immobilisa. Le cœur lui manquait : rentrer à la maison par l'escalier situé un peu plus bas parut au-dessus de ses forces. À la place, son sac accroché à l'épaule, sa casquette un peu rejetée vers l'arrière sur sa tête, il s'engagea sur sa gauche.

Malgré la fraîcheur du 6 avril, la sueur coulait entre ses omoplates, atteignant la hauteur des reins. Une bouffée de chaleur colora son visage, rougissant ses joues. Même si sa destination ne se trouvait pas bien loin, il y arriva seulement un peu avant cinq heures, après s'être arrêté à deux reprises pour reprendre son souffle.

L'écurie se trouvait toujours là, un édifice d'un seul étage plutôt bas dans la petite rue Simard. Il passa la large porte pour se retrouver devant le bureau de la réception.

— Monsieur Lavallée, n'est-ce pas ? demanda sœur Sainte-Sophie.

Cette fois, elle se souvenait de son nom. Sa dernière visite lui avait laissé une forte impression.

— Oui… Je peux voir madame Picard ?

La religieuse eut envie de dire avec un peu de dépit : « Vous avez de la chance, bientôt elle ne viendra plus ici. » Mais les progrès de la construction du nouvel hôpital, et l'absence de la jeune femme dans les plans d'avenir, ne regardaient pas le garçon.

— Le docteur Picard se trouve ici aujourd'hui. Mais quelques personnes sont arrivées avant vous.

— Ça ne fait rien. Je vais attendre.

Docilement, Raymond alla occuper une place sur un banc de la salle d'attente.

Quand une malade sortit de la salle de consultation, sœur Sainte-Sophie se glissa dans la pièce pour dire :

— Le garçon au cilice attend ici. Il a vraiment mauvaise mine. De la sueur au front par ce temps, un mouchoir roulé en boule dans la main…

Thalie comprit tout de suite.

— Et aucune trace d'épidémie de grippe depuis des semaines, fit-elle remarquer. Y a-t-il encore des gens qui patientent ?

— Deux futures mamans.

— S'il en vient d'autres, à moins d'une urgence, dites-leur de revenir demain.

Recevoir ces deux patientes lui prit tout au plus quarante minutes. Puis Raymond fut devant elle. Dès son apparition dans l'embrasure de la porte, elle apprécia tout de suite la différence avec le garçon rencontré au magasin PICARD en décembre. D'abord, il avait encore perdu du poids. Puis le visage paraissait épuisé, les yeux cernés, fiévreux.

— Viens t'asseoir. Nous n'avons pas eu l'occasion de parler ensemble depuis longtemps.

— Je suis désolé…, s'excusa-t-il en prenant place en face d'elle. Mon directeur spirituel…

— Tu veux dire monseigneur Buteau.

— Oui. Il m'a dit de ne plus vous voir.

La jeune femme s'interrogea sur les motivations de son oncle. Peut-être craignait-il que le contact avec une femme ne détourne son paroissien du sacerdoce. Plus probablement, sans doute ne souhaitait-il pas le voir avec une femme médecin, une personne bafouant ainsi ouvertement les directives de l'Église de la province.

— Aujourd'hui, tu as décidé de défier ses recommandations.

— Je ne vais pas bien… Je tousse.

— Tu craches du sang?

Au lieu de répondre, il sortit son mouchoir de sa poche et le déplia un peu devant elle. Les taches témoignaient de ses quintes de toux fréquentes.

— Il y a longtemps?

— Aux fêtes, j'ai commencé à tousser. Il y a eu du sang à partir des funérailles de monseigneur Roy.

— Cela fait six semaines. Pourquoi n'es-tu pas venu plus tôt?

Raymond haussa les épaules, une façon de dire «Je ne sais pas». Comment expliquer à cette jeune femme aux yeux pleins de sympathie que verser son sang lui semblait être une façon de se rapprocher de Jésus, de participer un peu à sa Passion et à ses derniers moments sur la croix?

— Si tu veux, nous allons tout de suite passer dans la salle d'à côté, pour procéder à l'examen. La présence de sœur Sainte-Sophie ne te gênera pas?

Il secoua la tête de gauche à droite. Une sainte femme ne serait pas troublée par la vue de son corps. Ne voyait-elle pas tous les jours celui de Jésus sur la croix?

En passant dans la pièce voisine, Thalie trouva la religieuse affairée près de l'appareil destiné à prendre les radiographies. Sachant qu'on en viendrait là, elle avait tenu à tout préparer.

— Si tu veux enlever tes vêtements, demanda le médecin.

Le garçon posa son sac sur une chaise et ôta la ceinture tissée à sa taille pour lui faire suivre le même chemin. Pour retirer sa jaquette et sa chemise, il tourna le dos aux deux femmes. En sous-vêtements jusqu'à la taille, il demanda:

— C'est suffisant?

— Enlève aussi le tricot.

Il obtempéra. Comme il interrogeait maintenant le docteur du regard, elle désigna les médailles pendues à son cou pour qu'il les quitte aussi. Elle s'approcha ensuite, les embouts de son stéthoscope dans les oreilles. Le disque en métal parcourut le côté droit de la poitrine, puis le gauche. Le chuintement malsain se fit entendre dans les deux poumons. Au passage, le médecin constata combien le cœur battait vite. Cela trahissait sans doute l'extrême angoisse de son jeune patient.

Plus tard, elle le guida devant l'énorme appareil qui prendrait la radiographie de sa poitrine. Elle se retira ensuite dans la pièce voisine. Puis, appuyée contre le mur, Thalie ferma les yeux et inspira longuement pour maîtriser ses émotions. Depuis l'été précédent, elle avait vécu ce genre de situation une dizaine de fois déjà, l'idée de se dérober ne l'effleurait plus. Ces circonstances constituaient tout de même une torture.

Une fois les clichés pris, elle trouva Raymond en train de remettre ses vêtements.

— Retournons dans mon bureau pendant que sœur Sainte-Sophie prépare les radios.

La tête basse, l'adolescent passa la porte et la suivit dans la pièce voisine. Une fois sur la chaise réservée aux visiteurs, il bredouilla :

— C'est la consomption.

Cette autre façon de nommer la tuberculose était familière à tout le monde, comme les symptômes principaux d'ailleurs : la toux, le sang dans la bouche.

— Probablement. Nous le saurons avec plus de certitude dans quelques minutes. Je suis désolée.

Le garçon leva les yeux vers elle pour l'observer longuement. Il lut la compassion dans son regard, la pitié peut-être. Incapable de dire un mot, il hocha la tête, puis l'inclina. Le médecin se pencha un peu pour prendre la main posée sur la table. Ils restèrent comme cela, silencieux, pendant de longues minutes.

Quelques coups à la porte attirèrent leur attention. Sœur Sainte-Sophie posa les clichés devant eux, une mine assombrie sur le visage. Thalie prit le premier, le leva à la hauteur de la petite fenêtre percée dans le mur et fit la même chose avec le second.

— C'est bien ce que je craignais, Raymond. Veux-tu regarder ?

Certains patients souhaitaient voir eux-mêmes et constater les dégâts. D'autres, comme ce garçon, gardaient la figure penchée, déjà convaincus dans leur for intérieur de leur destinée funeste. Il secoua la tête pour dire non.

— Ma sœur, pouvez-vous vérifier s'il y a de la place à l'hôpital Laval ?

— Je veux rentrer à la maison, intervint le garçon.

Des yeux, Thalie indiqua à la religieuse d'effectuer tout de même la démarche demandée. Après son départ, elle expliqua :

— Ce ne serait pas prudent. Tu m'as dit avoir des frères, des sœurs.

Cette fois, il leva la tête pour acquiescer.

— Tu ne vas pas bien, la contagion présente un risque. L'hôpital Laval se trouve à Sainte-Foy, en pleine campagne. C'est le meilleur endroit pour recevoir des soins. Avec un peu de chance, tu pourras y être admis demain matin. Tu passeras la nuit ici.

— Je veux rentrer.

La terreur se peignit sur son visage. Revenir dans la maison de son enfance, pensait-il, lui permettrait de retrouver la paix de ses premières années, quand une mère toute-puissante pouvait le tenir à l'abri des menaces.

— Je vais téléphoner à tes parents. Ils pourront rester avec toi toute la nuit, si tu veux. Nous avons l'espace nécessaire.

À moins d'une situation d'urgence, le garçon serait le seul occupant du dispensaire.

— J'aimerais les voir... enfin, ma mère.

La précision ne surprit pas la jeune femme.

— Tu parais très fatigué. C'est normal, après... une nouvelle semblable. Le mieux serait plutôt de t'étendre.

Il leva de nouveau son visage sur elle, effaré. Accepter de rester là, de s'allonger, c'était accepter son sort, admettre que ses soupçons des dernières semaines étaient fondés. Une maladie mortelle lui rongeait la poitrine!

Thalie se leva, tendit la main vers lui en disant doucement:

— Viens, c'est juste à côté.

Il hésita encore un instant, puis posa les doigts dans la paume offerte. Debout, il fit un pas vers la porte, se retourna en disant:

— Mon sac...

— Je m'en occupe.

Le médecin prit le sac en toile d'une main et posa l'autre dans le dos de son patient. En passant devant la réception, elle entendit la religieuse dire, le cornet du téléphone à l'oreille :

— Oui, entendu. Demain matin, à huit heures.

Dans l'un des box aménagés en petite chambre, Raymond fixa le crucifix un long moment. La contemplation de Jésus lui rendit une certaine contenance. Elle lui permettait de reprendre son rôle de saint enfant, désireux de partager la Passion et la mise à mort de son Dieu. Après avoir appelé le martyre sur lui, contempler sa propre fin ne devait pas l'effrayer. D'une certaine façon, il s'était condamné au stoïcisme.

— Enlève tes vêtements pour te glisser sous les couvertures, dit-elle doucement. Un peu plus tard, une religieuse t'apportera à souper. Le couvent se trouve tout près.

Ce n'était pas l'idéal de transporter les repas dans un terrain vague. La jeune femme devait en convenir, le nouvel établissement offrirait des conditions considérablement améliorées.

— Je vais me retirer, le temps pour toi de te dévêtir.

— Non.

La protestation contenait une pointe de désespoir.

— Je ne veux pas être seul, continua-t-il, un ton plus bas.

Thalie l'aida à se défaire de la jaquette et de la chemise. Quand il détacha sa ceinture, elle s'éloigna un peu. Le caleçon lui allait à mi-jambe, souillé en haut de la cuisse droite.

— Enlève-le, souffla-t-elle.

Comme il posait sur le médecin un regard chargé d'incertitude, elle répéta :

— Enlève-le. De toute façon, tu n'en as plus besoin, n'est-ce pas ?

Ce n'était pas tout à fait vrai, Charlot ne renonçait pas à montrer ses cornes. Les pensées impures subsistaient toujours. Pourtant, il souleva très haut la jambe du sous-vêtement, s'acharna sur les nœuds permettant de tenir le cilice en place. Quand il réussit à l'enlever, Thalie aperçut la peau irritée par le cuir, percée par les pointes en cuivre. Il ne s'agissait pas de blessures graves, tous les adolescents s'en faisaient de plus douloureuses un jour ou l'autre, en jouant. L'horreur venait de l'état d'esprit conduisant un enfant à se les imposer, jour après jour.

Raymond lui tendit l'objet, elle le prit en refoulant avec difficulté son dégoût, puis le fit disparaître dans l'une des poches de sa grande blouse blanche, résolue à ne jamais le lui rendre.

— Glisse-toi sous les couvertures, dit-elle, l'expression embarrassée.

Étendu sur le dos, l'adolescent gardait résolument les yeux sur le crucifix. Elle prit la chaise posée contre un mur pour l'approcher du lit. Elle assise, lui couché, ses yeux se trouvaient juste un peu plus haut que les siens.

— Je ne devrais pas avoir peur, souffla-t-il. Au contraire, je devrais me réjouir.

— Que veux-tu dire ?

— Bientôt, je vais Le rejoindre.

Protester, dire que tout irait bien, serait cruel. Finalement, l'espoir passager ne conduisait-il pas à un accablement plus profond encore ? Elle demeura coite, confirmant le pronostic.

Devant son silence, le garçon continua :

— Après tout, au moins Lui m'aime réellement, avec mes faiblesses, mes limites, mes imperfections. Il va m'accueillir dans ses bras, me serrer contre son corps, et cela pour l'éternité...

Pour lui, Dieu s'incarnait dans le corps d'un homme aimant. Un peu trouble, cette image le rassurait.

— Je regrette toutes mes fautes, insista-t-il, je me confesse chaque semaine, je communie tous les jours…

Raymond dressait la liste de ses croyances en regard du salut éternel, pour se rassurer lui-même. Il marqua une pause, effrayé d'avoir commis un nouveau péché d'orgueil.

— Enfin, presque tous les jours.

De nouveau, la frayeur qu'elle lisait dans ses yeux toucha la jeune femme. Elle leva la main droite pour la poser sur l'avant-bras du garçon, étendu le long de son corps, et esquissa une caresse.

— Je suis certaine que tes parents t'aiment, eux aussi.

«Bien sûr, songea Raymond, papa doit m'aimer à sa façon, même si je le déçois certainement. Quant à maman…» L'affection de sa mère ne pouvait être mise en doute. Pourtant, son sentiment d'abandon, depuis plusieurs mois, prenait des proportions abyssales.

— Et à l'école, l'amitié de tes camarades…

Le garçon laissa échapper un rire bref et fut pris d'une nouvelle quinte de toux. Il tendit la main pour chercher un mouchoir. Son pantalon étant hors de sa portée, Thalie extirpa le sien de sa poche pour le lui tendre. Le garçon reçut le carré en toile fine généreusement brodé avec un sourire narquois. Elle le récupérerait taché de sang, ou alors elle préférerait le lui abandonner, songea-t-il.

À cet instant, sœur Sainte-Sophie frappa doucement à la porte, l'entrouvrit pour glisser la tête.

— Demain matin, tu pourras entrer à l'hôpital Laval. Tu profiteras du grand air, les médecins là-bas sont les meilleurs pour soigner ta maladie.

Elle n'attendit pas de remerciements de sa part avant de continuer :

— J'ai aussi téléphoné à tes parents. Ils viendront bientôt.

La religieuse suivait le protocole habituel dans ces circonstances. Des yeux, elle consulta le médecin. Les paroles devenaient inutiles entre elles.

— Vous pouvez retourner au couvent, ma sœur. Demandez à votre remplaçante d'apporter de quoi manger à notre jeune malade. De mon côté, je vais lui tenir compagnie.

Son interlocutrice hocha la tête d'un air entendu.

En apprenant l'affreuse nouvelle, madame Lavallée refusa tout d'abord d'y croire. Elle s'entêta à demeurer avec ses trois autres enfants tout le temps du souper. Comme elle s'apprêtait à desservir la table, Germaine, son aînée, posa les mains sur ses épaules pour lui dire :

— Maintenant, vous devez aller là-bas, papa et toi.

— Ça ne peut pas être aussi grave qu'elle a dit.

— Je vais m'occuper de la vaisselle et de coucher François. Allez-y.

Son mari se tenait déjà près de la porte, morose. Elle fit mine de le rejoindre, s'arrêta en disant :

— Son chapelet. Il lui faut son chapelet.

La ménagère grimpa lourdement l'escalier et redescendit le poing fermé sur les perles en cristal.

Le prix de la course en taxi jusqu'à la rue Simard aurait pesé bien lourd sur les ressources de la famille, aussi le couple se contenta-t-il de prendre le tramway. Tout au long du trajet, la pauvre femme renifla bruyamment, au point d'indisposer les autres passagers, tout en se tamponnant les yeux avec son mouchoir.

— Cela ne doit pas être si grave, pesta le père. Il a eu le rhume tout l'été dernier. Il aurait dû rentrer à la maison directement.

— La sœur a parlé de l'hôpital Laval.

Cela laissait présager un diagnostic affligeant. Laval se faisait une spécialité de soigner la peste blanche. De bien rares personnes en obtenaient leur congé pour ensuite reprendre une vie normale. Habituellement, on en sortait dans une boîte.

Un peu après huit heures, la religieuse de service vint frapper à la porte du box, sortant le malade de la semi-somnolence où le plongeait son épuisement, puis elle permit aux visiteurs d'entrer.

— Mon petit garçon, cria la femme en se précipitant sur le lit.

Elle heurta en passant la chaise de Thalie puis, penchée sur Raymond, elle lui mit ses grosses fesses dans le visage. Le médecin crut préférable de se lever. Elle entendit la mère répéter d'une voix plaintive : «Mon petit, mon petit, mon petit.» Dans sa position, ses seins pesaient lourdement sur la poitrine du malade, au risque d'entraver sa respiration.

— Madame, dit-elle en lui mettant la main sur l'épaule, vous feriez mieux de vous asseoir sur ce siège. Vous serez plus à l'aise pour lui parler... et lui, pour vous répondre.

Il fallut un instant avant que la mère réprime l'expression de son amour. Quand la sécurité de son patient parut assurée au moins pour la soirée, Thalie revint vers la religieuse. Cette dernière déclara à l'intention de l'homme embarrassé debout près d'elle, sa casquette à la main :

— Monsieur Lavallée, le docteur pourra répondre à vos questions mieux que moi.

Le père chercha dans la pièce l'illustre personnage, un peu intrigué. Il ne voyait de médecin nulle part, seulement une curieuse petite femme avec les traits tirés.

— Suivez-moi, dit Thalie de sa voix la plus autoritaire. Je suis le docteur Picard.

Elle insista sur le titre. Cela ne suffit pas à amener le visiteur à réprimer son incrédulité. Il la suivit pourtant dans le couloir. Quelques pieds plus loin, elle se tourna vers lui pour demander :

— Que souhaitez-vous savoir ?

— De quoi souffre-t-il exactement ?

— De la tuberculose.

L'homme la regardait du haut de ses six pieds, toujours incertain de sa véritable fonction.

— C'est impossible. Il traîne toujours une grippe, même l'été, plaida-t-il pour la seconde fois.

— L'été dernier, il est venu me voir avec la fièvre des foins. Il ne s'agit pas de cela aujourd'hui. Malheureuse-ment, votre fils a la tuberculose, ses deux poumons sont atteints.

Devant les sourcils en accent circonflexe, elle laissa échapper un soupir de lassitude. Ce père entendait certaine-ment le garçon tousser depuis des mois, sans doute savait-il aussi qu'il crachait du sang. Pourtant, il niait encore.

— Venez dans mon bureau.

Dans le box, elle retrouva les deux radiographies là où elle les avait laissées. Elle alluma la lampe du bureau et tourna la demi-sphère de laiton vers le bas afin de projeter le cône de lumière au plafond.

— Regardez ce cliché. Comme vous le voyez très bien, le poumon est voilé jusque-là.

Avec l'index de son autre main, elle dessinait les contours de la tache laiteuse.

— Et maintenant, sur cette seconde radio, vous le constatez aussi bien que moi, c'est la même chose. C'est la consomption, des deux côtés.

Lavallée demeura un moment silencieux, le temps que la vérité fasse son chemin dans son esprit. Finalement, il acquiesça d'un mouvement de la tête.

— Si vous doutez de moi, demandez demain l'opinion d'un médecin de l'hôpital Laval. Il vous répétera exactement la même chose.

La voix contenait une dose de défi. Son interlocuteur ne le releva pas. À la place, pour la première fois, il donna libre cours à son inquiétude :

— C'est une maladie grave.

La pointe de désarroi ramena Thalie à sa compassion habituelle.

— Sa situation est très sérieuse. Sa vie se trouve entre les mains de Dieu, nous ne pouvons être certains du dénouement. Tout de même, vous devez vous préparer au pire.

La référence à Dieu lui venait naturellement, dans ces circonstances. Cela semblait aider les proches de tous ses patients à accepter l'inévitable.

— Nous allons retourner dans la chambre, maintenant. Votre présence le rassurera un peu.

Cela aussi réussissait à calmer la plupart. L'esprit s'adaptait bien vite à l'inéluctable, mais la solitude demeurait la grande terreur de chacun. La présence de parents, d'amis, apportait un peu de sérénité aux âmes torturées.

Madame Lavallée avait extirpé le petit chapelet en cristal offert lors du dernier Noël de son sac. Elle-même traînait toujours le sien sur elle.

— Nous allons prier, mon bébé. La prière d'une mère, c'est puissant. Tu vas voir, nous allons dire des *Je vous salue, Marie*. Jésus ne refusera pas de te rendre la santé, si la Vierge le lui demande avec nous.

Le père s'approcha du lit en prenant un air emprunté, mal à l'aise. La toute-puissance des incantations devait le laisser sceptique. Visiblement, il ne savait pas trop quelle attitude adopter.

— Tu vois, papa vient prier avec nous, continua la mère. Tout va bien aller, je te le promets.

Étendu de tout son long, la tête au creux de son oreiller, Raymond fermait les yeux, comme pour faire abstraction de ses parents. Pareille attitude ne suffisait pas à décourager la mère.

— Si tu es trop fatigué pour dire les mots à haute voix, ce n'est pas grave. Le petit Jésus lit dans ton esprit. Dans ta tête, accompagne-nous. «Je vous salue, Marie, pleine de grâce, le Seigneur est avec vous…»

Les lèvres du père s'agitaient en silence. Tout d'un coup, malgré tous les griefs accumulés au fil des ans, il découvrait combien il tenait à son fils aîné. Thalie se tint de longues minutes adossée au mur de la chambre, certaine que les simagrées maternelles représentaient une torture pour son patient. Elle s'agitait trop, parlait trop pour endormir sa propre peine, sans laisser son fils exprimer son angoisse. Mais comment mettre fin à ces effusions?

Après un chapelet interminable, le garçon réussit à articuler:

— Je suis fatigué, maman. Je veux dormir.

— … Oui, mon bébé, je comprends. Je vais rester près de toi toute la nuit.

À cette proposition, Raymond ouvrit de grands yeux suppliants en fixant son médecin.

— Madame Lavallée, je crains que cela ne soit pas possible.

C'était un mensonge: les deux chambres voisines étaient libres. Mais elle ne lui proposerait pas l'une d'entre elles. Bien que sceptique, la femme n'osa pas protester à haute voix. Tout le monde avait l'habitude des heures de visite limitées des hôpitaux. Les religieuses se montraient inflexibles sur le sujet.

— Vous feriez mieux d'aller vous reposer, continua Thalie. Demain la journée sera longue, vous devrez vous rendre à l'hôpital Laval avec votre enfant.

L'argument fit son chemin dans la tête de la mère.

— L'infirmière a raison, admit-elle en se penchant de nouveau sur son fils pour l'embrasser. Je vais aller dormir, mais je serai là demain très tôt.

Son mari lui prit le bras pour l'entraîner vers la porte.

— Essaie de te reposer un peu, mon gars, déclara l'homme d'une voix éraillée par l'émotion.

— Ça va bien aller, renchérit la grosse dame. Je te promets ça. Avec la prière…

Enfin, le couple s'en alla. Thalie entendit la femme parler à la religieuse, évoquer encore l'«infirmière», puis elle quitta le dispensaire.

— C'est une grande chrétienne, grommela Raymond, un sourire narquois sur les lèvres.

Pour la première fois depuis la fin de l'après-midi, le médecin s'autorisa à sourire aussi.

— Ses intentions sont bonnes, plaida-t-elle.

— Mais nous savons tous les deux que l'enfer est pavé de bonnes intentions.

Pendant ce bref échange, le malade révélait ce qu'il aurait pu être, nonobstant sa fièvre religieuse : un être à l'esprit vif, volontiers ironique.

— Je pensais que la voir me réconforterait, confia-t-il. En réalité, je l'ai trouvée… étourdissante.

— Dormir te fera du bien, dit le médecin en remontant la couverture sur sa poitrine.

Alors qu'elle s'éloignait un peu, le garçon tourna vivement la tête, inquiet.

— Je ne veux pas demeurer seul.

— La religieuse sera à côté toute la nuit.

— Restez avec moi.

La voix chevrotante la toucha au cœur. Elle hésita à peine avant de dire :

— Je m'absente une minute, puis je reviens.

— Promis ?

— Promis.

Dans le corridor, Thalie s'accorda une minute pour reprendre son souffle. Puis elle se rendit dans l'entrée de l'édifice. La religieuse se tenait derrière le bureau de la réception, un livre pieux à la main.

— Vous avez téléphoné à la maison pour avertir ma mère ?

— Peu après mon arrivée. Celle-ci commence à avoir l'habitude de vos retards. Elle n'a pas paru surprise.

— Pouvez-vous téléphoner encore, pour lui dire que je ne rentrerai pas ce soir ?

— ... Vous avez besoin de vous reposer aussi.

Toutes les sœurs de l'Espérance adoptaient avec elle le même ton maternel. Cette sollicitude l'agaçait au début, maintenant elle la touchait.

— Il demande ma présence. Quand il s'endormira, je me coucherai dans la pièce à côté. S'il me réclame cette nuit, faite-le-moi savoir.

Finalement, la religieuse acquiesça.

Au retour de la jeune femme dans sa chambre, Raymond avait fermé les yeux et sa respiration était redevenue régulière. Elle allait se retirer quand il chuchota :

— Je me suis encore montré très vaniteux.

Elle s'approcha du lit, plaça la chaise tout près afin de s'asseoir dans son champ de vision.

— Je pensais avoir maté ma volonté, pour me soumettre à celle de Jésus. Ce n'était qu'une vantardise. Si j'avais réussi, je ne serais pas effrayé en ce moment, mais heureux.

— Personne ne peut se réjouir… d'une maladie grave.

Elle avait d'abord pensé dire «de l'annonce d'une mort prochaine». Le garçon ne fut pas dupe de sa prudence.

— Je serai bientôt près de Lui, je devrais être heureux comme je ne l'ai jamais été auparavant. Heureux comme l'était la petite sainte Thérèse.

— Sainte Thérèse de Lisieux?

Même Thalie ne pouvait ignorer l'existence de Thérèse Martin, canonisée le 17 mai 1925, juste quelques semaines avant la béatification des martyrs canadiens. Elle aussi était atteinte de la tuberculose, la maladie l'avait emportée à l'âge de vingt-quatre ans.

— Oui. Depuis des mois, je relis sans cesse *Histoire d'une âme*. Je l'ai dans mon sac…

Il chercha des yeux dans la pièce. L'omnipraticienne alla récupérer le sac en toile déposé au fond d'une petite armoire où étaient rangés les vêtements de l'écolier. Il s'agissait d'un ouvrage de quatre cent soixante-quinze pages regroupant les manuscrits laissés par la religieuse à sa mort, et en vérité réécrits par sa sœur aînée, elle aussi carmélite.

— Elle était une toute petite fille quand elle a décidé de devenir une sainte.

— Tout comme toi?

Le garçon lui adressa l'esquisse d'un sourire en guise de réponse.

— C'est mon guide sur le chemin de la sainteté. Elle a créé une nouvelle voie, en quelque sorte.

— Tu peux m'expliquer?

— Je n'ai pas de grandes qualités, je ne suis pas à l'abri de la tentation, vous le savez bien.

— Ton ami Charlot.

— Il se tient toujours à l'affût. Même maintenant.

Ce garçon pouvait sentir encore la tentation dans cette chambre, avec ses deux poumons en feu. Surtout celle de reprocher à son Dieu de le condamner à mort. Après une si courte vie passée à se mortifier, combien son sort lui paraissait injuste. Des mécréants devenaient nonagénaires.

Sa foi exigeait qu'il dise : « Que ta volonté soit faite. » Il n'y arrivait pas. Plutôt que de donner libre cours à sa révolte, il choisit de se faire pédagogue.

— Sainte Thérèse a tracé une voie bien modeste, bien courte, exprès pour les petites personnes comme moi. Regardez l'image au début du livre.

Thalie la trouva tout de suite après la page de titre. Elle représentait Jésus enfant, la main droite levée, l'index vers le ciel, et la gauche sur la poitrine, pour désigner son cœur. L'en-tête disait « Je suis le Jésus de Thérèse » et en bas « Si quelqu'un est tout petit qu'il vienne à moi ».

— C'est tiré de la Bible, expliqua Raymond. Dieu nous dit que les petits, les fragiles, les pécheurs en fait, sont près de son cœur.

Le garçon prenait le ton d'un prêcheur s'adressant à une fidèle. Son enthousiasme tenait beaucoup à son désir d'oublier sa cruelle condition. Cette façon d'effacer un peu l'inéluctable en valait une autre. Son interlocutrice décida de l'encourager à continuer :

— Parle-moi de la petite voie.

— Tout le monde ne peut pas faire de grandes choses, comme être dévoré par les Iroquois… Vous comprenez ce que je veux dire. Des gestes aussi grands, c'est l'avenue royale vers la sainteté. Pour les petits comme moi, il y a la petite voie : faire des sacrifices tous les jours, comme se priver de sucre dans le gruau ou le thé, marcher jusqu'à l'école au lieu de prendre le tramway, ne pas se complaire dans son lit…

Cela résumait ses conversations avec monseigneur Buteau, les règles de vie destinées à faire disparaître tous les plaisirs quotidiens.

— En renonçant à tout cela, je rejette ma volonté afin que celle du Seigneur se substitue à la mienne.

Pendant le long silence qui suivit, la jeune femme feuilleta *Histoire d'une âme*. Une photographie prise à l'infirmerie du cloître, tout de suite après sa mort, montrait une femme encore jeune, un sourire extatique sur les lèvres, une couronne de fleurs sur la tête. Cette façon de mettre en scène un cadavre lui parut sinistre. Elle avait suffisamment vu de corps sans vie pour ne pas trop s'émouvoir du sourire. Les cadavres prenaient parfois des postures étonnantes.

Une image pieuse marquait une page. Elle représentait la sainte dans son habit de carmélite, un crucifix et des fleurs dans les mains, les yeux tournés vers le ciel. Dans la marge, un trait de crayon attirait l'attention sur une ligne.

— « Je veux chercher le moyen d'aller au ciel par une petite voie bien droite, bien courte, une petite voie toute nouvelle », lut-elle à mi-voix.

— Et moi, je veux marcher derrière cette nouvelle sainte, murmura le garçon. Je veux mettre mes pas dans les siens pour m'approcher de Jésus. Si vous saviez comme je l'aime.

Si Thalie se sentait un peu mal à l'aise de recevoir une telle confession, elle ne croyait pas du tout qu'un prêtre fût plus indiqué dans les circonstances.

— Tu utilises beaucoup le terme « aimer ». Je me demande toutefois ce que tu veux dire par ce mot.

— Je veux m'abandonner à Lui, me donner à Lui, ne plus m'appartenir. Qu'Il fasse ce qu'Il veut de moi.

Le ton s'exaltait un peu, les yeux ne quittaient pas le crucifix pendu au mur, un corps efflanqué totalement nu, excepté la pièce de tissu autour des reins. Les mots rappelaient ceux des religieuses, qui se disaient les épouses du Christ.

— Je veux devenir son jouet. Oh! Être la balle du petit Jésus, quel bonheur! Quoi qu'il m'arrive, qu'importe, ce sera Lui qui le voudra, ce sera bien. Je n'ai pas à me plaindre, je n'ai qu'à Le remercier.

À la nuit tombée, dans cette chambre modeste faiblement éclairée par une petite lumière électrique, Raymond Lavallée retrouvait sa ferveur, sa conviction d'abandonner sa volonté pour se soumettre totalement à celle de Dieu. Si la mort venait, ce serait pour le mieux: il Le rejoindrait enfin.

Le médecin choisit de ne pas vérifier la solidité de cette conviction. Chacun cherchait au plus profond de lui les moyens de faire face à une fin inéluctable. La religion n'était ni le moins fréquent ni le moins efficace de ceux-ci. Après un long silence où elle somnola, la voix près d'elle la fit sursauter:

— Je veux être un jouet dans les mains de Jésus, mais plus qu'un simple objet. Je veux être un jouet aimé et aimant.

Ella se demanda si le garçon saisissait toute l'ambiguïté de ses paroles. Il avait détaché ses yeux du crucifix pour la regarder, un peu intimidé par l'audace d'une confidence aussi intime, en même temps heureux de la formuler à haute voix. De nouveau, il mesurait combien cette jeune femme au visage plein de compassion savait l'écouter avec sympathie, peut-être troublée par ses paroles, mais résolue à ne formuler ni critique, ni reproche, ni condamnation.

— Dès notre première rencontre, tu m'as dit vouloir devenir prêtre, glissa-t-elle. Ce désir a-t-il toujours été le même?

— Parfois, il a changé de forme. En entendant tous les sermons sur nos saints martyrs canadiens, j'ai commencé l'été dernier à me rendre chez les pères blancs. Je me suis imaginé en Afrique, parmi les Nègres...

Le garçon laissa échapper un rire bref, chargé d'ironie.

— Ce projet tenait aux tentations de Charlot, bien sûr, au péché d'orgueil auquel je cède si souvent. Je suis bien trop lâche, bien trop impressionnable pour ce projet.

— Et le sacerdoce?

— Je veux suivre l'exemple de sainte Thérèse. Elle a fait naître en moi de grands désirs de petitesse. Je rêve maintenant de vivre caché dans un cloître, aimant Jésus et n'opposant plus d'obstacles au flot de son amour, ne m'appartenant plus, laissant Jésus jouer avec moi, me caresser ou me repousser. Je veux abdiquer complètement ma volonté entre les mains de mes supérieurs, les représentants de Dieu.

Cette insistance à s'effacer, à renoncer à son identité, revenait sans cesse dans sa bouche, sous sa plume. Une fois de plus, Thalie songea à la façon dont les religieuses décrivaient leur relation avec le Christ. Raymond ne pouvait se présenter comme son épouse sans provoquer des fous rires. Il empruntait donc cette formule un peu étrange, se faire son jouet. C'était à la fois semblable et différent.

Minuit sonnerait bientôt. Comme le garçon paraissait serein, le médecin se garda bien de relancer la conversation. Elle se cala sur le dossier de sa chaise, ferma les yeux afin de se reposer un peu. Une heure plus tard, comme son patient semblait dormir, elle quitta la pièce pour s'étendre dans la chambre voisine, tout habillée.

À sept heures, une main sur son épaule et le ton d'une voix attentionnée la tirèrent du sommeil.

— Docteur Picard, si vous ne voulez pas être en retard au travail...

Il lui fallut quelques minutes pour comprendre où elle se trouvait et reconnaître la religieuse. Sœur Sainte-Sophie était déjà à la tâche.

— Comment se porte-t-il ?

— Il dort encore paisiblement.

— Je vais aller le voir...

La religieuse secoua la tête de droite à gauche.

— Je ne vous le recommande pas. Ma consœur m'a dit que vous étiez restée ici toute la nuit à sa demande. S'il désire maintenant que vous passiez la journée...

Elle avait raison. Se laisser accaparer par un seul malade, c'était négliger tous les autres.

— Aujourd'hui, vous serez au Jeffrey Hall, n'est-ce pas ?

— Oui. Je dois y être à neuf heures.

— Vous aurez le temps de vous changer, peut-être de prendre un bain.

Le médecin s'était assis sur le lit. Ses chaussures se trouvaient sur le sol, elle les enfila en réprimant un bâillement. Devant son hésitation, sœur Sainte-Sophie plaida encore :

— Vous pouvez me faire confiance, vous savez. Je ne suis pas inexpérimentée dans ce genre de situation.

— Vous êtes plus expérimentée que moi. Alors, je vais suivre vos conseils.

Chapitre 24

Peu après, Thalie marchait dans la rue Saint-Jean. Elle se planta près de l'arrêt de tramway, attendit une minute ou deux, puis renonça à se rendre à l'appartement de sa mère. Elle emprunta plutôt une rue perpendiculaire, lui permettant d'atteindre Saint-Cyrille. Quand elle sonna à la porte de son frère, à huit heures moins le quart, Mathieu leva les yeux vers sa femme.

— Nous attendions quelqu'un ?

— Même le laitier ne passe pas aussi tôt.

L'homme se leva pour rejoindre le petit hall, ouvrit pour découvrir sa sœur.

— Un peu plus tôt et tu me trouvais en sous-vêtements, du savon à raser sur tout le visage.

— Cela n'aurait pas été la première fois. Je peux entrer ?

Il s'effaça pour la laisser passer. Une fois dans la cuisine, elle embrassa Flavie, puis elle s'assit sur ses talons devant le berceau de l'enfant.

— Toi, mon bel Alfred, ne laisse jamais personne te raconter des sottises. Ce qui se passe là vient avant tous les discours des hommes en noir.

En disant cela, du bout des doigts elle le chatouilla à la hauteur du cœur. Le gazouillis et les mouvements mal coordonnés pouvaient passer pour un acquiescement.

— Toi, tu as besoin d'un café, dit Mathieu. As-tu des difficultés au dispensaire ? Maman m'a dit hier soir que tu ne rentrerais pas.

— Si un jour je découche pour un autre motif que le travail, grommela la jeune femme, toute la rue de la Fabrique sera sans doute alertée, sans compter l'archevêché et la police.

— Elle est simplement un peu inquiète, et moi aussi, depuis que je vois ton visage défait.

Sur ces mots, Mathieu posa une tasse de café devant elle. Déjà, Flavie préparait des rôties supplémentaires.

— Tu m'as dit dernièrement que je faisais un beau métier. Il y a des jours merveilleux, comme lors de la naissance de garçons et de filles en bonne santé. D'autres fois, il me faut annoncer à un adolescent une mort prochaine...

Sa belle-sœur vint poser ses mains sur ses épaules, caressantes, sans dire un mot. Mathieu retrouva toute sa sollicitude de grand frère.

— Tu as dormi un peu, au moins?

— Oui, mais tout habillée, comme tu peux le constater. Et dans un peu plus d'une heure, je retrouverai mon service.

— Tu prendras une douche tout à l'heure, dit Flavie, et je te prêterai des vêtements. Nous sommes à peu près de la même taille.

— Tu es gentille, répondit Thalie.

La visiteuse prit une grande inspiration, puis fit un effort de volonté pour changer de sujet:

— Comment se porte mon filleul favori?

— Une vraie terreur, commença Mathieu. S'il a faim, il crie. Et un peu plus tard, quand il a... enfin, tu comprends, il crie encore. Et si tu voyais ce qu'il évacue, comparé à ce qu'il avale!

— Voyons, Mathieu, plaida la mère, ne raconte pas des choses pareilles à propos de ton fils. Et devant lui encore.

— Mais c'est vrai. Et quelle odeur, en plus.

Au moins, la conversation sur le transit intestinal du poupon amena sa sœur à rire de bon cœur. Après quelques minutes, l'homme alla récupérer sa veste dans sa chambre, et se pencha sur Thalie pour lui faire la bise en disant :

— Tu peux revenir déjeuner avec nous n'importe quel jour, même quand le sort de tes malades ne te torture pas. Bonne journée.

Il se pencha ensuite sur le berceau pour dire :

— Toi, petite terreur, prends soin de ta maman.

L'épouse l'accompagna à la porte puis revint, le sourire aux lèvres.

— Il paraît en bonne forme, commenta la visiteuse.

— Lequel ? Le petit ou le grand de mes deux garçons ?

— Les deux paraissent resplendissants. Et toi ?

Flavie lui adressa son meilleur sourire avant de prendre son enfant dans ses bras.

— Que puis-je demander de plus ? Les blessures de l'accouchement se sont estompées, mes deux hommes se portent bien. Mais toi, si tu veux te préparer à ta journée, va vite à la salle de bain. De mon côté, je te trouve des sous-vêtements, puis je m'occupe de changer junior.

En se retirant, Thalie enviait un peu ce bonheur tranquille. Mais une fois sous la douche, elle en était venue à un autre constat : « Au bout d'un mois, je rêverais de reprendre le travail au plus tôt. »

Après sa journée au Jeffrey Hale, Thalie téléphona à sa mère. Pour la laisser s'absenter une seconde soirée d'affilée l'esprit tranquille, Marie lui fit promettre de se déplacer en taxi. Sa préoccupation au sujet du moyen de transport tenait bien sûr à l'absence d'un service de tramway en direction de l'hôpital. À ses yeux, aucune jeune femme ne devait se promener seule sur un chemin de campagne une fois la nuit tombée. L'hôpital des tuberculeux, devenu depuis l'hôpital Laval en l'honneur du premier évêque de la Nouvelle-France, se situait à Sainte-Foy.

Lorsqu'elle descendit de voiture, Thalie constata au premier coup d'œil l'ampleur des ravages de la peste blanche dans la province. Deux grands pavillons se dressaient maintenant sur ce terrain, le premier terminé en 1918, le second en 1925, pour un total de deux cent quarante lits.

L'entrée de l'établissement, majestueuse, donnait sur un hall silencieux, d'une propreté irréprochable, au point que Thalie regretta un peu de poser les pieds sur un plancher si soigneusement poli. Une religieuse toute vêtue de noir, excepté la toile blanche lui encadrant le visage, se tenait sur sa droite derrière un comptoir. Les sœurs de la Charité de Québec dirigeaient l'endroit.

— Ma sœur, j'aimerais visiter un jeune patient admis ce matin.

— Bien sûr. Vous pouvez me donner son nom?

La femme consultait déjà son grand registre.

— Lavallée. Raymond Lavallée.

— Oh! Je pense qu'il y a un problème. Vous êtes mademoiselle Picard, je suppose.

— Je suis le docteur Picard. J'ai été le médecin traitant de ce garçon.

La religieuse évitait maintenant soigneusement son regard. Elle décrocha le téléphone et tint une courte conversation avant de dire:

— Le docteur Rousseau est encore ici. Il aimerait vous dire un mot.

Arthur Rousseau se consacrait aux soins des tuberculeux depuis des années. Cet hôpital avait été créé grâce à ses efforts assidus.

— Le docteur a certainement mieux à faire que de perdre son temps avec moi. Je souhaite seulement voir l'un de mes patients.

L'autre feignit de ne rien entendre. Peinant pour garder son calme, Thalie attendit devant le comptoir. Un homme à la mi-cinquantaine élégante arriva bientôt.

— Docteur Rousseau, je suis désolée. Je veux juste...

— Venez avec moi, chère collègue.

La voix très douce et les mots employés la calmèrent un peu. Elle n'avait d'autre choix que de le suivre, de toute façon. Dans son bureau, elle accepta de s'asseoir. L'homme retrouva son siège, puis commença, un peu embarrassé :

— Ce matin, nous avons bien admis Raymond Lavallée. Il est arrivé en ambulance, accompagné de sa mère, ce qui est plutôt habituel, et du curé de sa paroisse, ce qui l'est moins.

— Monseigneur Buteau.

— Vous le connaissez ? Je veux dire, sur une base personnelle.

— C'est mon oncle.

Son interlocuteur leva les sourcils, surpris. Cette histoire prenait une curieuse tournure.

— À voir votre réaction, ricana Thalie, je devine que mon oncle Émile n'a pas montré toute la délicatesse habituelle dans les rapports entre membres d'une même famille.

— En réalité, je ne lui ai pas dit un mot. Il s'est adressé à sœur Marie-Auxiliatrice. Celle-ci m'a fait part de son désir... de prévenir les contacts entre vous et notre nouveau patient.

— Grands Dieux ! Et pour quelle raison ?

— Elle ne paraissait pas encline à s'expliquer. D'après ce que j'ai compris, à votre contact, Raymond Lavallée pourrait devenir... mentalement instable.

Thalie eut envie de lui demander si la religieuse n'avait pas plutôt prononcé «moralement dépravé». Mais tenter d'extirper des informations à cet homme serait indélicat. Il était pris dans une histoire à laquelle il ne comprenait rien.

— Sœur... Marie-Auxiliatrice, avez-vous dit, obéissait à une directive du prélat domestique, je suppose.

— Elle n'a rien dit de cela, mais je crois que vous avez raison.

— Comme cette sainte femme a fait vœu d'obéissance, la vue d'une soutane violette l'a sans doute transformée en un chien de garde féroce.

L'homme se raidit un peu devant le choix des termes, mais intérieurement, il lui donnait raison. Cette histoire lui paraissait bien mystérieuse. Pareille méfiance à l'égard de la charmante jeune femme devant lui le laissait perplexe.

— Pouvez-vous me dire ce dont il s'agit? demanda-t-il. Je m'y perds un peu.

— Avez-vous examiné vous-même ce garçon?

Le changement abrupt de sujet le dérouta.

— Oui, je l'ai vu dans l'heure suivant son arrivée.

— Avez-vous remarqué quelque chose en haut de la cuisse droite?

Le visage de son interlocuteur exprima une certaine surprise, puis il acquiesça, songeur.

— Si je vous demande maintenant ce que Raymond Lavallée, sainte Thérèse de l'Enfant-Jésus et Dominique Savio ont en commun, que diriez-vous?

Le docteur Rousseau la contempla un long moment.

— En fait, il y a deux points communs entre eux, l'aida-t-elle.

— La tuberculose?

— Voilà le premier. Ces trois personnes ont aussi été identifiées très tôt comme étant des candidats à la sainteté. Et je pourrais ajouter que les trois mourront jeunes.

Le médecin comprit alors toute la signification du cilice en haut de la cuisse du garçon.

— Je prédis donc que mon oncle viendra ici avec régularité afin de le préparer à une bonne mort. Le bonhomme ne veut pas perdre son saint enfant. Il entend me priver de le voir afin que je ne ruine pas son projet. À ses yeux, je représente une très mauvaise influence.

Les événements de la journée prirent tout leur sens pour Rousseau. L'entêtement de la directrice à interdire les lieux à cette jeune femme aussi. À contrecœur, la religieuse avait accepté qu'il lui explique la situation de vive voix. Son premier mouvement à elle aurait été de lui fermer la porte au nez.

— Je devine que vous n'irez pas à l'encontre des directives de monseigneur Buteau, remarqua Thalie.

— Je n'irai pas à l'encontre des directives de ma directrice.

Ce professionnel réputé, âgé de cinquante-quatre ans, ne souhaitait pas irriter les ecclésiastiques de la province. La moindre insubordination à l'égard de cette vénérable autorité pouvait lui coûter sa carrière.

Thalie hocha la tête et fit mine de se lever.

— Attendez un instant, dit l'homme en faisant un geste d'apaisement de la main. Ce matin, Raymond a demandé à vous voir. Visiblement, vous avez su lui inspirer confiance.

— Et en le privant de ma présence, Buteau ajoute un peu à son calvaire. Je deviens un objet de mortification supplémentaire pour lui.

L'homme hocha la tête. Le dépit de la jeune femme se communiquait à lui. Thalie garda le silence, le temps de contenir sa colère. Puis, elle demanda :

— Selon vous, quel est le pronostic ?

— Le même que celui auquel vous êtes parvenue. Je doute qu'il soit possible de le sauver. Au pire, il en a pour quelques semaines.

— Et au mieux, pour quelques mois… Bon, je dois rentrer, maintenant. Je vous remercie de m'avoir parlé, j'ai un peu moins l'impression d'être une « intouchable ».

— Je vais vous raccompagner.

Ils marchèrent en silence dans le vaste couloir. Il se tourna vers elle devant la porte pour lui tendre la main.

— Je suis désolé. Je vous souhaite une bonne soirée.

— Merci de votre courtoisie.

Derrière son comptoir, la religieuse les surveillait attentivement. En se tournant vers elle, Rousseau déclara d'une voix cassante :

— Appelez un taxi pour le docteur Picard. Tout de suite.

L'homme tourna les talons pour regagner son bureau. Thalie n'eut pas à attendre la bonne volonté du planton. En sortant du vaste édifice, elle vit venir un taxi dans la longue allée conduisant au chemin Sainte-Foy. Un couple venait visiter un malade. Elle monta dans la voiture et donna l'adresse de l'appartement.

— Tout de suite, dit le chauffeur. Je déteste venir ici. Il suinte une odeur de mort de ces murs.

Si l'homme formulait des remarques de ce genre à tous les visiteurs, plusieurs devaient rentrer ensuite chez eux totalement désemparés. En route vers Québec, ils croisèrent une grosse voiture. Sur le siège arrière, Thalie reconnut la silhouette massive et le chapeau de feutre. Pour la seconde fois de la journée, monseigneur Buteau entendait jouer son rôle de directeur spirituel.

— Pauvre Raymond, laissa-t-elle tomber. Pour lui, ce ne sera pas la petite voie bien courte et bien droite de la rose effeuillée.

Dans le rétroviseur, le conducteur chercha son reflet.

— Ne vous en faites pas, c'est l'âge, fit-elle. Je parle toute seule.

La nuit précédente, le garçon avait qualifié sainte Thérèse de petite rose effeuillée.

Une semaine après la visite de Raymond Lavallée au dispensaire des pauvres, Thalie y accomplissait sa dernière journée de travail. Elle reçut des femmes et des enfants, mais personne ne lui versa d'honoraires. À la fin des consultations, sœur Sainte-Sophie frappa discrètement à la porte et entra après y avoir été invitée.

— Je me sens toute chamboulée, dit-elle en prenant place sur la chaise réservée aux visiteurs. Vous savez, docteur Picard, vous êtes très attachante. Vous me manquerez beaucoup.

— Et vous aussi. En conséquence, pour ce qui sera sans doute notre dernière conversation, appelez-moi Thalie.

— Avec plaisir, Thalie.

— Et pour établir l'égalité entre nous, dites-moi votre prénom.

Son interlocutrice se raidit un peu et commença :

— Sœur Sainte…

— Non, votre prénom. Vous m'avez parlé de vous déjà, vous pouvez me confier cela aussi.

— … Adrienne.

La jeune femme eut un rire bref, elle la contempla avec des yeux amusés.

— Adrienne ! Oui, vous êtes bien une Adrienne. Pas une Gertrude ou une Georgette, mais une Adrienne, ça oui.

— Je ne suis pas certaine de vouloir savoir ce que vous voulez dire.

Le médecin fouilla dans son sac en cuir, sortit sa bouteille thermos et la posa devant son interlocutrice, chercha deux tasses sur une tablette tout près de son siège.

— Si vous me promettez de ne pas voir là une tentative de vous détourner de votre salut, je vais partager un café avec vous. Dans certaine congrégation, je passe pour un suppôt de Satan, je pense.

Son dépit se lisait sur son visage.

— La démarche de votre oncle et l'attitude de cette religieuse vous ont profondément blessée, n'est-ce pas ?

— Je n'allais faire que du bien à ce garçon.

Depuis plusieurs jours, son expulsion de l'hôpital Laval lui demeurait en travers de la gorge, ce qui n'améliorait pas son humeur.

— Nous sommes deux à en être certaines, Thalie.

— Cela m'enrage.

— Vous savez, en faisant vœu d'obéissance, mes consœurs et moi nous exposons parfois à appliquer des décisions qui nous paraissent erronées, parfois odieuses. Nous nous disons alors que nos supérieurs sont plus sages que nous.

— Dans les faits, le temps prouve-t-il souvent que ces supérieurs avaient raison ?

Au lieu de répondre, la religieuse secoua la tête de droite à gauche. Le médecin ouvrit un tiroir de son bureau pour en sortir un objet.

— J'ai transporté ceci avec moi toute la semaine, dit-elle en posant le cilice sur la table, entre elles. Je vais le laisser ici, je ne supporte plus de le voir. Sincèrement, tu crois que Buteau a raison, Adrienne?

Le passage abrupt au tutoiement devait encourager sa franchise. Les deux femmes se regardèrent dans les yeux un long moment. Finalement, la religieuse secoua la tête négativement.

— Je te remercie. Savoir qu'au moins une personne dans cette organisation est d'accord avec moi me soulage.

Leurs mains se joignirent sur la table. Un cognement bref à la porte posa un air coupable sur les deux visages.

— Oui, entrez, dit Thalie sans quitter son siège.

Le docteur Courchesne passa la tête dans l'embrasure.

— Vous voilà, toutes les deux.

— Nous en étions à nous faire nos adieux et à nous dire combien cette année de collaboration avait été agréable, expliqua la jeune femme.

Au fond, leur discussion franche et l'usage des prénoms signifiaient exactement cela.

— Alors je ne serai pas très original, je voulais dire exactement la même chose.

— Je vais vous laisser, dit la religieuse en quittant son siège.

— Un instant…

La jeune femme se leva, referma la bouteille thermos dont elle n'avait pas versé une goutte du contenu puis la lui tendit en disant:

— Ma sœur, je vous la laisse en souvenir. J'ai été heureuse de partager un café avec vous pendant ces quelques mois.

— … Toute la communauté en profitera.

— Moi, je vous l'offre, à vous.

Devant témoins, elles abandonnaient les prénoms et le tutoiement. Après avoir échangé des bises sur les joues, Adrienne se retira.

— Je suis un peu confus. J'interromps quelque chose, dit Paul-Émile Courchesne.

— Tu interromps des adieux sincères, mais en même temps, tu nous épargnes des larmes. Assieds-toi.

L'homme observa le cilice resté sur la table.

— Tu sais, Rousseau est tout à fait contrit de t'avoir chassée ainsi.

— Je sais. J'en prends l'habitude, toutefois.

Son visiteur accusa le coup, puis défendit les sœurs de l'Espérance.

— Voyons, ne sois pas injuste. Il ne s'agit pas de la même chose. Ce sera un tout petit hôpital, rien de commun avec le Jeffrey Hale. Elles veulent garder un seul médecin…

Et naturellement les saintes femmes avaient choisi l'homme.

— Pardonne-moi, dit Thalie en prenant le cilice pour le faire disparaître de nouveau dans le tiroir, cet objet me rend trop maussade. Avec la congrégation, tu es le fondateur de cet endroit, donc il est tout à fait naturel que tu continues. Je ne faisais que donner quelques heures par semaine ici. Toi, c'est ton projet de vie.

— Même si je regrette sincèrement leur décision, dit son compagnon, je la comprends aussi.

Au moins, se consolait la jeune femme, les sœurs de l'Espérance ne semblaient pas l'avoir jugée indigne de pratiquer la médecine. Leur attitude était demeurée respectueuse du début à la fin.

— De ton côté, affirma Courchesne, les choses se passent plutôt bien, je pense.

— Ma clientèle prend forme, composée de femmes et de jeunes enfants.

— Chez Caron?

— Je continue d'y aller deux jours par semaine. Pour l'instant, cela me paraît être la meilleure solution. Éventuellement, j'aurai mon propre cabinet. Mais rien ne presse.

L'homme parut embarrassé, mesurant la difficulté d'avoir un collègue de l'autre sexe. Il lui fallait exprimer ses états d'âme sans prêter à mésinterprétation.

— Tu me manqueras, tu le sais, déclara-t-il enfin.

— Tu me manqueras aussi. Nos relations ont été très fraternelles.

— Exactement.

Son sourire témoignait de sa sincérité. Après un court silence, Thalie se leva en disant:

— Je vais rentrer, maman sera heureuse de me voir à la maison à une heure raisonnable.

Courchesne se leva aussi. Il lui serra la main, murmura un «bonne chance» rapide avant d'aller rejoindre son premier patient. La jeune femme ramassa son sac en cuir, regarda une dernière fois la petite pièce, puis sortit. Derrière la table de la réception, la religieuse dit avec un sourire:

— Bonne chance, docteur Picard. Vous avez fait preuve de grande générosité.

— Merci, ma sœur. Bonne continuation dans votre nouvel hôpital.

Dehors, elle contempla la bâtisse qui avait autrefois été une écurie. Puis elle tourna le dos à un épisode fort romantique de sa pratique médicale.

Les chambres de l'hôpital Laval, à vrai dire de grandes salles, recevaient chacune une douzaine de patients. Les lits étaient alignés en face des fenêtres. Celles-ci, grandes ouvertes, laissaient entrer la brise chaude de juin.

Arthur Rousseau s'arrêtait près de chacun des malades, tous de jeunes hommes, le plus âgé n'ayant pas dépassé vingt-deux ans. Sa routine se révélait un peu morbide : quotidiennement, il constatait la faiblesse croissante de ceux-ci, la respiration sifflante, la pâleur des traits. Très rarement, il voyait l'état de l'un de ses patients s'améliorer.

Raymond Lavallée occupait la dernière couchette. Le médecin commença avec lui, comme avec tous les autres, par la même question, comme s'il obéissait à un rituel :

— Comment vas-tu, mon garçon ?

Devant témoin, aucun de ces tuberculeux n'osait admettre la terreur qui les tenaillait sans cesse.

— Ça peut aller.

Le pyjama détaché permit au bout froid du stéthoscope de parcourir la poitrine. Les poumons produisaient un chuintement malsain. Maintenant, le garçon arrivait tout juste à se rendre seul à la toilette. Bientôt, ce ne serait plus possible. Alors, les religieuses le déplaceraient dans une chambre privée. La suite des événements se montrerait trop démoralisante pour les autres.

— Tu continues de recevoir la visite des membres de ta famille, je crois.

— Ma mère vient assez souvent pendant la semaine, mon père, tous les dimanches.

— Ta mère t'aime visiblement beaucoup. Pour elle, venir de la paroisse Saint-Roch représente une véritable expédition.

— Oh ! Mais elle profite parfois de l'automobile de monseigneur Buteau.

Le saint homme mobilisait l'un de ses paroissiens âgés pour jouer le rôle de chauffeur. Cela lui donnait une complète liberté de mouvement.

— Tu as beaucoup de chance. À ce que j'entends, tu affiches une piété exemplaire. Je suis certain que le Seigneur veille sur toi.

Le visage du garçon n'afficha pas toute la satisfaction attendue. Quand le praticien fit mine de s'éloigner de son lit, Raymond leva la main pour le retenir, puis il dit tout bas :

— Monsieur, pourriez-vous demander au docteur Picard de passer me voir ?

Le ton de la voix ressemblait à celui d'une supplique. L'homme leva les yeux vers la religieuse qui l'accompagnait toujours dans sa tournée des malades. Il crut remarquer une crispation de ses traits.

— Mais, mon garçon, tu reçois les meilleurs soins possibles, je t'assure.

— Je sais… je veux juste la voir. C'est mon amie…

La silhouette noire de la sœur de la Charité se raidit, comme sous une menace soudaine.

— Comme nous, elle doit être très occupée par ses malades.

— S'il vous plaît…

— Je verrai ce que je peux faire.

Il restait une cinquantaine de patients à visiter. Au cours de l'heure suivante, Arthur Rousseau se demanda comment organiser un rendez-vous clandestin. À la fin, un pareil projet lui parut impossible.

Depuis plus de deux mois, Élise trouvait le moyen de se libérer quelques heures en matinée toutes les semaines afin d'aller marcher sur les plaines d'Abraham. Alors que les hommes se trouvaient au travail et que les femmes se consacraient à leur maison, son compagnon et elle partageaient un banc un peu à l'écart, sous un arbre, pour discuter à voix basse, ou alors se complaire dans de longs silences.

Chaque fois, elle disait se rendre au gymnase de madame Hardy-Paquet. Si le docteur Caron se réjouissait de voir sa fille s'entraîner avec autant d'assiduité, sa femme se révélait moins naïve. En juin, alors que sa fille revenait de l'une de ses promenades, elle demanda à voix basse :

— Qui vois-tu ?

Le ton ne contenait aucun reproche, seulement une petite inquiétude.

— Je reviens du gymnase…

Elle s'arrêta au milieu de la phrase, tellement le mensonge lui était peu familier. Sa mère lui fit signe de s'asseoir avec elle à la table, puis lança dans un souffle :

— Personne ne s'entraîne sans transpirer au moins un peu.

Élise ne put retenir son sourire. À trente-sept ans, sa mère la perçait aussi bien que lorsqu'elle avait dix ans.

— Qui vois-tu ? répéta madame Caron.

— Ce n'est pas ce que tu penses.

Elle venait d'admettre qu'elle fréquentait quelqu'un. Autant tout dire maintenant, plutôt que de se faire arracher des bribes d'information au nom de l'amour filial.

— Depuis quelques mois, je rencontre Fernand Dupire pour de longues marches, rien de plus.

Pendant un long moment, elles demeurèrent silencieuses.

— Il a une épouse, tu le sais.

— Aux yeux de la loi, ou de l'Église, tu as raison. Mais Fernand n'a pas de femme, et cela depuis des années. Ils vivent comme des étrangers depuis sa dernière grossesse.

De nouveau, la mère accepta l'affirmation comme véridique. Bien des années plus tôt, elle avait suffisamment côtoyé Eugénie pour juger de sa compétence à servir de compagne à un homme. Et le fils Dupire, moins que tous les autres peut-être, risquait bien peu de trouver crédit aux yeux d'une telle personne.

— Tu sais, ma grande, ses malheurs conjugaux ne changent rien à la réalité : il est marié.

— Je comprends. Mais à mes yeux, son statut n'a pas d'importance : nous nous rencontrons pour marcher une petite heure. Notre premier sujet de conversation, ce sont nos enfants respectifs.

Sa mère hocha la tête, sachant combien chacun avait besoin de rompre avec la solitude.

— Mais tu ne peux pas empêcher les gens de parler, dit-elle.

— Pour dire quoi ? Quelque chose comme : « La fille Caron fait des promenades avec le fils Dupire » ? Nous ne faisons rien pour alimenter les ragots.

— Tu n'as pas besoin de faire quelque chose. Les gens ont une imagination débordante, dans ce domaine… Je crains pour ta réputation. Si des histoires commencent à circuler dans la ville…

La mère n'osa pas poursuivre sa pensée jusqu'au bout. La fille le fit pour elle :

— Tu crains que les bons partis ne lèvent le nez sur moi, n'est-ce pas ? Mais voilà bientôt huit ans que je suis seule. Bien sûr, les deux premières années, je faisais mauvaise figure à tout le monde. Mais depuis, en as-tu vu beaucoup, toi, des célibataires ou des veufs respectables me tourner autour ? Pas moi.

Madame Caron posa sa main sur celle d'Élise. Elles restèrent ainsi pendant une bonne minute.

— Fais attention à toi, dit la mère en se relevant pour aller préparer le repas.

— Oui, maman, ne t'inquiète pas.

Après dîner, elle regagnerait son poste de travail dans la salle d'attente.

Chapitre 25

Le samedi 26 juin, les Dubuc et les Picard se levèrent de bon matin pour rejoindre les O'Neill à la cathédrale de Québec. La promesse de mariage formulée six mois plus tôt trouvait sa conclusion. Dans une petite robe blanche, Amélie lança un oui bien net, clair et joyeux. Bien que plus grave, celui de l'époux paraissait tout aussi convaincu. Pendant les vœux, Thalie tenait son filleul contre son corps, assis sur ses genoux.

— Au moins, fit-elle à son oreille, toi, tu visiteras encore ta marraine vieille fille, dans cinquante ans.

Elle choisit de considérer le gazouillis comme une promesse ferme.

À titre de père de la mariée, Paul Dubuc devait assumer les frais de la noce. Amélie avait insisté pour une célébration très simple, comme un verre de vin au rez-de-chaussée du commerce ALFRED, après la cérémonie. Déjà, sa cadette devrait continuer à travailler dans l'attente de son premier enfant, aussi l'homme tenait à afficher un peu sa prospérité. Trop de modestie ferait jaser. Tout le monde se retrouva donc au restaurant *Kerhulu* pour le dîner. L'établissement reconstruit au printemps avait été réservé pour l'occasion.

Ils en étaient au dessert, après bien des vœux de bonheur éternel et des baisers encouragés par le bruit des cuillères heurtant les verres de vin. Les fous rires de la mariée suffisaient à rassurer les O'Neill, une tribu de robustes rouquins, sur l'avenir de cette union. Amélie s'alliait à une famille de débardeurs et d'ouvriers sans la moindre impression d'une mésalliance.

Une vendeuse de la boutique marcha dans le restaurant, un peu intimidée, se rendit à la table des parents Dubuc, une enveloppe à la main.

— Mademoiselle Thalie, cette lettre est arrivée cet avant-midi. Comme vous étiez à deux pas, j'ai pensé vous l'apporter.

Surtout, cela donnait à l'employée la chance de jeter un coup d'œil sur les célébrations en l'honneur de la jeune fille de la maison.

— Merci.

L'enveloppe ne montrait aucune information sur l'identité de l'expéditeur. Elle eut envie de la mettre dans son sac, mais la curiosité l'emporta. Sur un carré en carton de bonne qualité, elle lut :

Mademoiselle,

Notre pronostic à tous les deux s'est réalisé trop vite. Raymond Lavallée nous a quittés au cours de la nuit, dans son sommeil. Le dénouement est venu aussi doucement que possible, dans les circonstances.

Au cours des dix derniers jours, le garçon a demandé à vous voir à quelques reprises, au nom de votre amitié pour lui. Malheureusement, il n'a pas été possible de ménager une ultime entrevue.

Avec mes sentiments distingués,

Dr Arthur Rousseau

Le visage de Thalie offrit une telle tristesse que sa mère prit la missive de ses mains pour la lire à son tour.

— Pauvre garçon, murmura-t-elle en la lui rendant.

— Il n'a même pas eu la charité de me permettre de le voir.

Le reproche s'adressait autant au médecin qu'à monseigneur Buteau, à l'origine de son bannissement. Après un long silence, la jeune femme dit encore :

— Je vais me rendre aux funérailles. Tous les régiments de zouaves de la province ne pourront m'en empêcher.

— … J'irai avec toi.

Marie ne laisserait pas sa fille s'aventurer seule dans le repaire de son frère. Alors que la fête se poursuivait autour d'eux, Thalie conserva une mine grave, au point d'inquiéter Mathieu et Flavie, assis à la même table.

Quand, vers trois heures, les mariés s'apprêtèrent à quitter les lieux, un homme d'une trentaine d'années entra dans le restaurant, se dirigea vers David O'Neill en affectant un air embarrassé. Sa conversation avec le couple échappa totalement aux autres invités. Le jeune marié afficha clairement sa déception. Sa nouvelle épouse éprouvait des sentiments un peu plus ambigus.

— Mes amis, commença David en élevant la voix, un incident est survenu en relation avec un barrage de la compagnie Duke-Price. Je dois partir tout de suite. Je vous adresse mes plus profonds remerciements, en même temps que toutes mes excuses pour me sauver comme un voleur.

Il répéta les mêmes paroles en anglais puis, avec sa femme au bras, s'approcha de Paul Dubuc pour lui dire :

— C'est totalement inattendu, monsieur, mais je dois ajourner mon voyage de noces.

— Que se passe-t-il ?

— Je ne comprends pas encore très bien. Une paroisse du Lac-Saint-Jean a été inondée à cause des aménagements hydroélectriques de mon employeur. Je dois me rendre sur les lieux.

— Oh! C'est vraiment le comble de la malchance.

Le politicien comprenait très bien que son nouveau gendre ne pouvait se dérober à son devoir. Après un mandat temporaire, le jeune homme faisait maintenant partie de l'équipe régulière d'ingénieurs de la grande société.

— Puis-je vous confier Amélie pour les jours à venir? demanda encore David. Ce serait cruel de la laisser seule dans notre nouvel appartement.

— Bien sûr. Je la garde soigneusement, et je te la rends dans quelques jours.

Sur cette assurance, le couple sortit, s'enlaça longuement sur le trottoir, puis échangea un baiser susceptible de faire parler les bonnes âmes jusque dans les officines du palais archiépiscopal. Ensuite, pendant quelques minutes, les larmes aux yeux, Amélie dut faire le tour des O'Neill pour les remercier de leur présence.

Quand elle rejoignit sa famille, Thalie lui serra discrètement la main sous la table en chuchotant:

— Ce n'est vraiment pas de chance.

— D'un autre côté, ils ont fait appel à lui, pas à un autre. C'est de bon augure.

Puis elle lui adressa un clin d'œil entendu, comme si le fait de s'être accordé de petits acomptes au cours des derniers mois rendait la consommation du mariage moins impérative.

— Mais si je ne me trompe pas, enchaîna la nouvelle mariée, tu as l'air plus triste que moi.

— Un de mes jeunes patients est décédé.

— … Je suis désolée.

Formulée à haute voix, la réponse marqua la fin de la fête. Déjà, les O'Neill venaient l'un après l'autre saluer leurs hôtes avant de partir. Ce fut bientôt le tour des Dubuc et des Picard.

L'église Saint-Roch s'ornait des couleurs du deuil. Tous les bancs étaient occupés. Non seulement les paroissiens tenaient à saluer pour la dernière fois l'un des leurs, mais le Petit Séminaire avait dépêché une centaine d'écoliers pour l'occasion.

La mère et la fille Picard se retrouvèrent dans le jubé. Cela leur donnait une vue imprenable sur le chœur. Assistés de nombreux servants de messe, les trois vicaires concélébraient la cérémonie avec leur curé. Dans le premier banc, sur la droite, la famille Lavallée s'entassait, un peu à l'étroit. Si la mère paraissait sans cesse secouée de violents sanglots, le père demeurait droit et digne.

Monseigneur Buteau se serait battu pour le privilège de prononcer lui-même l'eulogie. De toute façon, personne ne lui contesta ce rôle.

— Mes chers paroissiens, mes chers écoliers venus rendre un dernier hommage à un camarade, Raymond, notre frère, est monté au ciel. C'est assis près de Jésus qu'il nous regarde aujourd'hui. Je n'ai pas le moindre doute sur cela, tout comme je n'ai pas le moindre doute qu'il y a trois jours encore, un saint vivait parmi nous. J'ai eu le merveilleux privilège d'avoir accès à son journal au cours des derniers mois. J'espère qu'un jour, tous les bons catholiques pourront se délecter du contenu de ses petits cahiers d'écolier. Raymond Lavallée était une âme d'élite.

Dans le jubé, Thalie serrait les dents pour s'empêcher de crier. Ce sinistre personnage avait enfin son saint enfant. C'était pour lui-même un sauf-conduit pour la renommée, et, s'imaginait-il, peut-être aussi pour le paradis.

Quand il descendit de la chaire, le silence dans le temple n'était troublé que par les sanglots de madame Lavallée.

L'abbé Renaud s'agita dans l'allée latérale de droite. Un écolier avait été recruté pour livrer un second éloge. Afin d'éviter les grincements survenus aux dernières funérailles d'un séminariste, l'honneur n'échut pas à Jacques Létourneau. Dommage. Lui seul aurait pu succéder au prélat domestique sans souffrir de son ombre. À la place, l'assemblée dut se contenter de cinq minutes de platitudes.

À la fin de la cérémonie, l'assistance se dispersa lentement, comme si elle hésitait à quitter la dépouille d'un saint. Marie et Thalie attendirent que la chorale d'enfants descende l'escalier étroit. Elles se retrouvèrent sur le parvis de l'église comme l'entrepreneur de pompes funèbres Lépine fermait la porte du corbillard.

— Je veux me rendre au cimetière, décida la jeune femme.

Marie s'occupa de héler un taxi stationné en face du magasin PICARD. Le chauffeur réussit sans mal à dépasser le cortège. Il arriva au cimetière Saint-Charles avec une dizaine de minutes d'avance.

— Vous allez nous attendre ici, dit la marchande en descendant. Pour en être certaine, je vous paierai à notre retour.

— Madame, cela ne se fait pas…

— Vous croyez?

Sur ces mots, elle s'engagea dans une allée bordée d'arbres. Le lieu de la sépulture fut facile à identifier, des badauds se tenaient déjà près de la fosse, une blessure dans la terre. Bientôt, le corbillard roula entre les tombes. Quatre écoliers portèrent le cercueil en bois blanc pour le poser sur le mécanisme qui le laisserait tout à l'heure descendre au fond du trou.

Monseigneur Buteau se tenait à une extrémité de la boîte, son étole autour du cou, tête nue. Il reprit les mêmes phrases récitées un peu plus tôt à l'église, mais dehors, sous une douce brise, les effets en étaient émoussés. Madame Lavallée tenait une grande photographie de son fils contre sa poitrine, comme pour montrer à toutes ces personnes l'image du saint sorti de son ventre. Raymond devait avoir quatorze ans alors. Cheveux frisés, joues rondes d'enfant trop gras, sourire espiègle : Thalie regretta de ne pas l'avoir croisé à cette époque.

L'ecclésiastique arrosa le cercueil et les personnes les plus proches à grands coups de goupillon. Thalie sursauta quand des gouttes d'eau bénite touchèrent sa main. Puis les badauds se dispersèrent. Enfin, le curé s'approcha des parents éplorés avec un employé des pompes funèbres pour les inviter à s'éloigner. Le déclenchement du mécanisme de mise en terre conduisait à des comportements hystériques des cœurs trop sensibles.

Thalie choisit ce moment pour s'avancer et poser une rose blanche sur la bière. Le père Lavallée accrocha son regard un bref instant et lui adressa l'esquisse d'un sourire. Parmi toutes les personnes présentes, ce n'étaient ni la curiosité ni le sens du devoir qui poussaient le médecin à être là. Visiblement, l'homme appréciait cet élan de sincérité. Il fut le seul.

Monseigneur Buteau fit trois pas dans sa direction, les traits durcis par la colère. Marie s'avança vers lui et le prévint dans un souffle :

— Ne parle pas à ma fille. Ne la touche surtout pas. Tu te souviens de ce que je t'ai dit, l'autre jour.

L'homme soutint brièvement son regard. Quand il détourna les yeux, elle dit encore :

— Tu as pu mettre ce garçon sous ta coupe. Ne tente jamais de faire la même chose à un membre de ma famille.

Émile Buteau rejoignit les Lavallée, les invita à regagner la voiture de la société des pompes funèbres mise à leur disposition. Les deux femmes demeurèrent seules près de la fosse pour regarder le cercueil descendre entre les parois de terre brune, la rose toujours en place. Quand les croque-morts récupérèrent les sangles de l'appareil, la mère prit le bras de sa fille.

— Si nous ne nous pressons pas, dit-elle, notre chauffeur va nous dénoncer à la police.

— Tu as raison. Il serait dommage de passer une aussi belle journée en prison.

Sous le soleil, elles parcoururent la distance jusqu'à la rue. En montant dans le taxi, Thalie dit d'une voix un peu plus assurée :

— Je me demande si le pauvre David reviendra bientôt du Saguenay.

— Amélie ne paraît pas trop s'en faire.

— Mais moi, je suis pressée. J'aime jouer à la bonne tante. J'imagine à quel point les rejetons de ces deux-là seront intéressants !

Aider à la naissance de bébés lui paraissait le meilleur moyen d'éloigner la mort.

Le samedi précédent, Fernand avait conduit sa famille à Saint-Michel-de-Bellechasse. Cela permettait à Antoine de renouer avec les travaux agricoles dans le plus grand enthousiasme. Les deux autres enfants se réjouissaient aussi de ce changement à leur routine. Ils s'étaient habitués au nouveau personnel domestique. La cuisinière et la bonne se montraient aimables. Bien sûr, jamais ils ne s'attacheraient à elles comme ils s'étaient entichés de Jeanne. Ils l'avaient connue dès leur premier souffle, si bien que celle-ci remplissait le rôle d'une figure maternelle. Dans un sens, ils étaient maintenant orphelins.

Seul dans sa grande maison de la rue Scott, l'homme profitait d'une nouvelle liberté de mouvement. La veille, il avait téléphoné au cabinet du docteur Caron, certain d'avoir son amie au bout du fil. Aussi le mardi matin, ils se rencontrèrent sur «leur banc», dans le parc des Champs-de-Bataille.

— Mon aîné sera déçu, remarqua l'homme d'emblée. Avec l'orage qui menace, les foins seront retardés.

— Il aura le temps de se reprendre avant septembre. Tes enfants vont te manquer, n'est-ce pas?

— La semaine me paraît bien longue, surtout que les affaires tendent à tourner au ralenti pendant l'été. Mais comme l'état des routes s'améliore, je peux les voir tous les samedis.

Élise marqua une pause avant de demander encore:

— Eugénie se plaît-elle, à la campagne?

— Elle ne se plaît nulle part, je pense, ni ici ni là-bas. Elle promène son visage triste dans la grande maison de ferme, surveille les domestiques... mais ne met jamais la main à la pâte.

— Comment se comporte-t-elle avec les enfants?

— Depuis octobre, elle essaie de se rapprocher d'eux, sans beaucoup de succès. Même si Jeanne leur manque, elle n'arrive pas à occuper l'espace laissé libre dans leur cœur.

En février dernier, reconduisant Élise chez elle après une pièce de théâtre, l'homme avait évoqué la présence d'une maîtresse. Depuis, son amie avait appris de qui il s'agissait. Élise souffrait trop de sa propre solitude pour avoir envie de lui adresser le moindre reproche à ce sujet.

Tout à coup, une première goutte de pluie atteignit son visage.

— Oh! Nous allons devoir rentrer.

La tristesse dans la voix toucha son compagnon. Il leva son parapluie, l'ouvrit au-dessus de leur tête. Ils attendirent un peu avec l'espoir que ce soit une fausse alerte, mais l'averse gagna en violence.

— Viens chez moi. Ce serait trop triste de se quitter tout de suite.

Elle le regarda avec ses grands yeux bruns, surprise par l'audace de la proposition.

— Je ne peux pas...

— Tu ne me fais pas confiance ?

— Ce n'est pas cela...

L'homme se leva, lui offrit le bras portant le parapluie.

— Nous allons rejoindre la Grande Allée. Quand nous passerons à la hauteur de la rue Claire-Fontaine, si c'est ton choix, je te laisserai à ta porte. Personne ne trouvera à redire. Tout le monde comprendra que je te raccompagne par un temps pareil.

Il comprenait l'inquiétude de sa compagne pour sa réputation. Les femmes ne pouvaient se permettre le moindre accroc sans s'exposer à un ostracisme complet. Malgré cette menace, lorsqu'ils passèrent l'intersection de la rue où se trouvait la maison des Caron, elle ne ralentit pas.

Ils tournèrent dans la rue Scott. Un peu inquiète, Élise regardait les façades des maisons, craignant de déceler des regards désapprobateurs aux fenêtres. Les trottoirs restaient déserts, à cause de l'averse. Elle espéra que son escapade passe inaperçue.

Fernand ouvrit la porte et la fit passer devant lui. Intimidée, elle demeura immobile dans le couloir, le temps qu'il pose son parapluie dans un coin, le laissant ouvert afin de lui permettre de sécher. Quand il la rejoignit, il expliqua :

— C'est un peu comme chez toi. Voilà mon bureau et une autre pièce de travail. Un temps, j'ai pensé que Mathieu

Picard l'occuperait. À la fin de l'été, je chercherai un stagiaire.

Sa compagne s'intéressait peu à l'aménagement des lieux. Fernand remarqua la robe mouillée en certains endroits. Son pantalon et sa veste se trouvaient dans le même état.

— Je vais nous faire du thé. Cela nous réchauffera un peu.

— Ce n'est pas la peine. Le temps d'allumer le poêle pour faire bouillir l'eau…

Elle n'entendait pas s'attarder, toute à ses appréhensions.

— Viens dans la cuisine. Avec la plus grande invention du siècle, tu auras une boisson chaude entre les mains dans une dizaine de minutes.

Avec fierté, il lui montra la bouilloire électrique, une petite merveille achetée dans un commerce de la rue Saint-Joseph la semaine précédente.

— Tu comprends, comme je suis seul pour deux mois, je me suis organisé pour avoir de quoi boire sans y mettre trop de temps.

L'innovation technologique ne la passionnait guère. Elle examinait la pièce, très mal à l'aise de se trouver là.

— Assieds-toi, j'en ai pour un instant.

Elle occupa l'une des chaises placées près d'une table. Dans le passé, les enfants se réunissaient là afin de se trouver en présence de Jeanne. Maintenant, les sièges servaient exclusivement aux domestiques.

— Je pense que cette pièce demeure la plus accueillante de la maison, confia Fernand. Ailleurs, tout semble froid.

La remarque ne méritait aucun commentaire. Élise devina que cela tenait seulement au fait qu'Eugénie n'y venait que rarement, alors que la maîtresse de son hôte y avait passé ses journées au cours des dernières années.

Une fois l'eau portée à ébullition, l'homme vint occuper une chaise près de la sienne, la théière fumante et deux tasses entre eux.

— Dorénavant, chaque fois que je me préparerai du thé, je penserai à toi, dit-il encore en versant la boisson.

— Une part de moi se sent très mal à l'aise, bafouilla la jeune femme. Une autre est heureuse d'être avec toi.

— Tu ne me trouves pas...

Comment mettre des mots sur son propre malaise? Fernand traînait depuis toujours un excès de poids, ses cheveux se raréfiaient sur son crâne. Au fil des ans, sa femme avait cristallisé son manque d'assurance. À la fin, il proposa dans un souffle :

— Attirant.

— ... Mais pourquoi dire une chose pareille?

— Je ne suis pas Rudolph Valentino.

— Dieu merci! lança Élise, cette fois franchement amusée.

Si ce comédien faisait rêver toutes les femmes, elle faisait exception.

— Je me trouve dans la cuisine d'un homme marié, dit-elle après une pause. Cela suffit à me rendre mal à l'aise.

— Comme je te l'ai expliqué...

Son interlocutrice leva la main pour le faire taire.

— Comme me le rappelait ma mère il y a dix jours, l'état de ton couple ne change rien à ton statut.

— Tu as parlé de nos rencontres à ta mère...

— Mes absences répétées... On devrait recruter les policiers chez les dames de soixante ans, elles sont de redoutables enquêtrices. Ce matin, elle a réitéré son invitation à la prudence. Elle craint pour ma réputation.

L'homme hocha la tête. La moitié de la population de la ville semblait vouée à la surveillance de l'autre moitié, soucieuse surtout de relever les accrocs à la morale sexuelle. Des rumeurs sur Élise risquaient même de nuire à la carrière de son père.

— Nos conversations dans un parc ne peuvent guère prêter à conséquence, dit-il pour la rassurer un peu.

— Tout peut alimenter les mauvaises langues. Et quand il n'y a rien, on invente…

« Tout de même, songea son compagnon, elle a continué de me voir. Aujourd'hui, la voilà dans ma demeure. » Pendant ce temps, Élise portait la tasse à ses lèvres. Son chapeau posé sur la table, elle offrait au regard ses cheveux bruns ondulés, un profil régulier, des traits fins. Leurs yeux se croisèrent un long moment, puis l'homme se leva à demi pour poser ses lèvres sur les siennes.

Au lieu de se dérober, elle rejeta la tête en arrière, accepta le contact léger d'abord, presque furtif, puis plus insistant. Quand la main se posa contre sa nuque, elle ferma les paupières, accepta l'intrusion.

Fernand se redressa complètement et lui tendit la main.

— Viens chez moi, dit-il à voix basse, comme si quelqu'un pouvait entendre.

L'hésitation dura à peine. Bientôt, elle le devançait dans l'escalier circulaire conduisant à la garçonnière, les joues en feu, presque fiévreuse.

La nouvelle circulait dans le diocèse depuis quelques semaines : le choix du successeur de monseigneur Roy avait été arrêté. Le 9 juillet, des mois après le décès du titulaire, monseigneur Félix-Raymond-Marie Rouleau devenait archevêque de Québec. Il quittait l'évêché de Valleyfield pour occuper ce nouveau poste. Dès le lendemain, Joseph-Alfred Langlois lui succéderait à cet endroit.

— Le petit directeur de collège a enfin eu sa promotion, maugréa Émile Buteau.

L'ecclésiastique se tenait debout devant la statue du Sacré-Cœur, dans la cour avant de son immense presbytère. Il enleva son chapeau rond pour s'essuyer la tête avec son mouchoir. Le soleil tapait dur. Si la nouvelle le décevait un peu, elle ne le décourageait pas.

— Il y aura une prochaine occasion, se disait-il. Peut-être pas à Québec, mais un bel évêché deviendra bientôt disponible quelque part.

Son éloge funèbre, lors des funérailles de Raymond Lavallée, faisait partout l'objet de conversations. Cela lui valait une petite notoriété. De nombreux collègues lui demandaient d'éditer le journal de son protégé, pour le publier à l'intention des élèves des écoles secondaires. Cette sorte de littérature, moussée par les prêtres, les frères et les sœurs enseignants, fournirait une nourriture spirituelle inestimable à la jeune génération. Parmi l'arsenal pour combattre l'influence délétère du cinéma et de la musique des États-Unis, une lecture si édifiante trouverait sa place.

Surtout, un tel texte lui offrirait une excellente publicité, une sainteté par association, en quelque sorte. Après tout, les cahiers de Raymond Lavallée contenaient le résumé de quarante de ses sermons. Des collègues obtenaient des promotions pour moins que cela.

Quelques mots

Les personnes un peu familières avec la « petite » histoire religieuse du Québec ont peut-être eu une impression de déjà-vu en lisant ces pages. L'Église catholique a présenté de nombreux saints enfants pour l'édification des jeunes gens des deux sexes. Que l'on pense seulement à Dominique Savio (1842-1857 ; canonisé en 1954) et à Maria Goretti (1890-1902 ; canonisée en 1950), des Italiens dont les biographies nombreuses ont circulé dans les couvents, les collèges et les séminaires.

La province a connu aussi sa récolte d'adolescents ou de jeunes adultes décédés prématurément après une vie édifiante. Ils ont également fait l'objet de biographies souvent rééditées afin d'en faire des modèles. Les plus connus furent probablement Paul-Émile Lavallée (1899-1922) et Gérard Raymond (1912-1932). Le futur cardinal de Québec, Jean-Marie-Rodrigue Villeneuve, publia une biographie du premier, intitulée *Aux jeunes de mon pays. L'un des vôtres*. Le second a écrit un journal pendant les quatre dernières années de sa vie. On en a tiré au moins deux publications, *Journal de Gérard Raymond*, et *Une âme d'élite. Gérard Raymond*, la première préfacée par le même Villeneuve. Une petite recherche sur Internet permettra aux personnes intéressées de se les procurer.

Vous le comprenez en lisant ces pages, le journal de Gérard Raymond a surtout fait naître en moi une infinie tristesse. Avec la biographie de Paul-Émile Lavallée, ce texte m'a inspiré, au moment de composer mon personnage, un être hybride nommé Raymond Lavallée. Je n'ai jamais eu la prétention de livrer une biographie de l'un ou l'autre de ces individus. Le candidat à la sainteté que j'ai décrit est un être tout à fait fictif.

Dans ce roman, vous trouverez toutefois quelques-unes des phrases de Gérard Raymond, des emprunts à son *Journal*. Le saint adolescent me pardonnera sans doute. C'est le cas notamment du si navrant extrait intitulé «AIMER! SOUFFRIR! AIMER!» et de la plupart des autres, surtout lorsque le personnage est près de la mort. Quand Raymond Lavallée rédige ses cahiers, il emprunte souvent les phrases, et toujours l'esprit, de ce document.

Quant à Marthe Pelland, la première jeune fille admise en médecine dans une université francophone du Québec en 1925, sa photographie fut effectivement publiée en première page de *La Patrie* le 11 juillet. Diplômée en 1930 avec tous les honneurs, elle se spécialisa en neurologie.

FIN DU TOME TROIS

GARANT DES FORÊTS
INTACTES

Imprimé en mars 2011
sur les presses de Transcontinental-Gagné
Louiseville, Québec